COLLECTION FOLIO

Jean-Christophe Rufin

de l'Académie française

Le tour du monde du roi Zibeline

Gallimard

Médecin, engagé dans l'action humanitaire, Jean-Christophe Rufin a occupé plusieurs postes de responsabilités à l'étranger, notamment celui d'ambassadeur de France au Sénégal.

Nourrie par son expérience internationale et centrée sur la rencontre des civilisations, son œuvre littéraire se partage en deux courants. Avec *L'Abyssin*, son premier roman publié en 1997, *Rouge Brésil*, qui lui a valu le prix Goncourt en 2001, *Le grand Cœur*, *Le collier rouge* ou *Le tour du monde du roi Zibeline*, qui ont rencontré un très vaste public, il explore une veine historique, toujours reliée aux questions actuelles.

Avec *Globalia*, *Le parfum d'Adam*, *Katiba*, *Immortelle randonnée* (sur les chemins de Compostelle) et *Check-point*, Jean-Christophe Rufin crée des univers romanesques contemporains qui éclairent l'évolution de notre monde.

L'écriture vivante de Jean-Christophe Rufin, pleine de suspense et d'humour, a séduit un large public tant en France que dans les nombreux pays où ses livres sont traduits.

Il a été élu à l'Académie française en 2008.

Benjamin Franklin, le visage contracté par la douleur, se tenait debout derrière sa chaise, les mains agrippées au dossier de bois, et il regardait méchamment la porte.

Ses rhumatismes ne le laissaient plus en paix depuis qu'il était rentré à Philadelphie. Cela allait de mal en pis. Deux condamnés, sortis de la prison voisine, le transportaient, assis sur son fauteuil. Ces bougres de voleurs l'adoraient mais ils empestaient un peu trop l'alcool à son goût.

Benjamin Franklin regardait la porte parce qu'elle n'allait pas tarder à s'ouvrir. C'était chaque matin la même attente et la même déception. La cohorte des solliciteurs, la procession des admirateurs qui venaient lui baiser les mains et lui demander son aide. Les mêmes histoires de procès injustes, de voisins en guerre, de veuves nécessiteuses. Il écoutait à peine, hochait la tête, rêvait, comme le vieillard qu'il était, au destin qu'il avait connu et à celui qu'il ne connaîtrait jamais. L'ingratitude des peuples !

Qui avait négocié avec les Anglais au nom des colons américains ? Qui était le rédacteur de la Déclaration d'Indépendance américaine ? Qui avait créé le premier service postal, le corps des sapeurs-pompiers, les grands journaux d'opinion ? Et qui avait représenté les États-Unis, tout juste nés, auprès des Français pendant près de onze ans ? Pourtant, à son retour, les intrigants s'étaient partagé le pouvoir et lui avaient refusé les grands postes auxquels il avait largement droit, tous les honneurs. Il aurait bien mérité lui aussi qu'on l'écoute et qu'on exauce ses vœux, mais qui le ferait ?

La porte s'entrouvrit. Son secrétaire passa la tête.

— Vous êtes prêt, monsieur ?

Benjamin Franklin grommela un « non » puis fit péniblement le tour du fauteuil, s'affala dedans avec un gémissement de douleur.

— Qui sont-ils, ce matin, Richard ?

Le vieux serviteur, habitué depuis tant d'années à calmer la mauvaise humeur de son maître, consulta tranquillement une liste qu'il tenait à la main.

— On en a inscrit douze. Mais il y en a trente de plus dehors dans la rue, si vous voulez.

— Au diable ! Passe-moi ce papier.

Le vieillard chaussa ses lunettes à verres superposés. C'était une de ses inventions, la seule qui lui fût encore utile car il se moquait bien désormais du paratonnerre… Il parcourut la liste de noms en marmonnant. Tous ces Lewis, ces Davis, ces Kennedy ne lui étaient que trop familiers, même s'il ne les avait jamais rencontrés.

— Tiens ! remarqua-t-il en pointant son doigt osseux vers le milieu de la liste. Comte Auguste et comtesse A. Qui sont ces deux-là ? Elle s'appelle vraiment A., cette comtesse ?

Richard baissa la tête. Il était petit et replet et cette attitude lui donnait l'air d'un chien soumis.

— Vous savez que j'ai du mal avec les mots étrangers, monsieur. Ces deux personnes viennent d'Europe et je n'ai pas bien saisi leurs noms. Il y a quelque chose comme « ski » à la fin.

— Alors, tu as mis les prénoms ?

— Celui du monsieur. La dame, même son premier nom est difficile.

Le mot « Europe » avait éveillé Franklin. Il était envahi par une telle nostalgie de ce continent, depuis son retour, que tout ce qui pouvait s'y référer l'attirait.

— Ils viennent d'Europe, dis-tu... D'où en particulier ?

— De Paris.

Le vieux savant écarquilla les yeux. En vérité, dans toute l'Europe c'était Paris qui avait le plus compté pour lui, là qu'il avait connu le triomphe, le bonheur, devait-il dire l'amour ?

— De Paris ! Je les ai déjà vus ?

— C'est ce qu'ils insinuent. Enfin, ils prétendent que vous les avez rencontrés mais que vous ne vous en souviendrez peut-être plus. C'est surtout la dame qui...

11

Franklin se troubla. Il ne savait que penser. L'idée de revoir des personnages qui arrivaient de Paris était le plus grand bonheur qu'il pût souhaiter. Et s'il avait connu cette dame là-bas, c'était encore mieux. Mais que venait-elle donc faire avec son mari ?

— Que veulent-ils ? Ils te l'ont dit ? Tu ne les sens pas… malintentionnés ?

Richard secoua ses badigoinces.

— Du tout ! Au contraire ! Ils sont très impatients de vous voir et ils s'en font une joie.

Le mystère s'épaississait, ce qui était loin de déplaire à Franklin. À son âge, que pouvait-il désirer sinon des surprises et des histoires bien racontées ?…

— Congédie tous les autres ! Qu'ils reviennent demain ou qu'ils aillent en enfer. Et fais entrer ce comte Auguste et cette dame que, paraît-il, j'ai connue.

— Bien, monsieur.

Benjamin Franklin enleva ses lunettes. Il ôta des miettes qui traînaient sur son habit et en tira les pans. Puis il lissa et rabattit derrière les oreilles ce qui lui restait de cheveux, qu'il gardait longs. Curieux comme le mot « Paris » avait un effet immédiat : il se tenait plus droit et soignait davantage son apparence, sans illusions, hélas, sur les charmes de son pauvre corps perclus. N'importe, on allait parler d'un temps où ces misères ne l'accablaient pas encore.

Richard rouvrit la porte, en grand cette fois, et introduisit le couple. L'homme et la femme marchaient du même pas, elle légèrement en avant. Lui la serrait à la taille mais avec discrétion. C'était un geste naturel, familier et tendre.

Ils étaient d'assez haute taille l'un et l'autre. Lui paraissait un peu plus âgé mais avait tout au plus la quarantaine. Elle était très juvénile avec cependant une assurance, une maturité de femme accomplie.

Benjamin Franklin les considéra d'abord ensemble tant le couple qu'ils composaient transformait leurs individualités et leur conférait une sorte de présence commune. Puis ils se placèrent chacun sur un siège que Richard leur avait avancé et Franklin put les détailler à tour de rôle. Le comte Auguste avait un visage boucané, des yeux bleus très doux et ses cheveux blonds, coupés court, n'étaient ni poudrés ni couverts d'une perruque. Dans son attitude se lisait un étrange mélange de vivacité, d'autorité, presque de violence. En même temps, par la manière attentive et profonde qu'il avait de regarder, on sentait un esprit réfléchi, porté à la méditation plus qu'au rêve, tirant de la réalité la riche matière d'une pensée qui avait, derrière ce visage énigmatique, sa vie et ses impulsions propres. Franklin eut tout de suite un peu peur de lui.

Il se garda de trop crûment dévisager sa compagne. Pourtant, ce n'était pas l'envie qui lui en manquait. Elle était précisément tout ce qu'il avait aimé dans la vie. Éclatante de jeunesse et de santé, d'une élégance typiquement parisienne, l'expression réservée mais le regard brillant d'intelligence. Elle se tenait bien droite dans sa robe de mousseline des Indes bleu pastel, longue et ample, fémininement serrée à la taille autour d'un bustier de dentelles qui découvrait ses bras fins. Elle était à peine fardée avec juste ce qu'il fallait de noir aux yeux pour faire ressortir l'intensité de leur iris bleu. Sa coiffure n'était pas savante et sans doute l'avait-elle réalisée elle-même, en tenant les épingles dans sa bouche. Mais on voyait qu'elle était le chef-d'œuvre ordinaire d'une femme experte, comme ces plats simples que préparent à la hâte de grands chefs pour des visiteurs inattendus. Et ces raffinements n'enlevaient rien à l'impression de solidité et de volonté que dégageait la jeune femme.

Franklin, hélas, avait beau interroger sa mémoire : si cette comtesse lui rappelait tant de rencontres délicieuses qu'il avait faites à Paris, elle n'évoquait en lui aucune relation particulière. Elle lui remémorait bien d'autres femmes par sa tenue et ses manières ; elle-même, comme personne singulière, il ne la reconnaissait pas.

En un sens, c'était tant mieux. Il n'avait rien à se reprocher. Cependant, cela ne faisait que rendre l'énigme plus passionnante.

— Ainsi, commença-t-il en regardant ses hôtes tour à tour, vous arrivez de France ?

— Pas directement. Nous avons d'abord séjourné à Saint-Domingue. Mais permettez-moi, cher monsieur Franklin, de nous présenter. Je suis le comte Auguste Benjowski et voici mon épouse, Aphanasie. Nous sommes accompagnés de notre fils, Charles.

— Et où est-il, cet enfant ?

— À l'auberge. Nous ne voulions pas vous importuner avec lui. Il n'a que huit ans…

— Vous auriez pu. J'adore les enfants. Et puis-je vous demander pourquoi vous êtes venus en Amérique ?

— Pour vous voir.

— Tiens, tiens. Quel honneur !

Franklin était en lui-même un peu contrarié que ces visiteurs appartiennent, si différents qu'ils fussent, à l'espèce des solliciteurs qui le persécutaient chaque jour. Par bonheur, il ne doutait pas que leur demande fût plus originale que les interventions qu'on le priait de faire d'habitude.

— Vous êtes donc français ? reprit-il pour les conduire d'abord à se raconter un peu.

— Non. Je suis hongrois, dit Auguste. Ou plutôt polonais. Enfin, disons que je suis un peu les deux.

— Je comprends, dit Franklin qui, de toute manière, n'avait jamais cultivé ses connaissances sur ces profondeurs de l'Europe. Et vous, madame, vous êtes polonaise aussi ?

— Non, prononça Aphanasie. Je suis russe.

Sa voix bien posée, un peu grave pour son sexe, n'en était que plus sensuelle.

— Russe. Allons bon ! Je vous aurais crue parisienne…

— Je ne sais si c'est un compliment…

— C'en est un ! s'empressa Franklin.

— En ce cas, je l'accepte volontiers et vous en remercie. Nous avons vécu un peu à Paris en effet.

— Et c'est là, pardonnez-moi d'être indiscret, que vous vous êtes rencontrés ?

— Non, monsieur. Nous nous sommes connus, Aphanasie et moi, sur les côtes du Pacifique.

Auguste avait dit cela tranquillement, comme s'il avait proposé à Franklin une promenade au bord de la Delaware voisine.

— Du Pacifique ! Vous êtes des navigateurs ?

— Je ne dirais pas cela, bien que nous ayons parcouru beaucoup de distance sur les mers.

Ces petites énigmes plaisaient à Franklin. Il avait presque oublié ses rhumatismes même si sa hanche droite le lançait encore un peu.

— Pardon pour ma curiosité : en temps ordinaire et quand vous n'êtes pas en visite chez moi à Philadelphie, où vivez-vous ? Dans le Pacifique ?

— Non, à Madagascar.

— Tiens donc !

Franklin ne savait pas grand-chose sur cette île africaine et le peu qu'il en avait retenu lui faisait penser qu'elle était sauvage. Il jeta un coup d'œil à Aphanasie. Plus grande dame que jamais, répandant doucement autour d'elle un parfum subtil de lilas et de jasmin, elle souriait avec tranquillité.

— Et que faites-vous à Madagascar ? Je suppose que vous y tenez un emploi.

Auguste réfléchit un instant puis dit sobrement :

— Je suis roi.

Cette affirmation, venue après tant de mystères, finissait par rendre invraisemblable tout ce qu'Auguste et sa femme avaient déclaré. Comme la dernière carte d'un château qui le fait s'écrouler, ce mot doucha la bienveillance de Franklin. Il regarda ces personnages comme deux coquins qui se moquaient de lui. Il se redressa en grimaçant à cause de sa hanche.

— Croyez-vous que mon ignorance soit à ce point ?

— Que voulez-vous dire ?

— Pensez-vous que je ne sache pas que Madagascar est peuplée de Noirs ? Et que son roi, s'il existe, ne saurait être hongrois ou polonais.

Aphanasie se pencha légèrement en avant et tendit la main. Elle portait à l'annulaire une bague ornée d'un gros saphir qui rappelait le ton de sa robe. Un vernis couleur d'ivoire faisait briller ses ongles. Franklin sentit les doigts de la jeune femme effleurer le dos de sa main.

— C'est la vérité, monsieur. Auguste est le roi de ce pays. On l'appelle le roi Zibeline.

« Zibeline ! pensa Franklin. Et quoi encore ? Tout cela n'a aucun sens. »

Aphanasie regardait le vieil homme sans ciller et il déglutit difficilement.

— Soit, gémit-il. Je vous crois.

Après tout, il courait un assez grand nombre de ces histoires d'aventuriers qui se taillaient des empires chez les sauvages et vivaient parmi eux en satrapes. Ces deux-là étaient peut-être de ce genre. Toutefois, en les voyant si élégants, si libres, si policés, Franklin ne parvenait pas à faire coller cette image avec l'idée qu'il avait des aventuriers et des pirates.

Aphanasie s'était redressée. Il y eut un silence puis Auguste reprit la parole.

— Je suis roi, mais je ne souhaite pas de le rester. C'est justement pourquoi nous venons vous voir.

« S'il est roi, ce n'est décidément pas un souverain comme les autres, pensa Franklin. Je n'en ai jamais connu qui renoncent de leur plein gré à ce privilège. » Tous ces mystères finissaient par le réjouir et il y reprenait un intérêt.

— Pardonnez-moi, mes chers amis. J'ai toutes raisons de vous croire car vous me paraissez dignes de confiance. Mais permettez-moi de vous dire que, pour le moment, votre affaire est strictement incompréhensible.

— Nous ne demandons qu'à vous l'expliquer, dit Auguste. D'ailleurs, nous avons traversé l'Atlantique pour cela.

— Eh bien, allez-y.

— C'est que c'est une longue histoire.

— Une très longue histoire, renchérit Aphanasie, la jeune femme que Franklin ne quittait plus des yeux.

— Elle traverse de nombreux pays, elle met en scène des drames et des passions violentes, elle se déroule chez des peuples lointains dont les cultures et les langues sont différentes de tout ce que l'on connaît en Europe…

— Qu'à cela ne tienne ! Au contraire, vous mettez mon intérêt à son comble. Je n'aime rien tant que d'entendre de grandes histoires. Elles me font oublier mon âge et mes maux.

— C'est qu'elle est vraiment très longue et que, pour la raconter, il nous faudra peut-être plusieurs jours.

— Tant que votre récit me passionnera, vous serez les bienvenus. Soyez pour mes douleurs comme Shéhérazade pour la mort. Suspendez-les par votre parole.

— Soit, conclut gravement Auguste. Nous vous conterons notre histoire à tour de rôle. Si Aphanasie m'y autorise, je vais commencer.

Benjamin Franklin se cala dans son fauteuil, les yeux mi-clos. Dehors, des tourbillons de vent faisaient voler les feuilles d'érable dans le jardin d'automne. Richard avait allumé un feu et posé une tasse de thé fumant devant les causeurs. Le parfum d'Aphanasie emplissait l'air tiède de la pièce. Pouvait-il y avoir, pensait Franklin, une plus parfaite image du bonheur sur cette terre ?

AUGUSTE

I

Je dirais que tout est parti du jour où mon père a chassé mon précepteur. Il s'appelait Bachelet. C'était un Français. Nous l'avions chez nous depuis trois ans. Avant son arrivée, mon existence était d'une grande tristesse. Vous savez ce qu'est la vie dans ces vieux châteaux… Non, bien sûr, vous ne le savez pas. Vous n'avez rien de tel ici, en Amérique !

Imaginez une immense bâtisse noire, avec des murs épais comme deux chevaux côte à côte. Les rares ouvertures étaient celles que mon bisaïeul avait fait percer quand la menace des Turcs s'était éloignée. La région est verte en été. On devrait toujours se méfier des pays verts ; c'est qu'ils sont bien arrosés.

De fait, au printemps et à l'automne, nous vivions dans la pluie. Aux confins de la plaine hongroise, là où les terres s'élèvent douce- ment vers les Carpates et la Pologne, les nuages rampent le long des pentes, étouffent les vallées et s'irritent de la moindre résistance. Le piton sur lequel était construit notre château payait cher son arrogance : il était giflé de bourrasques et d'averses la moitié de l'année. Les pluies d'automne ne le cédaient qu'aux premières neiges, et l'hiver, tout se figeait dans un froid de glace.

C'était ma saison préférée : claire, blanche comme le sol givré et bleue à l'image d'un ciel sans nuages. J'ai souvent pensé que les couleurs de nos armoiries étaient un hommage aux teintes éclatantes de l'hiver. Un de mes ancêtres, au creux d'un mois de janvier glacial comme nous les connaissions, avait dû choisir son blason en regardant le paysage par sa fenêtre.

En tout cas, avant l'arrivée de Bachelet, mon enfance fut sombre et solitaire. Mes sœurs, plus âgées, feignaient de ne pas me connaître. Ma mère était une femme mondaine qui voyageait seule à la cour de Vienne. Je l'adorais, quoiqu'elle ne m'eût jamais manifesté la moindre tendresse et qu'elle réprimât mes élans quand elle apparaissait. J'admirais sa beauté grave, son élégance, ses yeux couleur du ciel d'hiver qu'elle avait eu la bonté de me léguer. C'était un être gracieux, fragile, enveloppé dans des châles au moindre courant d'air. Elle ne survivait au château qu'en restant dans le voisinage d'immenses cheminées où les domestiques, pour entretenir un brasier, jetaient des forêts entières. Je m'étonnais que, si fragile, elle ait pu donner naissance à trois enfants. J'étais encore malingre et je m'en désolais quand je contemplais sur les murs les portraits de mes rudes ancêtres magyars, bardés de cuirasses, armés d'épées qui devaient peser deux fois mon poids. J'étais seulement heureux de faire à ma mère ce cadeau d'avoir au moins un enfant à sa taille, dans lequel, espérais-je, elle pouvait retrouver ses joues creuses, ses fins cheveux clairs, ses membres grêles…

Quoiqu'elle ne parût point s'aviser de ces affinités ni s'en réjouir, elle me donnait la joie de ressentir, dans ce château lugubre, la chaleur d'une parenté. Ma mère était la seule personne en qui je pus me reconnaître. Elle seule me permettait de penser que je n'étais pas tombé en cet endroit par hasard et au milieu d'étrangers mais que j'y avais été enfanté, que je tenais ma place dans un lignage. Hélas, cette ressemblance avec elle ne dura guère. On verra que le temps allait me faire quitter cette première apparence, fragile et enfantine, pour me doter d'un corps tout à fait semblable à celui de mes brutes d'ancêtres, que j'eus longtemps du mal à mouvoir. Quant à ma mère, son œil brillant révéla bientôt qu'il ne devait rien à la belladone et tout à la fièvre. Ses joues se creusèrent de plus en plus et elle prit, vivante encore, un masque de trépassée. On eut beau jeter des troncs d'arbre dans les cheminées, rien ne parvint bientôt plus à la réchauffer. Elle mourut en un de ces mois bleus et blancs d'hiver, l'année de mes neuf ans. Je restai seul avec mon chagrin, que personne ne semblait partager. Une semaine après que l'on eut porté ma mère en terre, il ne subsistait aucune trace d'elle au château. La mâle domination des lieux s'étendit sans partage dans toutes les pièces. On éteignit les feux, réduisit le nombre des chandeliers. Les parfums que j'aimais respirer en me glissant derrière ma mère disparurent au bénéfice d'odeurs de cuir et de rêches fourrures. Mon père, qui ne s'était pas trop inquiété jusque-là de mon existence, entreprit de faire de moi ce qu'il était si fier d'être : un homme.

L'affaire s'engagea mal. Il était massif, brutal de geste et sa voix puissante, qui avait fait merveille quand il était à la tête d'un régiment d'artillerie, me terrifiait. En sa présence, je me figeais et devenais tout à fait stupide. Ce qu'il tenta de m'enseigner, et d'abord la généalogie de la famille, me paraissait aussi incompréhensible que s'il eût parlé le chinois. Il me frappait pour se faire entendre, haussait encore la voix et ses rudesses aggravaient d'autant mon hébétude.

Un jour et d'un coup, la torture cessa. Pendant toute une semaine, mon père me laissa tranquille. Je craignis d'abord qu'il ne fût en train d'ourdir contre moi un plan de vengeance. Je m'imaginais déjà livré comme esclave aux Turcs, employé aux plus humbles tâches dans les champs par nos métayers ou même jeté dans ces oubliettes dont on m'avait fait un jour apercevoir l'ouverture, sous les caves du château.

Au lieu de cela, il me confia à Bachelet.

Le professeur est arrivé un matin de pluie, à la fin du printemps. Et comme il était lui-même tout gris d'apparence, il semblait tombé d'un nuage. J'observai sa maigreur, ses lèvres pâles, ses longues mains fines. Je n'avais jamais vu d'être pareil dans notre compagnie de gaillards rougeauds. S'il avait dû ressembler à quelqu'un, c'était à moi-même, encore enfant et de sang faible à cette époque. Il avait à peu près ma taille, ce qui le faisait paraître minuscule dans la maisonnée. Et cette modeste stature, jointe à un sourire qui était en permanence accroché à ses lèvres, en révélant qu'il était sans défense et qu'un rien pouvait l'abattre, lui conférait un étrange pouvoir sur les individus tout en force, hommes ou femmes, qu'étaient nos serviteurs. Il eut tout de suite une place à part dans le château, à proportion non de sa puissance mais de l'autorité que donne à certains l'absolu renoncement à toute ambition, tandis que leurs pensées, elles, restent hors de portée des volontés extérieures.

Mon père lui-même était troublé quand il se retrouvait en sa présence. Que Bachelet parût dans le grand salon et mon père cherchait au plus vite un prétexte pour le quitter. Tout le monde s'interrogeait sur les motifs de cette fuite. Nul, hormis moi, n'aurait songé la rattacher à l'entrée discrète, par une porte que dissimulait un trompe-l'œil, d'un petit homme en habit noir qui tenait les yeux baissés.

Je sus bien plus tard que l'engagement de Bachelet était une des dernières volontés de ma mère. Avant que la maladie ne l'emporte, elle avait fait jurer à mon père qu'on m'enseignerait le français. J'ignore quelles relations elle avait entretenues avec cette langue. Certains m'ont parlé d'un amant rencontré à Vienne et même d'une escapade à Paris. Elle en aurait rapporté, mêlés à bien des larmes, les seuls souvenirs heureux capables de la tenir en vie, quand elle se résolut à rentrer au château.

Mon père avait juré à ma mère qu'il exécuterait sa volonté. Pour le connaître mieux aujourd'hui, je ne crains pas d'affirmer qu'il aurait facilement rompu ce serment s'il en avait éprouvé le besoin. Avant d'honorer cet engagement, il avait d'ailleurs essayé de me dresser lui-même. Comme cette brève expérience l'avait convaincu qu'il n'y parviendrait pas et que, de toute façon, je n'en valais pas la peine, il considéra que c'était un moindre dommage que de me confier à un précepteur étranger. En bref, Bachelet eut carte blanche pour m'élever.

Il le fit avec une grande douceur. Dès le premier jour et quoiqu'il sût un peu l'allemand, il ne m'adressa jamais la parole qu'en français. Cette langue entra d'abord en moi avec le charme d'une parure exotique. Puis elle devint notre langue secrète. Elle nous permettait de tout dire sans être entendus de quiconque. Plus tard, quand je sus que la volonté de ma mère avait été de me le faire apprendre, je fis de son usage un hommage posthume à celle que j'avais si peu connue et tant aimée. Sans doute ma mère m'eût-elle livré de plus profonds secrets si elle avait pu s'exprimer avec moi dans cette langue, car elle avait été pour elle celle de la liberté.

Bachelet m'impressionna tout de suite par son attitude à mon égard. Il me témoignait du respect mais pas le respect froid et craintif que me réservaient les domestiques du château, pour cette seule raison que j'étais le fils d'un comte. Ce respect-là était brutal, ironique, teinté de mépris ; il ne leur avait pas échappé que mon père ne me réservait aucune estime.

Celui de Bachelet n'était fait que de bienveillance. Il le manifestait à tous les êtres humains et, oserais-je dire, à tous les êtres vivants. Il se saisissait d'une plante en l'effleurant discrètement. Il parlait aux animaux avec une profondeur qui semblait les émouvoir. J'étais heureux de prendre ma part dans cette universelle considération, une part d'être vivant, sans rien de plus que m'aurait conféré mon rang. Un jour que nous étions arrêtés devant le grand arbre généalogique que mon père avait fait peindre à fresque sur le mur de l'entrée, Bachelet avisa une de mes grand-tantes particulièrement illustre. Je crus qu'il avait reconnu son nom, célèbre en Pologne, et j'allais m'en étonner. Aujourd'hui, je ne suis même pas sûr qu'il l'ait déchiffré. C'était seulement son visage sur le portrait en médaillon qui l'avait ému.

— Comme cette femme avait de beaux yeux ! me dit-il.

À ces mots, tout à coup, descendus de leurs branches, illustres ou décadentes, mes aïeux en farandole dansèrent parmi nous, libres et égaux, sous le regard malicieux de Bachelet.

II

Les premières semaines après son arrivée furent encore pluvieuses et mon maître, comme je le redoutais, me fit rester assis dans la bibliothèque du château. C'était une pièce haute, tapissée de reliures. Les livres, dont ni mon père ni personne ne faisaient usage, étaient enfermés derrière de grands grillages en laiton. Aussi la bibliothèque ressemblait-elle plus à une prison où l'on retenait captifs les idées, les rêves romanesques, la poésie. Je ne pénétrais jamais sans effroi dans cette salle silencieuse, où on m'isolait pendant de longues heures, lorsque j'étais puni.

Bachelet s'était fait remettre les clefs des armoires et, grâce à lui, la bibliothèque reprit vie. Il sortait les volumes de leurs étagères, les ouvrait et, avec moi, déchiffrait des passages entiers. Ces tombeaux de cuir se révélaient pleins de trésors. Bachelet lisait avec animation. Il mettait le ton, faisait des gestes, riait aux saillies et laissait presque paraître des larmes quand le texte était tragique.

J'imaginai d'abord que l'étude avec lui se bornerait à ces exercices intellectuels, dans la clôture d'une paisible bibliothèque. Les beaux jours venus, il m'entraîna pourtant dehors et nous passâmes à des activités inattendues. Le petit matin nous trouvait debout. Je rejoignais Bachelet dans la grande cuisine. Les fourneaux s'éveillaient et emplissaient les voûtes d'une tiédeur parfumée de graisses savoureuses. Aux murs, les casseroles de cuivre tintaient de lumières chaudes, sous les rayons du premier soleil. Sitôt le pain beurré avalé, le café bu, nous partions. Et, pour mon plus grand bonheur, nous quittions le château. Jusqu'alors, j'y avais passé ma vie. Quand le temps était au beau, j'avais tout au plus le droit de courir sur les terrasses, d'arpenter les chemins de ronde et les cours. Le château était si vaste que je ne m'y sentais pas reclus. Cependant, quand je fis avec Bachelet l'expérience d'en sortir et de m'en éloigner, il me parut bien petit et je découvris à quel point le monde était grand. Mon précepteur me fit visiter les fermes, les minoteries et poussa même jusqu'aux bourgs environnants où travaillaient des artisans. Chaque sortie était l'occasion de découvrir un petit univers : les ruchers introduisaient au secret des abeilles, à l'élaboration de la cire et du miel. Dans les étables, nous pûmes contempler l'étrange spectacle de la traite et, moi le fils du seigneur, je reçus comme un grand privilège le droit d'oindre mes doigts de graisse et de faire jaillir le lait dans un seau en fer-blanc.

J'eus même le privilège, la saison venue, d'assister à la mise bas de plusieurs veaux. Chez les artisans, nous entrions dans les ateliers et Bachelet détaillait pour moi avec minutie toutes les opérations nécessaires à l'ouvrage. J'appris ainsi comment se faisait le pain, comment on découpait des billes de bois, avec quelle puissance on parvenait à mouvoir les meules qui écrasaient le blé. À notre retour, Bachelet tirait de ces expériences un sens philosophique.

Il m'enseigna aussi ce qu'il savait de mathématiques et me communiqua sa passion pour Newton. Les soirs d'été, nous montions une lunette de cuivre pour observer les étoiles.

Il me parla de l'*Encyclopédie*, vaste entreprise que ses auteurs avaient commencée sans savoir s'ils la mèneraient un jour à bien. Bachelet professait une opinion à laquelle toutes ses explications revenaient. « L'esprit humain dans son entier, disait-il, procède de nos sens. La raison n'est pas une donnée, une capacité innée de notre esprit. Elle se forme, ainsi que le jugement et toutes nos facultés, au contact du monde. Un philosophe, concluait-il, ne saurait rester dans sa chambre. Il doit aller à la rencontre du réel, en faire l'expérience. » Il me parlait avec passion d'un nommé Condillac, qu'il avait bien connu, ainsi que d'un Anglais appelé Locke qu'il admirait beaucoup.

Car Bachelet était philosophe. Quand ma maîtrise du français fut satisfaisante, nous entrâmes, par nos incessantes conversations, dans une familiarité suffisante pour que je lui pose des questions sur sa vie. J'appris ainsi qu'il avait embrassé cette carrière vingt ans plus tôt. Il était entré en philosophie comme on avait voulu le faire entrer en religion. Ses parents étaient des négociants de Mâcon. Il était né huitième enfant, avait découvert la vie sur les bords de la Saône, s'était passionné très tôt pour l'existence des bateliers, la pêche, les routes de ce sel lointain dont il voyait haler les cargaisons. Lorsque, à quatorze ans, on l'avait envoyé à Paris au séminaire, il était bien décidé à ne pas y rester. Il y acquit ce qu'il fallait de latin, lut les auteurs antiques plutôt que les Pères de l'Église. La liberté qui lui était donnée d'aller et venir en ville dans la journée lui permit de faire des connaissances dans les cafés.

— Les philosophes ont ceci de particulier, me confiait-il avec la nostalgie de ce temps, que lorsqu'on en connaît un, on les rencontre tous.

Celui qu'il croisa en premier fut un garçon de son âge qui possédait plus de zèle que de talent et que d'Alembert avait employé à l'*Encyclopédie*. Par lui, il rencontra son maître, qui le présenta à son tour à Diderot. Au domicile de celui-ci se tenaient des assemblées bavardes et bruyantes, toujours joyeuses, où paraissaient des gens dont il me livra le nom avec la révérence que les prêtres réservent aux saints et aux martyrs : Rousseau, Holbach, Grimm, Hume, et ce fameux abbé de Condillac qu'il tenait en si haute estime.

Je compris que Bachelet remplissait dans ce cénacle un rôle modeste mais passionné. Sa pauvreté, dès lors qu'il eut rompu avec ses parents, le contraignait à faire divers métiers qui parfois l'éloignaient de l'étude. Il n'en dédaignait aucun, puisqu'ils lui permettaient tous d'étendre son expérience du monde. Il avait copié de la musique, vendu des oublies et même servi un temps comme laquais dans un hôtel du faubourg Saint-Germain. Ses amis philosophes l'avaient heureusement aidé à dénicher des emplois plus favorables à l'usage de ses talents et de son savoir. Il était parti comme secrétaire d'un diplomate français en Prusse. Puis il avait servi de précepteur aux filles d'un hobereau autrichien. Après leur mariage, il s'était retrouvé sans emploi et quelqu'un l'avait informé que mon père cherchait un répétiteur de français.

— Ainsi la Providence vous a-t-elle mené jusqu'à chez nous, lui dis-je un jour.

— La Providence n'existe pas ! répliqua-t-il avec colère. Il ne faut jamais se livrer à des forces prétendument supérieures. Il appartient à l'homme de prendre en main son destin et nul ne saurait le faire à sa place.

Lui qui croyait tant aux vertus du dialogue et qui ne m'enseignait d'ordinaire que sous la forme d'aimables conversations n'avait pas supporté de m'entendre parler de la Providence. Je me gardai par la suite de prononcer ce mot devant lui.

L'après-midi même, nous lûmes *Candide*. Ce

livre-là, comme le *Traité des sensations*, le *Discours sur l'inégalité* ou la *Lettre aux aveugles*, nous ne pouvions espérer le trouver dans la bibliothèque du château. Par bonheur, Bachelet l'avait apporté avec lui dans sa petite valise.

*

C'est peu de dire que j'admirais mon précepteur français. Je l'aimais. Il m'avait ouvert au monde et fait comprendre la nécessité de le découvrir. Il m'avait, le premier, traité en être humain et même en égal. Il m'avait fait partager son savoir et offert l'usage d'une langue en laquelle étaient rédigés tant d'ouvrages de génie.

Il y avait cependant une limite à cette admiration et elle me gênait beaucoup. En un mot, je dirais que Bachelet, s'il donnait par son enseignement le goût de la vie, ne semblait pas en avoir tiré un aussi grand profit qu'il le laissait espérer. Il était d'une pauvreté sordide et s'en accommodait. J'observais ses bas troués qu'il reprisait lui-même, son habit râpé que ses modestes gages ne lui permettaient pas de remplacer, son linge jauni. En grandissant, et à cet âge le corps se transforme, je le dépassai rapidement. Ses membres grêles, son teint lilas, son souffle court lorsque nous marchions sur les chemins, loin de le rapprocher de moi comme lorsque j'étais plus enfant, me le faisaient désormais prendre en pitié. J'avais un peu honte devant lui de ce sang venu de mes aïeux qui coulait en moi et répandait dans tout mon être une force, des appétits, un courage qui lui faisaient si complètement défaut. Au fond, il était la victime de son propre système. En m'enseignant le monde, en me laissant espérer ses beautés et désirer ses épreuves, il avait éveillé en moi des volontés qu'il était incapable d'illustrer. Je pense qu'il le sentait et ne se faisait guère d'illusions. Il me voyait dévorer les plats riches que préparaient nos cuisiniers. Il peinait à me suivre dans nos équipées de campagne. Il surprenait mes regards avides quand nous croisions des filles légèrement vêtues qui poussaient leurs troupeaux, une baguette à la main, sur les chemins qui poudraient leurs jambes nues. Je savais qu'il savait. Pourtant, parce que je l'aimais et craignais de l'offenser, je lui cachais le plaisir que je prenais aux exercices du corps dont mon père avait fixé le programme.

Car du jour où il avait vu ma lèvre s'ourler d'une moustache naissante, mon père avait exigé que je suive, en parallèle de l'enseignement de Bachelet, une formation aux armes. C'était la tradition pour les garçons de la famille. J'avais cru d'abord y échapper, en raison du mépris que mon père concevait pour moi. Mais soit qu'il eût observé malgré tout les progrès que j'accomplissais grâce à l'enseignement de Bachelet, et repris du même coup un peu de considération pour ma personne, soit tout simplement qu'il eût attendu mes treize ans et la formation de mon corps pour m'y soumettre, mon père finit par charger le maître d'armes de m'imposer ses exercices.

Si les matinées continuaient d'être réservées à Bachelet, les après-midi je m'appliquais à tirer l'épée, à monter à cheval et parfois même à prendre part à des simulations de bataille que mon père commandait lui-même. Il avait organisé ses gens en une petite armée. Les paysans soumis à sa loi n'avaient d'autre choix, quand il le décidait, que de se mettre en rang, piques ou fourches à la main, et d'obéir aux ordres qu'il criait de sa voix puissante.

Jamais je n'aurais pensé tant m'amuser à ces jeux. J'aimais la vitesse du galop, le risque des sauts à cheval par-dessus les troncs d'arbre disposés dans la grande cour, le jeu dangereux des combats au sabre. Et quand mon père, pour un de ses exercices, me fit revêtir un uniforme de dragon cousu tout exprès pour moi, je m'étonnai du bonheur que je ressentis à boutonner contre ma poitrine l'étoffe raide, couverte de broderies et de galons.

Comment aurais-je pu expliquer à Bachelet que je prenais un égal plaisir, quoique d'une nature différente, à suivre son enseignement, à apprendre par cœur de longues pages de Jean-Jacques Rousseau, à reproduire dans ma bouche les belles sonorités de la langue française que je maîtrisais maintenant couramment ? Je feignais de me rendre aux exercices militaires comme à une corvée. Bachelet souriait ; je pense qu'il n'était pas la dupe de ces hypocrisies. En somme, elles lui convenaient. Elles montraient, pensait-il, qu'il m'avait appris l'essentiel : prendre de la distance à l'égard de ses passions. Il se trompait, hélas, sur ce sujet. Son enseignement, de ce point de vue, fut un échec total. Je n'ai jamais entrepris quoi que ce fût sans y mettre mon cœur ni m'y livrer tout à fait. Et malgré le respect que je lui porte, je dirais que je ne le regrette pas.

Dans le regard de Bachelet à cette époque, il y avait, quand j'y songe, une tristesse que je ne savais pas complètement mesurer. Je suis persuadé aujourd'hui qu'il avait vu venir la fin de notre relation bien plus tôt que moi. Ce qui le désolait dans l'ardeur que je mettais à m'aguerrir, c'était qu'il comprenait à quoi menait inéluctablement mon entrée dans la plénitude de la force et dans l'âge adulte. Et, en effet, l'orage qu'il pressentait éclata peu avant le début de l'automne. Bachelet était avec nous depuis près de trois ans.

III

Comment mon père conçut-il des soupçons ? J'ai dit qu'il ressentait une vive antipathie pour Bachelet. L'âme humaine est ainsi faite qu'elle prête volontiers des propriétés maléfiques à ce qu'elle déteste. Peut-être aussi quelqu'un au château adressa-t-il secrètement une dénonciation. Cependant, quoique la plupart de nos domestiques fussent jaloux de Bachelet et méfiants devant ses manières savantes, je n'en vois aucun qui pût réunir contre lui des informations compromettantes.

Il n'y avait pas de clerc au château. Les messes ordinaires étaient célébrées par un petit chanoine presque illettré qui vivait dans une cure misérable au milieu d'un des bourgs voisins. Il repartait toujours en tremblant, bouleversé d'avoir pénétré, sans encourir de châtiment, dans le monde des maîtres que ses parents lui avaient tant appris à craindre. Un prélat venait de la ville officier pour les grandes fêtes et les sacrements. C'était un personnage mondain et

39

plein d'onction. Il plaisait à mon père car il pardonnait tout au pécheur qui savait mettre assez d'hypocrisie dans sa rédemption. Il ne connaissait pas Bachelet, et les soupçons ne purent émaner de lui. En revanche, il est fort probable que mon père l'avait consulté pour instruire le procès quand il eut mis la main sur les premières pièces à conviction.

Mon maître entretenait une abondante correspondance avec son pays d'origine et en recevait régulièrement des lettres. D'épaisses missives fatiguées d'avoir couru les postes d'Europe arrivaient parfois souillées de diverses matières, vin, huile, sang peut-être. Il est bien possible qu'elles aient attiré l'attention du comte, mon père. Moi-même, j'ai eu plus d'une fois la curiosité de les ouvrir discrètement pour savoir ce qu'elles contenaient. Je n'en avais pas les moyens mais mon père, lui, pouvait facilement recourir aux services d'un espion comme il s'en trouve dans toutes les cours, même les plus petites. Ce qui est sûr, c'est qu'il ne frappa que lorsqu'il fut certain de disposer de preuves suffisamment accablantes.

C'était au début d'octobre. Il avait encore fait assez beau les jours précédents. Bachelet, en dernier lieu, m'avait fait visiter un abattoir. J'ai pensé bien souvent depuis à cette ultime leçon de réalité et j'y vois comme une scène sacrée comparable aux derniers moments de Jésus avec ses disciples. L'endroit était situé à une lieue environ du château, aux abords d'une rivière.

Nous y allâmes à pied. Bachelet montait à cheval mais depuis que je m'adonnais aux armes, il me forçait à l'accompagner en marchant, même pour les plus longues expéditions dans le voisinage. Je suppose qu'il entendait par là m'imposer un autre rythme, une posture plus humble et faire cheminer mes pensées au pas des péripatéticiens.

Les bêtes qui devaient mourir étaient attachées dans un enclos et meuglaient.

— La mort, me souffla Bachelet, se fait toujours sentir. La vie s'attache si intimement à l'être qu'elle ne peut s'en arracher sans qu'il en conçoive auparavant une douleur.

Nous allâmes jusqu'au carré en terre battue où étaient opérées les mises à mort. Derrière, dans d'autres pièces à claire-voie, les carcasses fraîchement abattues étaient suspendues à des crochets. Des apprentis vêtus de blouses et couverts de sang procédaient à l'écorchage et à la découpe. Nous ne nous y attardâmes que pour étudier, à la manière de l'*Encyclopédie*, selon quel savoir rigoureux s'enchaînaient leurs gestes. Mais Bachelet me fit comprendre que là, en somme, tout était dit : dans ces pièces régnait la mort, autant que la vie était encore la maîtresse au-dehors, dans les enclos où gémissaient les bœufs sur pied. Le mystère était entre les deux et il fallait s'en approcher. Nous restâmes longtemps dans l'étroit hangar dédié à l'abattage. Bachelet semblait fasciné par l'observation de cet instant si bref et si mystérieux pendant lequel le regard de la bête s'éteint, où la mort saisit le vif tandis qu'avant de disparaître l'animal semble avoir aperçu quelque ultime et aveuglante vérité. Pour lui qui mettait tant de prix à la moisson des sens, ce moment tragique était comme une invitation à ne jamais renoncer à l'observation du monde jusques et y compris à cette dernière seconde où tout peut-être sera révélé.

Deux jours plus tard, en me rendant à la convocation de mon père dans la bibliothèque, j'eus l'impression de pénétrer à nouveau dans l'enclos d'abattage. La sèche atmosphère emplie d'ordinaire de senteurs de cire et de bois me parut saturée cette fois par une violente et fade odeur de sang.

Bachelet était déjà là, convoqué à la première heure. Il se tenait debout, très droit ; ses yeux cernés et toujours un peu jaunes étaient grands ouverts. Il regardait mon père sans insolence mais avec la ferme intention de ne rien laisser échapper de ce que le monde allait lui enseigner. Le comte était assis dans un immense fauteuil qu'il avait dû faire apporter du salon d'apparat. De chaque côté du précepteur, deux gardes en uniforme se dandinaient, immenses, la veste gonflée de muscles, le fusil à l'épaule. Comme s'il ne suffisait pas à mon père de se montrer si évidemment le maître, comme si la présence de ces soldats puissants n'eût pas à elle seule fait ressortir la faiblesse de l'accusé, le malheureux Bachelet fut contraint de s'expliquer en allemand. Il maîtrisait assez cette langue pour entendre toutes les accusations mais pas pour se défendre, ce qu'il n'avait de toute façon, je le compris vite, aucune intention de faire.

Devant mon père, sur une table, étaient étalés comme des trophées de chasse divers objets qui appartenaient à mon précepteur. Hormis des lettres, des journaux, je reconnus les livres en compagnie desquels nous avions passé tant de belles heures.

Quand la mise en scène fut complète et l'accusé convenablement ramolli par l'attente silencieuse, mon père prit la parole. Sans jamais regarder Bachelet, il énuméra les crimes dont, selon lui, il s'était rendu coupable.

— Vous avez eu l'audace de propager dans cette maison honorable et pieuse les idées de criminels condamnés par l'Église et le roi de France. Je vous ai engagé pour enseigner le français à mon fils Auguste. Et voilà qu'au lieu de lui faire connaître des auteurs de bonne moralité qui, à ce que l'on m'a dit, ne manquent pas en France, vous lui avez mis dans la tête des idées dangereuses et fausses.

Je vis passer dans les yeux de Bachelet une lueur ironique. Il avait dû relever en même temps que moi une légère contradiction dans les propos de mon père : si des idées sont fausses, elles ne sont pas dangereuses et l'on peut les réfuter. Tous les deux, nous aurions discuté longtemps sur un tel thème. Il était inutile de vouloir entraîner mon père sur le terrain de la dialectique. Il avait déjà poursuivi, tout à sa hâte de compléter l'accusation pour prononcer la sentence.

— J'ai d'ailleurs appris que vous ne vous contentez pas de propager ces œuvres impies ; vous avez pris part à leur rédaction. Vous êtes l'ami de ces ennemis de la religion, de ces empoisonneurs de l'esprit. Vous entretenez avec eux une correspondance !

Il avait saisi sur la table un paquet de lettres et les déployait en éventail.

— J'ai ici des courriers signés de M. d'Alembert, de M. Diderot, auteurs que, j'avoue, j'ignorais. Aussi de cet Holbach dont les thèses hérétiques ont fait retentir jusqu'à moi leur sinistre écho.

Puis, comme pour couper la parole à Bachelet qui pourtant restait coi, il ajouta, en jetant les lettres, et en montrant des imprimés.

— Vous recevez aussi des gazettes qui se permettent de contester les avis très autorisés de l'archevêque de Paris et même de Sa Sainteté le pape.

Retombant dans son fauteuil après ces vives paroles, il conclut :

— Vous cachez bien votre jeu, monsieur Bachelet. Pour tout dire, vous avez l'air inoffensif. Et néanmoins, prononça-t-il en embrassant d'un geste large tous les documents dispersés sur le velours vert de la table, vous usez d'armes dangereuses et peut-être mortelles. Mortelles en tout cas pour l'âme. Heureusement, Dieu m'a prévenu à temps pour que je puisse sauver celle de mon fils.

Je sentais que mon père n'était pas tout à fait satisfait de cette scène. Il s'attendait à une résistance, à une protestation qui lui aurait permis de revenir sur le terrain qui lui était familier et où il avait l'assurance de sa supériorité : celui de la violence et des insultes.

Au lieu de quoi, Bachelet demeurait silencieux, son éternel sourire aux lèvres, le regard clair, l'œil avide de tout enregistrer.

Mon père cherchait un moyen de le provoquer, sans toutefois donner à ce bonimenteur l'occasion de l'humilier par une tirade à laquelle il n'aurait su répondre. Finalement, il alla au plus simple :

— Croyez-vous en Dieu, monsieur Bachelet ? hurla-t-il.

Le Français chercha à se défiler. Il esquissa un geste évasif de la main.

— Soyons plus précis. Oui ou non, croyez-vous en Notre Seigneur Jésus-Christ ?

Bachelet toussa et entreprit dans son allemand incomplet une démonstration dans laquelle je reconnus l'opinion de Voltaire sur le Grand Architecte de l'Univers.

— Au Christ, ai-je dit, monsieur Bachelet ! Croyez-vous au Christ : oui ou non ? martela le comte, en l'interrompant.

— Non.

Il se fit un lourd silence, troublé seulement par les gouttes d'une pluie d'averse que des bourrasques rabattaient sur la croisée. Mon père se signa et marmonna une prière.

— Eh bien, voici ma sentence, prononça-t-il en relevant la tête. Vous allez quitter ce château sur-le-champ et n'y jamais reparaître. Une voiture va vous conduire hors des États de l'empereur, en sorte que vous ne puissiez plus y répandre vos idées nuisibles.

J'eus l'impression d'entendre, comme la veille, le fer tranchant du merlin briser l'os frontal du condamné. Je vis passer, un bref instant, le même éclat du savoir ultime dans les yeux écarquillés de mon maître. Puis la lueur disparut et laissa paraître un vide glacial.

— Puis-je aller chercher mes effets ?

— C'est inutile. Tout est ici.

Mon père désigna, dans un coin éloigné de la bibliothèque, un petit tas où je reconnus la besace que Bachelet emportait dans nos promenades et la valise qu'il avait à la main en arrivant trois ans plus tôt.

Avant de ramasser ces misérables affaires, Bachelet voulut au passage saisir ses livres mais le comte abattit bruyamment sa main sur le tas de documents.

— Au feu, tout cela !

Je me levai et j'étais sur le point de m'avancer vers mon maître pour l'embrasser quand le comte me saisit au collet. Revenu à sa brutalité naturelle, sans plus craindre l'offense venimeuse d'un songe-creux, il s'adressa à moi sur un ton de menace qui me rappela les terribles séances de naguère.

— Restez où vous êtes, monsieur mon fils !

L'enfant craintif reparut un instant en moi et je me rassis.

Bachelet traversa toute la bibliothèque en faisant claquer malgré lui sur les dalles les semelles de bois de ses mauvais souliers. Puis il ouvrit la haute porte en chêne sculptée de feuillages et disparut, les deux gardes à sa suite. Peu après, un bruit de sabots et de roues ferrées indiqua que la voiture l'avait emmené. Alors mon père se leva et sortit à son tour. Je me retrouvai seul dans la bibliothèque et pleurai en silence jusqu'à la tombée de la nuit.

IV

J'attendis dix jours sans rien laisser paraître. J'eus même à cœur de me montrer enjoué et plein d'ardeur dans les exercices physiques. Puis je demandai audience au comte.

— Père, lui annonçai-je, ma formation est complète. Je monte à cheval aussi bien qu'il est possible. Je sais tirer à toutes sortes d'armes, me battre et commander une section, grâce à votre enseignement. Seule me manque désormais la pratique. Je souhaite m'engager dans l'armée impériale.

Mon père me dévisagea par en dessous. Il avait l'air de flairer quelque mauvais coup, en rapport avec l'affaire de Bachelet. Mais je le regardai si droit, je formai sur mon visage une mimique si ingénue qu'il n'en trouva pas matière à me soupçonner. Il grogna son accord et me congédia.

En lui, je pense, la fierté de me voir illustrer la famille en servant l'empereur se joignait au soulagement d'être débarrassé de moi. Je n'attendis pas qu'il changeât d'avis et me mis en route dès le lendemain. Les jours précédents, j'avais eu le temps de préparer cette échéance. À vrai dire, Bachelet parti, je n'avais plus rien ni personne à quitter. Un seul détail comptait pour moi : je voulais emporter ses livres.

Après avoir refusé de les lui rendre, mon père avait commandé à un vieux domestique de les brûler. Cet homme ne m'était pas favorable. Il m'aurait obéi si je lui avais donné un ordre mais l'aurait aussitôt rapporté au comte. Je balançais entre l'idée de lui ouvrir mon cœur, comme l'aurait sans doute fait Bachelet, ou le parti contraire qui était plutôt dans les manières de mon père : l'acheter, en assortissant cette corruption d'une implacable menace. À mon grand regret, je jugeai cette dernière solution plus sûre. Elle donna pleine satisfaction. J'eus le bonheur de pouvoir fourrer dans mon paquetage une demi-douzaine d'in-octavo sans couverture dont je savais déjà des centaines de lignes par cœur. Cet incident acheva de me révéler que je sortais de l'enfance comme un être à deux faces : dans l'une se lisait la bonté fraternelle que je tenais de mon précepteur, cette force du sentiment qui, selon son enseignement, devrait guider toujours les choix moraux. Et sur l'autre, la brutalité, la vigueur, la colère, héritage inaliénable de mon père que jamais aucune philosophie ne serait tout à fait capable de modérer. La suite de ma vie devait montrer que ce double bagage ne cesserait de peser sur mes épaules, quel que fût mon désir de m'adonner à la seule douceur.

Mon père m'avait remis une lettre pour attester ma filiation et se porter garant de mon éducation militaire. Il m'autorisa à emporter un des habits d'apparat que j'avais utilisés pour ses grands exercices, ainsi que mes armes. Elles consistaient en deux pistolets et un sabre qui avait appartenu à mon aïeul et massacré nombre de Turcs. Pour que nul ne s'avisât de croire que mon départ pût devoir quelque chose à celui de Bachelet ou constituer un acte hostile contre mon père, celui-ci organisa une cérémonie d'adieux devant ses troupes formées en haie d'honneur, de la porte du château jusqu'au premier hameau de notre vaste domaine.

À midi, j'étais hors de vue des murailles et j'arrivai bientôt plus loin que je m'étais jamais aventuré jusque-là. Puis je sortis de nos terres et entrai dans des contrées inconnues. De sombres nuages m'appelaient à eux, au nord, derrière l'horizon. Le cœur lourd, une vague nausée au ventre, un fol espoir en tête, je souriais à tous les manants de rencontre, en soulevant mon chapeau à trois cornes. J'avais quatorze ans.

*

Les dix années qui s'écoulèrent ensuite ne furent occupées que par la guerre. J'avais rejoint un régiment non sans mal, en demandant dans les auberges si quelqu'un savait où se trouvaient les armées. On riait de moi. Heureusement, je finis par tomber sur le régiment de Liebeschien.

Le colonel qui le commandait était un lointain parent de mon père ; il fit grand cas de sa recommandation. Je devins lieutenant. On me confia une demi-douzaine de pauvres bougres mal chaussés. J'eus la présence d'esprit de ne pas user auprès d'eux des méthodes de mon père. Elles ne m'auraient rien permis d'obtenir. Je me comportai plutôt avec eux comme Bachelet me l'avait enseigné, quand nous visitions les villages. J'appris leur nom, leur âge, leur état. Je m'enquis de la santé de leurs femmes, de la croissance de leurs enfants. Ils m'aimèrent et cela rendit la vie bien joyeuse, entre les batailles.

Car la guerre était là, qui nous opposait comme toujours à la Prusse. Des alliances, d'ailleurs changeantes, apportaient à ce couple ennemi le renfort de troupes venues de fort loin. Quand l'entente fut scellée entre l'Autriche et la France, j'eus le bonheur de voir à nos côtés des soldats natifs des faubourgs de Paris, de Provence et de Champagne. Je ne savais pas trop bien encore ce qu'était un pays, quoique, ayant parcouru la Saxe, la Bohême et l'Autriche, j'eusse commencé à mesurer la différence entre un État et le petit domaine où j'étais né et à quoi jusque-là j'avais cru pouvoir réduire le monde. Je demandais pourtant à chaque Français si, par hasard, il avait croisé un certain Bachelet, philosophe de son état. Aucun d'eux, bien entendu, n'avait entendu parler de lui mais ils paraissaient touchés par ma question et personne ne se moqua de moi.

En ces premières années, j'eus l'occasion de prendre part à quatre batailles. Pendant la première, ma section était placée en position de réserve et n'eut pas à intervenir. Je ne connus de l'affaire que des bruits exaltants de canonnade et des cris de victoire. J'en sortis au comble du bonheur. Au fond, c'étaient les jeux de mon enfance, les manœuvres amusantes de mon père sauf qu'aux sabres de bois on avait substitué des armes véritables qui brillaient au soleil de tous leurs bronzes. La deuxième fut le siège de Prague. La gloire de délivrer les pauvres civils pris au piège des Prussiens effaça de ma conscience le fracas des os brisés et les cris des ennemis mourants. Les deux batailles suivantes, à Sweidnitz et à Domstadt, furent de vraies affaires et me montrèrent le visage atroce de la véritable guerre.

La vie militaire me donnait beaucoup de temps libre. J'eus l'occasion de lire en détail et de méditer les textes que Bachelet m'avait offerts malgré lui. Je me rendis compte que son enseignement, loin de constituer une doctrine, un système, était une sorte de collège désordonné d'idées empruntées à des penseurs divers et qui n'étaient pas toujours d'accord. Ce qui lui importait, c'était la rencontre de ces idées entre elles, et surtout de ces idées avec le monde. Or, si dans la vie courante du régiment je pouvais me sentir en harmonie avec ces pages de sagesse, les batailles me décourageaient profondément. Comment laisser parler sa conscience, cet « instinct divin » qui, selon Rousseau, indique le Bien, quand tout commande de fendre le crâne du malheureux frère qui vous fait face ? Comment échapper à la méchanceté humaine quand votre métier est d'y prendre part et même d'y devenir le meilleur en violence et en cruauté ?

Mes braves soldats étaient des êtres sensibles, que je m'étais acquis par la bonté. Ils recherchaient la fraternité dans ce corps militaire, société organisée autour de quelques nécessités quotidiennes (la cuisine, la corvée d'eau, le montage et le démontage du camp, etc.). Et voilà qu'en ordre de bataille, devant leurs semblables inconnus qu'ils avaient pourtant plus de raisons d'aimer que de haïr, ils se métamorphosaient en bouchers sans pitié. À la troisième bataille, je crus avoir eu la malchance de participer à une exceptionnelle hécatombe. De surcroît, je fus victime d'une première blessure, une brûlure au bras sans gravité ; elle me fit m'apitoyer sur moi-même et oublier quelque peu la souffrance des autres. Mais la quatrième bataille, qui fut considérée comme une victoire partagée avec des Français, se révéla encore plus sanglante que la précédente ; elle me laissa désespéré et prêt à changer d'état.

Je crus en avoir l'occasion en recevant l'héritage de mon père. J'espérais qu'il me permettrait de quitter le métier des armes. Hélas, la succession du comte s'avéra calamiteuse. Le temps que je sois informé de son décès et que je regagne le château, les maris de mes sœurs s'étaient emparés de nos biens et m'en contestaient la possession au moyen de documents falsifiés. J'ameutai les paysans qui m'étaient fidèles et attaquai le château. Mes beaux-frères en appelèrent à la cour de Vienne et je fus déclaré coupable par un arrêt de l'impératrice. Je dus rendre nos biens à leurs usurpateurs et quitter les États de l'impératrice.

J'avais à peine vingt ans, et tout perdu.

J'étais un soldat sans armée puisque l'Autriche m'avait banni. Mon seul acquis était l'art militaire. Mais je ne le considérais plus comme un élégant et vigoureux usage du corps ; je n'avais plus de fascination pour la marche en cadence des troupes ni pour la puissance des charges de cavalerie. J'y voyais seulement une science de mort, la quintessence de ce que la société pouvait faire de l'homme, quand il s'éloignait de la fraternité.

Quel parti prendre ? Condamné aux armes, je décidai au moins d'en changer. Il me semblait que la mer pouvait offrir à un soldat une occasion plus noble, sinon plus belle, de se battre, s'il le fallait. Je ne voulais plus de boue, de tranchées, de chevaux morts. Au moins, sur les océans, le vent chassait les miasmes et les gerbes d'écume lavaient les corps de leurs souillures. Je me dis aussi qu'en acquérant la science nautique je pourrais embrasser une carrière de navigateur dans la marine marchande et rompre un jour avec les nécessités de la guerre.

Je partis pour Dantzig puis Hambourg. J'eus

la chance de naviguer sur deux bâtiments qui n'eurent point à combattre et où je me sentis parfaitement heureux. Le monde de la mer et des ports m'enchanta. J'eus l'occasion de bénir cent fois Bachelet pour ses leçons. Il avait eu bien raison de me convaincre que tout notre esprit procède de nos sens. Combien, si j'étais demeuré au château, mes idées auraient été différentes ! Ce que je découvrais, jamais je ne l'aurais imaginé. Je projetais d'aller plus loin encore et j'étais prêt à m'embarquer pour les Grandes Indes quand la Providence, à laquelle Bachelet ne croyait pas, revint me chercher pour m'entraîner dans un combat auquel je ne pourrais plus jamais me soustraire.

Mon père décidément ne m'avait causé que des malheurs, pendant sa vie comme dans sa mort. En quittant la Hongrie pour n'y pas revenir, je me sentais plus polonais que jamais et je pensais avec émotion à ma mère.

Le hasard avait voulu que quelque temps plus tôt un mien oncle me fît son héritier en Lituanie. Je devenais de plein droit un gentilhomme de Pologne et entrai de ce fait dans le jeu passionné et complexe de ce pays.

Je n'avais connu jusque-là que la tyrannie mais c'était le régime ordinaire du pouvoir autour de moi, que ce fût au château ou à la cour de Vienne, et je ne voyais donc pas la nécessité de la combattre. Comme un être amphibie qui n'aurait vécu que dans l'eau, je ne savais pas qu'une autre atmosphère était respirable. Bachelet me l'avait bien suggéré. Il m'avait souvent parlé du pouvoir absolu et critiqué ses excès. Prudence de sa part ou désir que j'en découvrisse les méfaits par moi-même, il ne prit cependant jamais d'exemple concret et son enseignement sur ce point restait théorique.

Le jour où mon père le chassa du château, j'eus une première illustration des idées de ce Montesquieu que Bachelet citait souvent. Concentrant dans ses mains cruelles les pouvoirs législatif, exécutif et judiciaire, mon père avait eu tout loisir de fixer la loi, de déclarer sa violation et d'exécuter la punition qu'il avait lui-même décidée. De même, au sommet de l'empire, la souveraine d'Autriche m'avait condamné sans fondement et en vertu du même abus de tous les pouvoirs qui étaient réunis dans ses mains.

En Pologne, pour la première fois, je découvris qu'il était possible de refuser cet absolutisme. Les nobles polonais étaient fous de liberté. Certes, cette liberté ne concernait qu'eux et non encore le peuple. Mais elle faisait régner dans le pays un climat de débat passionné. La liberté allait jusqu'à l'excès et, sans ce fameux équilibre des pouvoirs dont m'avait tant parlé Bachelet, elle tendait à se détruire elle-même. Les tyrans alentour soufflaient sur ces braises et n'attendaient qu'une occasion pour dépecer le pays, si la crise politique l'affaiblissait davantage. Les tsars de Russie se montraient les plus actifs à ce jeu mortifère. Ainsi la Pologne vivait-elle bien avant les autres les paradoxes et les limites de la liberté. Cette grande chose ne peut survivre que dans un monde qui lui est favorable. C'est peu de dire qu'il ne l'était pas.

L'affaire était presque entendue. La Pologne,

ruinée par ses divisions, s'était vu imposer par la Russie, avec la complicité de la Prusse et de l'Autriche qui attendaient leur part, une tutelle politique impitoyable. Les Polonais ne supportaient pas ce diktat étranger. Ils étaient passionnément attachés à cette liberté qui leur avait coûté si cher. Une confédération se forma dans la ville de Bar, destinée à résister aux Russes et à tous les autres. J'y pris part. Les confédérés me demandèrent de me tenir prêt.

Quand ils m'appelèrent pour combattre, je quittai les bateaux, abandonnai mes projets de navigation et rejoignis la confédération avec enthousiasme.

Mes idées sur la guerre avaient mûri. Je ne m'étais engagé dans le métier des armes que par le goût des exercices physiques, l'attrait de l'aventure fraternelle des armées, une sorte de besoin instinctif de donner à mon sang trop vif le moyen de dépenser l'énergie que j'avais de reste. S'y était joint le dépit d'avoir perdu Bachelet et la volonté de quitter le château au plus vite.

Les premières batailles m'avaient fait descendre de ces songes. J'avais vu la cruauté et le sang et je me sentais révolté par la barbarie du combat. Mais en y pensant, et j'avais eu tout loisir de le faire pendant les longues heures passées en quart sur la dunette de mes bateaux, j'avais opéré une distinction. Ce qui m'avait révolté dans la sauvagerie du combat, c'était précisément sa gratuité. Mes soldats égorgeaient leurs adversaires sans savoir pourquoi. Ils le faisaient parce que c'était la fonction qu'une société pervertie leur avait assignée. En somme, dans le métier des armes, ce qui me révoltait, ce n'était pas les armes mais le métier.

Au contraire, et tel avait été le cas à Prague, si la force était mise au service d'un idéal, si elle visait à combattre un mal et à lui substituer sinon un bien du moins un mieux, alors les armes devenaient un instrument de civilisation. La liberté représentait pour moi cet idéal, en tout cas le combat contre la tyrannie. Un tel combat supposerait l'emploi de la force. Comme l'avait écrit Jean-Jacques Rousseau dans une phrase demeurée longtemps obscure à mes yeux et qui continue toujours de susciter des questions en moi : « Il faut forcer les hommes à être libres. » En rejoignant la confédération de Bar et en prenant part au combat contre la tyrannie russe, je me sentais légitime pour employer la force et même pour tuer.

C'est dans cet état d'esprit que je rejoignis Cracovie, où les confédérés s'étaient soulevés. J'y arrivai le jour même où les Russes donnaient l'assaut. On me nomma colonel général et commandant de la cavalerie. J'allai chercher un régiment de six cents hommes dans une garnison voisine et le fis entrer en combattant jusque dans la ville assiégée. Le détail de cette guerre ne mérite pas d'être raconté ici. Je dirai seulement que je me suis battu sans états d'âme et que mes compagnons autant que mes ennemis m'ont fait l'honneur de me reconnaître une certaine bravoure. J'entraînais mes hommes en usant des mêmes méthodes inspirées de Bachelet dont j'avais déjà fait l'expérience au service de l'Autriche. Cette fois, je pouvais leur offrir mieux qu'une simple attention fraternelle. L'égalité entre nous avait un sens, quoique je fusse leur chef et qu'ils l'acceptassent de plein gré. Surtout, la cause de la liberté, la haine de la tyrannie nous unissaient. Je leur lus de longues pages de Voltaire, que je traduisais la nuit en polonais. Ils s'exaltaient à ces idées ; elles leur donnaient les forces morales pour combattre comme des êtres humains et non plus comme des bêtes.

Le danger était partout, et pas toujours où on l'attendait. Si, avec les hommes, les affaires se déroulaient au mieux, il me fallait encore me méfier des femmes. Face à elles, je n'étais pas encore armé et je manquai même, bien avant que les Russes ne l'entreprennent, de me faire capturer par l'une d'elles.

Il faut reconnaître que si mon éducation m'avait jusque-là aguerri et donné la maîtrise de tous les emplois du corps, il était un domaine qui restait à développer, c'était celui de l'amour.

Mes relations avec les femmes au château se résumaient à l'adoration lointaine que je portais à ma mère, à l'indifférence méprisante que me témoignaient mes sœurs et à la soumission craintive et dangereuse de nos domestiques. Bachelet, qui vivait dans la solitude et une apparente abstinence, n'était pas un exemple sur ce point. Il m'avait bien parlé des amours de Diderot, des nobles protectrices de Jean-Jacques. Mais il semblait évoquer là des muses plutôt que des êtres de chair. La turbulence de mes humeurs, à l'adolescence, me conduisit un moment à regarder avec un trouble particulier les paysannes que nous croisions lors de nos escapades. Sous la surveillance austère de Bachelet, il n'était pas question pour moi de les poursuivre. Mon père, d'ailleurs, ne l'aurait pas toléré, lui qui s'absentait pourtant une ou deux fois le mois pour assouvir ses besoins, je le sus plus tard, dans une maison dédiée à cette fin, à l'écart du plus lointain de nos bourgs.

En définitive, je jetai toutes mes forces dans le jeu des armes et j'y trouvai une paix suffisante, faute d'en connaître une autre. Colonel vaillant, respecté par ses troupes et dans le même temps moins qu'enfant pour les choses du sexe, je ne pouvais manquer de susciter les convoitises de plusieurs femmes. Certaines restèrent muettes et attendirent un geste de ma part. Elles attendent toujours. D'autres furent plus offensives et me tendirent des pièges. J'y échappai par le fait même de ma naïveté qui ne me laissait rien voir. Une fois pourtant je faillis ne point en sortir indemne.

J'étais tombé malade des poumons au cours de l'hiver. Un petit noble de campagne dans le voisinage du régiment me recueillit en sa maison. Il me prodigua des soins attentifs et délégua à mon chevet sa dernière fille. La fièvre, le sommeil qui m'avait tant manqué et m'accablait dans ce lit chaud, une faiblesse extrême qui m'était venue avec la maladie, tout cela que je n'avais jamais connu me donnait l'impression de sombrer. Je faisais des cauchemars. J'étais sur un bateau dans la mer Baltique, l'eau glacée montait inexorablement et allait m'engloutir. Je grelottais dans mes draps trempés de sueur. J'agrippais la main de ma providentielle infirmière. Elle touchait mon front, approchait une tasse d'eau fraîche de mes lèvres. Un jour, aux premières heures du matin, j'eus la sensation qu'elle était couchée près de moi dans le lit. Puis je sombrai à nouveau et, à mon réveil, elle n'y était plus.

Je finis par guérir. Le gentilhomme, quand je fus sur pied et revêtu de mon uniforme devenu trop large tant j'avais maigri, m'invita solennellement à dîner. Nous étions seuls dans une salle à manger ornée de tapisseries mangées de mites. Même en cette grande occasion, il n'y avait que la moitié des chandelles allumées au lustre. Une horrible vinasse devait attendre depuis si longtemps dans les carafes qu'elle avait laissé sa couleur sur leurs parois. Pendant que nous mastiquions sans espoir de les amollir les morceaux d'un mouton famélique, le père de famille me demanda à quelle date j'envisageais de fixer la cérémonie.

Je fis passer la bouchée de viande dans une lampée de vin coupé et demandai :

— Quelle cérémonie, marquis ?

— Mais, le mariage.

Je tentai de résister avec la même vigueur que la barbaque que l'on m'avait servie. Le gentilhomme me fit comprendre, avec douceur d'abord, plus menaçant par la suite, que nous étions allés si loin en intimité, sa fille et moi, pendant ces jours de fièvre, qu'on pouvait la considérer à bon droit comme déshonorée. J'étais d'autant moins armé pour le contester que mes souvenirs étaient confus, au milieu desquels traînaient de vagues images de sein dénudé et de chevelure glissant sous ma main. Dans ces moments de grand désarroi, je me raccrochais toujours à l'idée de ce qu'aurait fait Bachelet en pareil cas. Une citation de Machiavel qu'il répétait souvent me revint en mémoire. « Ce qu'on ne peut empêcher, il faut le vouloir. »

— Eh bien, marquis, votre proposition tombe bien, dis-je en levant mon verre rutilant. Je ne savais justement pas comment vous faire ma déclaration.

— À la bonne heure, mon cher comte ! s'écria-t-il en bondissant sur ses pieds.

Sans doute craignait-il de ma part une plus farouche défense. Il entrechoqua nos verres par-dessus la table puis cria d'une voix réjouie :

— Marthe, Katarzina, rejoignez-nous vite.

Sa femme et sa fille, qui attendaient derrière la porte de l'office, entrèrent tout sourire dans la pièce. La marquise était d'une laideur extrême et mal vêtue mais ces inconvénients ne me concernaient pas. Hélas, je me rendis compte qu'elle avait fait don à sa fille de toutes ses disgrâces et lui avait enseigné le même art qu'elle possédait à la perfection : celui de se mal vêtir. La pauvreté véritable peut être harmonieuse et même élégante. Au contraire, la pauvreté des riches, qui s'appelle l'avarice, provoque en moi un vif dégoût. Ladite Katarzina était aussi rêche que les mauvaises étoffes qui la couvraient. Maintenant que la fièvre ne troublait plus ma vision, la méchanceté de ses traits m'apparaissait. Bachelet avait bien raison de se confier à la vérité de nos sens mais c'est à condition qu'ils ne soient point altérés. Je rassemblai assez de forces du tréfonds de mon désespoir pour former un semblant de sourire. La jeune fille, pas si jeune d'ailleurs, entrouvrit ses lèvres aussi minces que des fils et découvrit des dents gâtées.

— Allons, dit le marquis avec attendrissement, donnez-vous la main.

Je saisis celle de ma promise. Elle était osseuse et glacée.

Le marquis et son épouse entrèrent alors dans une longue conversation pour fixer la date du mariage ainsi que ses conditions. J'acceptai tout. Par chance, quand ils me proposèrent de m'établir chez eux jusqu'à la cérémonie, un dernier coup d'œil à ma future épouse me donna le courage de réagir.

— Hélas, répondis-je en feignant la plus grande contrariété, je dois rejoindre d'abord mon régiment et prendre des dispositions pour qu'il soit commandé en mon absence.

Je précisai qu'il me fallait donner ces ordres

sans plus tarder et j'ajoutai, ce qu'aujourd'hui encore je ne me pardonne pas, que plus vite je partirais, plus vite nous aurions de nouveau le bonheur de nous trouver réunis.

Sur la route, à cheval, j'interrogeai mes souvenirs avec angoisse. La maladie pouvait-elle m'avoir fait perdre à ce point conscience que j'eusse… ? Non, décidément, c'était impossible. L'air vif, le blanc des arbres givrés se découpant sur un ciel indigo, le soleil de l'hiver sur le pelage brillant des chevaux que je croisais, tout me faisait revenir dans le cœur une joie de vivre, un appétit de liberté. Je me secouai sur la selle, piquai mon cheval des deux et rejoignis le cantonnement. Deux jours après, à la tête de mille quatre cents hommes, je m'élançai sous les ordres du prince Lubomirski à l'assaut de la forteresse de Lanckorona. Je concevais moins de craintes devant ses murailles hérissées de canons que je n'en avais ressenties à l'idée d'épouser cette terrible femme.

J'avais encore des progrès à faire pour être tout à fait un homme.

défend je ne m'abandonne pas à ma

point de la conserver, je fis l'expérience

différent de ce qu'avait été le décor de mon

VI

Pendant cette guerre de Pologne et tandis que nous défendions la ville de Cracovie sans trop d'espoirs de la conserver, je fis l'expérience de la variété des cultures et des peuples. J'avais l'impression d'écrire un nouveau chapitre des *Entretiens sur la pluralité des mondes* de Fontenelle. Tout ce que je découvrais autour de moi était si différent de ce qu'avait été le décor de mon enfance ! Chaque jour, nous voyions affluer de nouveaux volontaires, venus de divers coins de l'Europe. Déjà, en servant dans l'armée d'Autriche, j'avais eu l'occasion de côtoyer des combattants de nationalités variées. La situation était pourtant tout autre. Au service de l'empire et au gré de ses alliances, des soldats nous étaient envoyés par les princes qui gouvernaient leurs États. Le grand flot de la tyrannie charriait devant lui, comme des rochers emportés dans le lit d'un torrent, tout un magma d'hommes tenus en servitude. Au contraire, la défense de la Pologne était celle d'une idée, un choix volontaire en faveur de la liberté. Des individus, suivant leur divine conscience, quittaient tout pour épouser ce combat, quoiqu'ils pussent bien sentir combien il était désespéré.

Parmi eux, je m'attachai particulièrement à un Suédois de mon âge, un dénommé Oleg Wynbladth. Il était natif de Stockholm, et n'avait embrassé la carrière des armes que pour complaire à ses parents, issus de deux lignées de militaires. Prisonnier en Russie pendant la guerre avec la Suède, il s'était évadé et avait rejoint les troupes confédérées pour combattre l'absolutisme du tsar. Il était aussi différent de moi physiquement qu'il était possible. De petite taille, presque chétif, très myope, il faisait preuve de peu d'adresse mais d'une grande résistance. Ce qui nous rapprocha fut le français, langue qu'il avait apprise seul pendant sa captivité, qu'il lisait et entendait parfaitement mais qu'il parlait avec un fort accent et une grande lenteur. Nous nous échangeâmes des livres. Les miens étaient ceux que je tenais de Bachelet. Il avait découvert les siens à la faveur du pillage de diverses places fortes auquel il avait pris part.

À mesure que l'étau se resserrait autour des troupes polonaises confédérées, nous eûmes de moins en moins le loisir de lire. Il nous fallait trouver des vivres coûte que coûte et faire diversion pour permettre l'entrée de ravitaillement. Le danger était de plus en plus grand et un plaisir inattendu naissait pour moi de ce jeu mortel. Avec Oleg et quelques autres, nous fîmes des concours d'audace et de panache, franchissant à la dernière extrémité, poursuivis par des cavaliers russes, les portes de Cracovie après nos attaques. Les cosaques savaient apprécier ce genre de défis. Ils y reconnaissaient un trait de leur propre folie, le même goût pour une vie vécue dans les parages ultimes de la mort. Je crois que leur réponse d'hommes d'honneur fut de nous épargner. Le jeu, pour eux, consistait à nous capturer vivants.

Et, bien sûr, ils y parvinrent.

C'était au mois d'août, par une chaude et interminable journée. Nous avions forcé le passage pour quitter la ville avec un important détachement de cavalerie. Le combat au retour s'engagea mal. Les premiers de nos chevaux tombèrent, entraînant la chute des autres rangs. La chaleur étouffante, la forte lumière du soleil au zénith, la soif qu'aggravaient la poussière et la sécheresse du sol, tout concourait à nous affaiblir. En échangeant des coups de sabre avec l'ennemi, je sentis à plusieurs reprises des lames pénétrer dans ma chair. Le sang coulait à travers ma chemise et collait ma veste. Les blessures étaient sérieuses mais rien qui pût m'empêcher de combattre encore. La bataille se déroulait aux abords mêmes de Cracovie. On entendait sonner les heures aux clochers de la ville. Sur les cinq heures, j'éprouvai une violente douleur au ventre et presque en même temps mon cheval s'effondra. Les deux cosaques qui avaient tiré les coups de pistolet se saisirent de mon sabre, vidèrent les fontes de ma selle et me firent prisonnier. Pour me le signifier, l'un d'eux posa sa rude main sur mon épaule. C'était un geste d'estime entre guerriers. Il atténua quelque peu ma honte de me voir ainsi dépouillé de mes armes et conduit, d'abord jusqu'au colonel Brinken puis, à quelques lieues de là, au général russe qui commandait l'armée en chef.

J'avais pensé tout perdre lorsqu'on m'avait dépouillé de mon héritage paternel. Il me restait encore une marche à descendre pour atteindre le dernier degré de l'infortune. Cette marche, je venais de la franchir. On allait m'ôter les deux derniers biens dont je disposais : l'honneur et la liberté. Je crus que ma vie était terminée. En vérité, elle commençait.

*

L'existence d'un prisonnier est totalement soumise aux humeurs de ses geôliers. Certains se sont montrés d'une grande cruauté à mon égard, d'autres plus cléments. Je dois dire qu'à cette première période de ma captivité j'aimais autant être aux mains de gens impitoyables. Avec eux, les choses sont claires et l'on a moins de mal à se faire à son nouvel état. Tandis que des maîtres attentionnés et aimables font venir à l'esprit une nostalgie affreuse. En adoucissant la vie quotidienne, ils la rendraient presque semblable à la vie d'avant, en sorte qu'il ne demeure qu'une différence, aveuglante et cruelle : la liberté perdue.

Je fus traité avec rudesse et, au lieu de penser à ma captivité, je fus tout occupé à guérir mes blessures auxquelles les soins étaient refusés, à résister à la faim et à l'inconfort des cachots où l'on m'avait jeté. Puis, petit à petit, tandis que mes plaies se refermaient au bras et que les chairs évacuaient les éclats que j'avais reçus dans le ventre, je fus embarqué dans les profondeurs de la Russie. Après diverses étapes plus ou moins pénibles, je parvins à Kiev puis à Kazan, ma destination finale. La ville servait de prison ouverte pour plusieurs milliers de soldats et d'officiers capturés notamment pendant la guerre de Pologne. On m'assigna à résidence dans la maison d'un orfèvre. J'y fus bien traité et achevai de me remettre de mes blessures. Dans cette paisible demeure et en retrouvant une vie presque normale, je plongeai d'abord dans la plus affreuse tristesse. À presque vingt-huit ans, je ne me voyais aucun avenir et, faute de connaître le terme de ma détention, pensais avec désespoir que ma jeunesse serait perdue en vain dans cet exil.

Fort heureusement, quand je me rétablis et pus sortir dans la ville, je retrouvai mon ami Oleg Wynbladth. Il avait subi le même sort que moi et vivait dans une maison proche. Nous reprîmes nos conversations et nos marches. Les habitants russes de la ville ne nous étaient pas hostiles et Oleg m'introduisit dans plusieurs salons où se déroulaient de chaleureux dîners. Bientôt, nous menâmes une existence presque mondaine, quoique étrange puisque, si nous avions toute liberté de sortir, de nouer des amitiés, de prendre part à des fêtes, nous devions rentrer le soir dans la maison qui nous était assignée. Nous avions en somme l'impression que notre esprit était libre mais que notre corps, lui, était captif. Notre esprit, en réalité, n'était pas si libre qu'il y paraissait car le gouverneur entretenait dans la ville un réseau d'espions qui nous obligeait à rester prudents.

Nous nous étions vite rendu compte que nombre des Russes que nous fréquentions étaient habités par la même haine de la tyrannie qui nous avait fait prendre les armes. Ils tenaient des discours sévères à l'égard de la tsarine. Nous les écoutions avec une prudente bienveillance. Certains nous confièrent qu'ils avaient des plans pour se soulever et que diverses villes jusqu'à Moscou même s'y apprêtaient. Trop peu nombreux pour espérer vaincre seuls les forces impériales, ces conjurés russes comptaient sur nous, prisonniers étrangers, pour joindre nos forces aux leurs. Ils attendaient beaucoup aussi des Tatars qui n'allaient pas tarder à marcher sur la ville. L'entrée en guerre récente de la Turquie contre l'armée russe avait achevé de convaincre ces musulmans de se révolter. Nous naviguions dans cette ambiance dangereuse, désireux d'apporter nos encouragements à ces hommes épris de la même liberté que nous, mais contraints de surveiller nos propos qui revenaient sûrement aux oreilles de la police. J'étais en première ligne dans l'affaire, délégué par les prisonniers pour maintenir le contact avec les chefs de la conjuration.

Hélas, depuis que je suis sorti du château de mon enfance, j'ai eu tout loisir de prendre la mesure de mon caractère. La nature m'a donné ce grand corps que vous voyez et une attention fraternelle à tous, que je dois sans doute beaucoup à Bachelet. Cette complexion a du bon : j'entraîne sans effort ceux qui sont placés sous mes ordres, j'attire une sympathie naturelle dans les groupes, je suis vite porté, dans l'action, à marcher devant et à parler pour les autres. L'inconvénient est que je ne saurais passer inaperçu. Et lorsque, comme à Kazan, j'évolue dans un milieu surveillé, c'est inéluctablement moi que l'on repère et que l'on identifie comme un meneur.

Quand la conjuration, par le fait de querelles personnelles, eut été dénoncée au gouverneur, celui-ci décida de couper des têtes, et plaça la mienne en premier. Il donna l'ordre de se saisir de moi. On était en novembre. Il faisait nuit. L'orfèvre, mon logeur, était couché. J'avais fait allumer un bon feu et je lisais pour la dixième fois peut-être une traduction polonaise de *Robinson Crusoé* qu'Oleg avait pu conserver avec lui. On frappa. Je descendis ouvrir, vêtu d'une chemise de nuit et d'un sous-vêtement de flanelle.

Un officier me demanda si le comte Benjowski était là. J'eus un instant d'hésitation puis lui répondis qu'il dormait en haut, dans sa chambre. L'officier prit la chandelle que j'avais à la main et se précipita dans l'escalier avec sa garde. J'en profitai pour filer. J'allai réveiller Oleg. Il s'habilla à la hâte, me prêta une veste trop petite et, ainsi vêtu, je l'accompagnai dans les rues désertes jusqu'à la sortie de la ville. Dans un village alentour, nous obtînmes d'un paysan qu'il nous vendît – trop cher – des chevaux. La nuit était froide et claire. Au lourd galop de nos bêtes de labour, nous nous élançâmes sur la route de Moscou qu'éclairait une lune presque pleine. Nous savions qu'un des nobles russes conjurés était le maître d'un domaine dans cette direction. Nous avions eu l'autorisation de nous y rendre un après-midi quelques semaines plus tôt. L'entrée de l'allée qui y menait était marquée par un grand cèdre que nous reconnûmes sans peine. La vaste maison était plongée dans l'obscurité et lorsque nous battîmes au portail, nous entendîmes tout un remue-ménage. On se mettait sur le pied de guerre. Le seigneur devait craindre une descente de la police. Quand il ouvrit une fenêtre et aperçut deux hommes sans armes dont l'un vêtu d'une chemise de nuit et chaussé de pantoufles, tenant par la bride deux épaisses rosses de labour, il eut une expression si empreinte de stupéfaction que, malgré le danger, nous éclatâmes tous de rire.

Revenu de son étonnement, le gentilhomme nous fournit en grande hâte les moyens de disparaître. Il nous habilla, nous procura un permis de circulation et nous remit assez d'argent pour couvrir les frais d'un long voyage. Par des voitures de poste et à cheval, nous remontâmes à Moscou puis jusqu'à Saint-Pétersbourg sans attirer autrement l'attention.

Nous parcourûmes ces longues distances la joie au cœur et sans impatience. Nous n'étions pas encore libres mais nous n'étions plus prisonniers. Et comme nous ignorions quel serait notre destin, après tant de ruptures et d'exils, nous entendions jouir de ce présent inattendu dont la Providence, en laquelle Bachelet ne croyait pas, nous faisait cadeau. Dans cette ville, je louai un appartement et nous jouâmes une petite comédie, prétendant que j'étais un comte en voyage et qu'Oleg était mon valet.

Un Allemand que je rencontrai sur la promenade le long de la Neva, apprenant que je souhaitais voyager vers l'Europe, me recommanda un capitaine hollandais. J'allai voir l'homme le soir même. C'était un long personnage taciturne, qui semblait avoir été sculpté par la mer ; les vents avaient creusé son visage de rides, l'eau salée rincé ses cheveux filasse et les rares lumières des ciels du Nord donné à ses yeux la couleur de la houle. Il était impossible de lire sur cette statue la moindre expression et je n'aurais pu affirmer qu'il avait cru à mon histoire de maître et de valet. Je ne sus même pas quelle langue il parlait ; il ne marqua aucune réaction au même récit que je lui fis en allemand, en français et en russe. C'est en montrant ses doigts qu'il indiqua un prix. Nous nous mîmes d'accord sur cinq cents roubles et je lui dis que nous reviendrions le soir avec nos effets.

La rudesse de ce marin m'empêcha de penser qu'il fût un indicateur et un traître. La trahison requiert une souplesse qui lui faisait tout à fait défaut. Le plus probable est qu'il était surveillé, comme tous les patrons de navires pouvant embarquer des passagers. Plus certain encore, la police était sur nos traces et avait noué patiemment tous les fils depuis notre évasion de Kazan. Toujours est-il que quand nous reparûmes le soir pour embarquer, c'est un détachement de soldats qui nous accueillit.

On nous conduisit à la forteresse Pierre-et-Paul. Après d'absurdes interrogatoires, des menaces de tortures qui ne furent heureusement pas mises à exécution et un simulacre de jugement, il fut décidé que nous quitterions à jamais les États de la tsarine et que nous prêterions serment de ne plus prendre les armes contre elle.

Au lieu de quoi, peu de jours après, on nous tira de prison pour nous vêtir d'un costume en peau de mouton et on nous fit étendre sur des traîneaux. L'hiver couvrait le sol d'une épaisse couche de gel. Des nuages pommelés, immobiles, nous observaient du ciel. Nous pensions aller vers la Pologne, comme le jugement nous en faisait obligation. Hélas, à mesure que les traîneaux glissaient sur la neige, avec leur joli bruit de clochettes, nous reconnûmes des villages par lesquels nous étions passés dans notre fuite. Et à la direction du soleil, il ne fut bientôt plus possible d'en douter. C'était vers l'Est qu'on nous menait.

À l'absolutisme des tyrans s'attache l'arbitraire de leur justice. Notre peine avait été changée, nous ne sûmes jamais par qui ni pourquoi.

Nous étions bannis et déportés en Sibérie.

VII

Dans sa *Lettre sur les aveugles,* Diderot analyse le problème théorique soulevé par un aveugle de naissance auquel on rendrait la vue : pourrait-il déduire de ce qu'il voit la notion de distance ? En effet, selon qu'il est plus ou moins près de l'œil, un objet grossit ou diminue. Comment savoir sans le toucher quelle est sa taille « véritable » et, partant, à quelle distance il se trouve de nous ? Cette question de l'étendue ouvre un débat philosophique dans lequel je me garderai d'entrer. Si je le mentionne ici, c'est que la compréhension de l'étendue est généralement rattachée à une expérience. Nous nous déplaçons, et de ce déplacement naît la notion que nous avons de l'espace. Tout le monde peut s'entendre là-dessus car tout le monde fait à peu près le même déplacement, dans une maison, une ville, une province, à la rigueur en parcourant tout un pays.

Traverser la Sibérie est autre chose. Aucune expérience ne peut se comparer à cela. Ce déplacement gigantesque donne une autre mesure de l'étendue. Elle introduit à la notion d'infini.

Il me suffira de dire qu'il nous a fallu près d'une année, en voyageant chaque jour ou presque, pour parvenir au lieu de notre déportation. Une pleine année à pénétrer chaque jour plus avant dans une étendue infiniment monotone, couverte de forêts plus ou moins denses, souvent basses, clairsemées de bouleaux et de petits sapins, parfois ouverte en landes infinies, tapissées de bruyères, de fougères et de sphaignes. À traîneau, à cheval, en tarantass, souvent à pied, nous avons jour après jour attendu que quelque chose se passe qui anime le paysage. En vain. Une fois quittées les villes, on se rend compte combien l'habitat humain est concentré, blotti sur les bords de cette terre immense. L'humanité, dans ces espaces, est accablée par l'évidence de sa solitude. L'infini de la Sibérie donne une idée d'autres infinis, celui des mers et celui du ciel, dans lesquels Pascal, le premier à notre époque, a pris la mesure de notre insignifiance.

Et puis, en Sibérie, quand on s'y attend le moins, la toile de cette monotonie se déchire et il en jaillit un événement imprévu, marqué lui aussi par la démesure : un fleuve, si large qu'on n'en distingue pas l'autre berge, ou des montagnes effrayantes qui brandissent la double menace de leurs pics instables et de leurs gorges escarpées.

En une année, le voyageur a le temps de

découvrir à ses dépens les écarts brutaux du climat. L'été torride, étouffant et poussiéreux, rend inconcevable l'arrivée pourtant si proche d'un hiver de neige en tempête et de vents glaciaux. La peau humaine tantôt ruisselante dans la fournaise de l'été se met ensuite à coller aux fers que bleuit le froid extrême.

Il y a deux manières opposées et cependant comparables de punir un homme : le condamner à l'enfermement ou le jeter dans l'infini. J'avais jusque-là fait l'expérience des geôles et goûté de leur cruauté. J'avais crié dans des cachots et frappé des poings sur leurs murs. Il me semblait que j'avais éprouvé le pire. C'est que je n'avais pas connu la Sibérie.

En y entrant, on sent se tendre jour après jour puis se rompre le fil qu'on croyait solide et qui nous reliait à l'humanité. On ne vit pas seulement séparé de ce que l'on aime, comme dans une prison, on lui devient étranger. On perd d'abord l'espoir de retrouver un jour une maison familière, une ville accueillante, de vraies campagnes, puis on se dit que quand bien même on aurait le bonheur de se voir rendu à ces plaisirs, le souvenir que l'on rapportera des solitudes sibériennes nous interdira à jamais de reprendre une vie normale. L'expérience pascalienne de l'infini nous rendra inconsolable par le seul moyen du divertissement. Aucune chaleur humaine ne pourra jamais réchauffer nos âmes glacées par ces terres désolées.

Cependant, à mesure que l'on se sent plus

irrémédiablement coupé de la société des humains, on est prêt à en reconstituer une autre, peu nombreuse évidemment, avec des êtres semblables à nous qui ne sont plus reliés à rien mais qui conservent un seul bien : leur humanité.

Ces humains sont égaux ou peu s'en faut. Le prisonnier et le geôlier souffrent de la même faim, du même froid, de la même monotonie. Le dernier des serfs évadé et réfugié dans les bois peut se réchauffer autour du même feu que le grand seigneur banni ou le savant exilé.

Les humains ne vivent pas concentrés en Sibérie, ni séparés des autres par des murs. Une main céleste les a jetés là, sans ordre, comme des semences sur des sillons de labour. La différence est que, sur le sol sibérien, ils ne prennent pas racine et restent épars, suspendus aux nouveaux décrets d'un destin qui les a pourtant abandonnés.

Ainsi se constitue l'étonnant paradoxe de l'infini sibérien. C'est le lieu le plus primitif qui soit. La nature n'y connaît aucune limite, n'y subit aucun outrage. Au petit matin, quand le soleil lance ses rayons ras entre les troncs des arbres tordus, il semble au spectateur indiscret que le monde s'éveille, en même temps que la nature. La terre n'a plus d'âge ; la Création date d'hier. Rien n'a changé depuis la Genèse.

Malgré tout, dans ce décor d'aube des temps, on rencontre les personnages les plus éduqués, les plus polis, les plus nobles que les sociétés humaines au faîte de leur développement ont pu engendrer. Il en venait de partout, des Hongrois, des Suédois, des Grecs, des Allemands. On trouvait parmi eux des médecins, des chirurgiens, des géomètres, des marchands, des banquiers. Et, parmi les Russes, toutes sortes d'officiers et d'hommes de cour, et jusqu'à des princes qu'un mot, un soupçon, une insolence seulement avait précipités des ors de Pétersbourg jusqu'au plus profond des forêts de Sibérie.

Au début du voyage, nous rencontrâmes encore des villes dignes de ce nom, comme Tobolsk ou Tomsk. Mais à mesure que nous avancions, les garnisons stationnées de loin en loin étaient abritées par de simples forts en bois. Les marchés où se faisait le commerce principal de la Sibérie, celui des fourrures, malgré le grand prix de ces marchandises, n'étaient formés que de cabanes et d'étals en bois mal équarris.

L'idée d'évasion saisissait les bannis dès qu'ils avaient connaissance de leur condamnation. Mais les difficultés pour s'enfuir étaient nombreuses. Comment dénicher de quoi manger dans ces étendues de bois ou de landes ? Même avec le soutien dont nous disposions, il nous arriva de nous nourrir d'écorces de bouleau trempées d'eau et nos chevaux en étaient souvent réduits à manger la mousse qui poussait sur les troncs d'arbres. De plus, les forêts avaient beau ne pas être denses, elles étaient encombrées de taillis épais à travers lesquels il était quasiment impossible de tracer un chemin. Il fallait donc soit suivre des routes que surveillaient les cosaques, soit prendre le risque de se perdre. Dans certaines régions, des tribus tatares hostiles menaçaient d'attaquer les garnisons et plus encore les fuyards. Convaincus de ces dangers, les bannis que nous rencontrions sur notre route, quelque envie qu'ils eussent de recouvrer la liberté, n'entreprenaient rien pour y parvenir. Ils faisaient état de leur présence dans la région depuis des années. Des enfants de bannis, nés sur place, avaient rejoint l'armée et obtenaient parfois des grades élevés.

Dans une zone peuplée de Tatars toungouses, éleveurs paisibles et sans agressivité à notre égard, un marchand de fourrures me proposa de m'évader par la Chine. Il connaissait les chemins pour l'atteindre. Hélas, mon état s'était aggravé pendant le trajet et plusieurs de mes blessures, mal refermées, s'étaient mises à suppurer. Je refusai.

Nous poursuivîmes notre voyage dans la boue du dégel, la chaleur de l'été, les pluies d'automne, et jusqu'à retrouver le gel de l'hiver.

Nous prîmes toutes sortes de véhicules, tractés par des chevaux, des chiens et même ces bêtes d'une extraordinaire douceur que sont les rennes. Nous franchîmes des rivières à gué et d'autres plus larges au moyen de barques en écorce de bouleau. Il nous arriva de dormir à même le sol gelé au mois de février et de subir pendant les nuits d'été des attaques impitoyables de moustiques ou de taons.

Malgré ces souffrances et ces épreuves quotidiennes, nous conservions un espoir : c'était le lieu final de notre détention. Nous savions par le cosaque qui commandait nos gardes que notre condamnation était d'être exilés au Kamtchatka. Sans connaître ces régions d'expérience, nous en apprîmes beaucoup sur elles en interrogeant les déportés que nous rencontrions. Le Kamtchatka était une terre de volcans, ce qui ne nous enchantait guère. Mais, surtout, elle était située au-delà des mers. Et ce simple détail était la planche à laquelle s'accrochaient tous nos espoirs. Au-delà des mers voulait dire que cette interminable succession de paysages mornes finirait. Viendrait un lieu où les forêts, les steppes et les montagnes rendraient les armes et laisseraient place à cet espace infiniment civilisé que l'on nomme un rivage. Un de ces lieux qu'ont toujours convoités les hommes, même si, probablement, celui-là était encore désert. Et devant ce rivage que bordait une plage de sable ou de galets, à moins qu'à cet endroit la côte ne fût rocheuse, s'ouvrirait la mer. La mer était pour nous l'exact contraire de ces forêts : un espace infini peut-être mais ouvert, sans obstacle, une vaste et libre surface sur laquelle on pouvait se laisser porter et entrer en communication avec toutes les côtes du monde, tous les lieux peuplés, piquetés de villes et de ports.

Et en effet, un jour de décembre, nous atteignîmes la mer d'Okhotsk. Il nous fallut embarquer sur un bâtiment à voile et subir une traversée rendue dangereuse par la force d'un vent tourbillonnant qui brisa des espars et blessa plusieurs matelots. L'équipage se divisa, le capitaine mit son second aux fers. Lui-même se montrait si désemparé que je lui avouai mon expérience nautique et me proposai pour l'assister. Il hésita mais le péril était si grand qu'il finit par accepter. Il s'en fallut de peu que la tempête nous obligeât à faire voile vers la Corée, ce qui eût signé la fin de ma captivité. Par loyauté, je m'efforçai cependant de garder notre cap. Au milieu de la nuit, le vent qui tourna de nouveau m'y aida. Après des heures de lutte et de peur, la tempête se calma au petit matin. Je réveillai le capitaine qui s'était endormi, malade, sur sa couchette et lui rendis son commandement. Au soir, nous touchâmes terre au Kamtchatka. Là nous attendaient la sécurité et l'esclavage.

Si vous me le permettez, monsieur Franklin, je vais maintenant demander à Aphanasie de vous raconter la suite.

*

Benjamin Franklin avait écouté ce long récit pendant près de quatre heures, en poussant des cris de joie, d'impatience ou d'indignation. Il avait fait signe à Richard, son majordome, de placer un pouf sous ses jambes et quand il faisait des gestes, étendu de tout son long sur son fauteuil, il avait l'air d'un poisson frétillant tiré sur le rivage.

— Crénom, votre histoire me plaît, jeune

homme ! Et j'ai bien envie d'entendre la suite immédiatement de la bouche de madame.

Mais le majordome, qui jetait depuis un moment des regards mauvais aux intrus, s'interposa.

— Il fait nuit, monsieur ! susurra-t-il en rapprochant la lampe qu'il avait allumée. Votre dîner est prêt. Ces messieurs-dames poursuivront demain…

— À la première heure, alors ?

— Sans faute, dit Auguste.

Il se levait déjà et donnait la main à Aphanasie pour qu'elle le suivît.

Sur un signe de Richard, une forte cuisinière coiffée d'un bonnet en toile à carreaux entra en tenant un plateau dressé. Un poisson au court-bouillon fumait, accompagné d'une carafe de vin ambré. Il fallait de tels arguments pour que Franklin se résolût à laisser partir ses visiteurs.

— Je vous attends à six heures ici même, dit-il tandis que la cuisinière nouait la serviette autour de son cou.

Auguste sortit. Aphanasie lui emboîta le pas dans un grand mouvement de volants qui répandit dans la pièce les effluves d'un parfum subtil.

Benjamin Franklin ferma les yeux et inspira de toutes ses forces par le nez, troublé par ses souvenirs et plein d'un bonheur qu'il n'espérait jamais plus éprouver.

Le lendemain matin, il avait de nouveau renvoyé tous les solliciteurs. Il attendait Aphanasie et Auguste avec impatience. Il demandait l'heure toutes les cinq minutes à Richard. Enfin, vers six heures, les visiteurs tant espérés arrivèrent.

— Allons, madame, dit Benjamin Franklin. Je vous écoute et personne ne vous interrompra.

Il reposa sa nuque sur le dossier rond de son grand fauteuil tapissé de cuir, et poussa un soupir d'aise.

APHANASIE

I

Je suis née Aphanasie de Nilov. Ma mère était la fille d'un Suédois exilé en Sibérie. Elle avait, pour son malheur, épousé mon père à vingt ans. Elle espérait sans doute que ce Russe de naissance, officier dans l'armée impériale, lui permettrait enfin d'atteindre un rang honorable dans le pays où par hasard elle était née. Hélas, mon père ne sut jamais tenir son rang. Sa tendance naturelle à s'adonner à la boisson eut de désastreuses conséquences sur sa carrière. Relégué dans des postes sans gloire, il chercha la consolation dans un surcroît d'alcool, qui ruina encore davantage ses chances d'avancement.

C'est ainsi qu'il se retrouva affecté au Kamtchatka en tant que gouverneur. Mon père prétendait que ce poste était une promotion. En réalité, on se débarrassait de lui.

Ma mère avait espéré un moment qu'il partirait seul. Mais pour donner tout son lustre à sa fonction et l'exercer comme un satrape, il exigea que nous l'accompagnions.

Mes deux sœurs aînées étaient déjà mariées. Elles avaient épousé contre leur gré des militaires dont la principale bravoure avait été d'encourager mon père dans ses beuveries. Elles vivaient loin de nous et très malheureuses. Beaucoup plus jeune qu'elles, je suivis ma mère au Kamtchatka en compagnie de mon petit frère. Il avait à peine dix ans quand j'en avais dépassé dix-sept et je le considérais comme un enfant. Je passai presque tout le trajet à lire et à rêver.

L'interminable voyage pour y parvenir se déroula aussi bien qu'il était possible. Sous une forte garde de cosaques, notre énorme convoi transportait quantité d'objets destinés à assurer sur place notre confort. Mon père tenait aussi à ce que nous puissions donner des fêtes brillantes et il fit emporter à ma mère de luxueuses robes d'apparat. Leur présence paraissait de plus en plus incongrue à mesure que nous nous enfoncions dans les immensités sauvages.

Une fois arrivés à Bolcheretsk, nous nous installâmes dans la maison de fonction qui était située à l'intérieur du fort. Ce bâtiment n'aurait pas paru remarquable à Moscou ni même dans de moindres villes. Au Kamtchatka, il faisait figure de palais. J'y disposai d'une chambre assez vaste, trop d'ailleurs, car elle était impossible à chauffer. Les salons avaient été décorés par nos prédécesseurs avec un goût tapageur. Tableaux, sièges tapissés de soie, armoires en loupe de bouleau venaient de Saint-Pétersbourg et luttaient courageusement contre l'humidité et les énormes écarts de température entre l'été et l'hiver. Mon père présidait de grands dîners dans ces salles sombres et lugubres, chaque fois que des visiteurs qu'il jugeait dignes d'être honorés s'égaraient dans ces confins.

Le peu que j'avais aperçu du Kamtchatka ne m'incitait guère à l'explorer. C'était un pays de volcans et de sources chaudes, constamment baigné de brumes. Rien ne s'y cultivait aisément. La contrée était entièrement livrée à la faune sauvage. Le commerce des fourrures était la principale activité du pays quoique, à cause d'un excès de chasse, les espèces les plus intéressantes fussent devenues rares. Les chasseurs et les marchands étaient des personnages que nous voyions rarement car mon père ne les considérait pas de son rang. Ils cohabitaient avec une nombreuse société d'exilés et de bannis. Ces condamnés étaient confiés à la surveillance d'une garnison de cosaques qu'encadraient quelques officiers, et ils étaient soumis, par décret du tsar, à un régime très sévère. Ils n'avaient pas le droit de posséder quoi que ce fût en propre, et n'étaient pas admis à entrer dans les maisons libres. Ils devaient un temps de corvée à l'État, pendant lequel leur étaient assignées les tâches les plus viles. Enfin, tout en bas de cette petite société, venaient les indigènes kamtchadales, que mon père traitait avec la plus révoltante cruauté.

Ce monde était en somme immobile, soumis neuf mois durant à la tyrannie du froid, rattaché au reste de l'humanité par les très rares navires qui reliaient le Kamtchatka à la Sibérie et faisaient escale dans le port.

Dans cet exil, je passais la plupart de mon temps seule ou avec ma mère. Elle avait pour moi une tendre préférence et le désir d'éviter que je subisse le sort peu enviable de mes deux sœurs. Peut-être cherchait-elle aussi auprès de moi la consolation des violences que lui faisait subir son mari. Il m'arrivait souvent d'en percevoir l'écho à travers les portes closes.

J'admirais ma mère. Elle était la personne au monde à qui je tenais le plus à ressembler. Mais elle était aussi celle que je ne voulais à aucun prix devenir. Il est possible que ce paradoxe vous choque, monsieur Franklin. Vous êtes un homme et sans doute considérez-vous qu'il convient de séparer fermement les diverses faces de la réalité. J'aime bien penser, vous le verrez, qu'il ne faut pas trop nettement opposer les contraires. Et si, dans la vie, je me tiens volontiers à une seule décision, au point de paraître têtue, dans l'image que je me fais des choses et des êtres coexistent toujours des opinions éloignées, que la logique commanderait d'exclure.

En tout cas, le fait est que ma chère mère fut pour moi la principale compagnie que j'eus longtemps à Bolcheretsk. Ajoutez-y une femme de chambre et une coiffeuse et vous aurez toute ma société. Je passais mes journées à jouer avec deux petits chiens noir et blanc. Un chef indigène, pour s'attirer les bonnes grâces de mon père ou atténuer ses persécutions, lui en avait fait cadeau. J'avais aussi une boîte à musique appelée Serinette. Elle chantait comme un oiseau grâce à des tubes en étain et à un petit soufflet. Je restais des heures à tourner la manivelle qui l'actionnait.

Mon père se désolait de ne pas me voir évoluer davantage dans ce qu'il appelait « le monde ». Il insistait pour m'emmener ainsi que ma mère dans les cérémonies officielles. Je m'y pliai d'abord de mauvaise grâce. Puis je voulus m'y soustraire tout à fait car il utilisait ces visites pour me faire rencontrer divers personnages parmi lesquels il envisageait de me trouver un mari. Ma mère, un matin, après une nuit pendant laquelle ils s'étaient beaucoup disputés, me dit en retenant ses larmes que mon père s'était arrêté sur un nom. Je la vis presque aussi bouleversée que moi. Elle me jura qu'elle ferait tout pour traverser ces plans.

C'est peu après qu'arriva le convoi de bannis où figurait Auguste.

Nous avions entendu le vent souffler en tempête les jours précédents. Ma coiffeuse, qui me rapportait toujours les rares nouvelles de la ville, m'avait signalé qu'un vaisseau très endommagé était parvenu à rejoindre le port pendant la nuit. À son bord, une partie de l'équipage s'était mutiné ; le capitaine avait dû mettre son second aux fers, et demander l'aide du groupe d'exilés qu'il transportait. C'était au dévouement de l'un d'entre eux que le navire devait d'être sauf.

J'entendis des galopades dans les rues et

vis passer des cosaques en grand uniforme, remue-ménage habituel à chaque arrivée au port. Mon père, au déjeuner, nous informa qu'une douzaine de nouveaux déportés nous avait été livrée et qu'il procéderait le soir même à une brève cérémonie de présentation.

Ces prisonniers avaient pour bon nombre d'entre eux occupé de hauts grades dans l'armée impériale et appartenaient à de prestigieuses familles de la noblesse. Les sentiments de mon père à leur égard étaient assez troubles. D'un côté, l'éminence de leur origine, leur savoir, leur utilité lui faisaient respecter ces personnages déchus, certes, mais qui tombaient de positions élevées. Il appréciait leurs manières et prenait plaisir à mentionner leurs titres, militaires ou de noblesse, quand il s'adressait à eux. En même temps, il tenait à jouir autant qu'il était permis du renversement du destin qui faisait de lui le maître de ces hautes figures. Il se plaisait à leur présenter lui-même les dures instructions impériales relatives aux exilés. Il était à la fois le gardien et l'interprète de ces décrets, ce qui lui donnait le double pouvoir de les faire appliquer ou d'y faire exception.

Ces cérémonies de réception d'exilés étaient toujours pour moi des moments de déception. Considérez que mon âge encore tendre et la solitude dans laquelle je vivais ne m'avaient pas complètement ôté mes illusions d'enfant. L'idée du prince charmant m'habitait encore. Malgré moi, en me rendant à ces présentations de nouveaux arrivants, je continuais d'espérer, tout en riant de moi-même, que viendrait un jour l'homme qui ferait mon bonheur. Au lieu de quoi, je découvrais chaque fois une galerie de personnages repoussants, malades, qui me semblaient très vieux. La plupart me dévisageaient avec insolence et m'adressaient d'affreux sourires. Leurs yeux brillaient d'un éclat vicieux. Ma déception se tournait en colère et je les regardais avec un mépris glacial.

C'est pourquoi, instruite du résultat habituel de ces cérémonies, je m'y rendais désormais de mauvaise grâce. Je ne faisais rien pour y paraître à mon avantage. Ce matin-là, j'avais même gardé sur la tête l'affreux bonnet à carreaux dont je me couvrais pour la nuit.

Je le regrettai amèrement. Car cette fois-là, dans la troupe qui nous était présentée, figurait un homme qui retint immédiatement mon attention. Au milieu des autres, il ressortait aussi sûrement qu'une pépite dans la boue. Ses compagnons avaient l'air de le savoir ; ils se tenaient un peu en arrière, dans une attitude soumise et humble. Tandis que lui, avec sa haute taille et une aisance naturelle, jetait alentour des regards de propriétaire. Il posa sur moi un de ces regards mais sans s'attarder, comme s'il prenait note de mon existence, ensemble avec celle des meubles et de toute la compagnie. Je n'aurais pas aimé qu'il s'attarde, comme le faisaient trop souvent les autres. Pourtant, je souffris de le voir détourner les yeux de moi.

En rentrant dans ma chambre, je restai immobile sur le bord de mon lit, à respirer difficilement, comme si j'avais reçu un coup au ventre. Qu'avais-je senti en lui ? J'ai si profondément changé depuis qu'il m'est difficile d'entrer aujourd'hui dans la pensée de celle que j'étais alors. Les lectures, les rêves, des discussions naïves avec mes femmes de service m'avaient empli l'esprit de vent ; je croyais à l'amour comme à un espace irréel, coupé du monde ordinaire. Par sa puissance, je pensais qu'il était possible de se dépouiller de tout ce qui faisait la laideur et la tristesse du quotidien. L'être aimé ne pouvait être que d'une parfaite beauté, d'une intelligence admirable, d'une bonté infinie. Quelque imperfection qu'il montrât dans la vraie vie, l'objet de l'amour, par la grâce de ce sentiment, se trouvait lavé de tout. Mon regard d'amoureuse n'avait retenu de cet homme que l'harmonie de ses traits, sa vigueur et sa jeunesse, et rejeté comme un triste emballage la saleté de son corps éprouvé par le voyage, la misère de ses vêtements rapiécés. Je m'étais arrêtée à ses yeux bleus, si vifs, si brillants ; à sa bouche bien dessinée aux lèvres pulpeuses ; à ses cheveux drus qui appelaient la caresse de mes mains. Et j'avais été séduite par une autorité naturelle qui se dégageait de lui, une souveraineté qui contrastait si fortement avec sa condition. Il était aussi libre, lui le captif, que mon père, son geôlier, était esclave de son ambition comme de ses peurs.

En même temps, dans ce visage de chef,

s'exprimait, au moins pour un œil amoureux, quelque chose d'enfantin et de tendre. Le contraste entre la puissance de cet homme, son air décidé et la pureté, la fraîcheur je dirais même l'espièglerie de son regard me semblait infiniment séduisant.

Avec les années, ces premières raisons allaient se voir complétées et même contredites. Je sais maintenant que c'est tout autre chose en lui qui m'a séduite. Je n'étais pas encore en état de m'en rendre compte. Et quand même on me l'aurait dit que j'aurais vigoureusement protesté. Il est trop tôt d'ailleurs pour que je vous en fasse l'aveu. Ces confidences viendront à leur heure.

Lors de cette toute première rencontre, le fait est que je fus frappée d'une flèche d'amour, et j'étais si pleine de ce poncif littéraire que je ne fus pas surprise d'en faire l'expérience réelle.

J'écoutais à peine mon père exposer aux exilés qui se tenaient devant lui les règles strictes qui s'appliqueraient à leur détention. Je savais qu'en la circonstance il leur annonçait aussi qu'ils pourraient circuler à leur guise et qu'ils allaient recevoir de la nourriture pour trois jours, à charge pour eux de se procurer leur subsistance au-delà. C'était la règle au Kamtchatka : les exilés étaient libres, mais c'était pour qu'ils se prennent en charge et ne coûtent rien à l'État. De toute manière, dans cette péninsule entourée d'eau et fermée au nord par de hautes montagnes, leur prison n'avait pas besoin de murs.

Le gouvernement leur donnait même dans

sa bonté un mousquet et de la poudre, une lance et un couteau afin de pouvoir chasser et pêcher. Enfin, ils recevraient aussi des outils pour construire leur cabane.

Ce seul point m'alarma. Il me rappela que les exilés ne restaient pas dans les parages du fort mais se dispersaient dans des villages où ils construisaient leurs pauvres huttes. Je n'allais jamais dans ces villages et n'avais aucune raison de le faire. Mon père ne l'aurait d'ailleurs pas permis. Quant aux captifs, il était interdit de les recevoir, sauf autorisation du gouverneur.

À peine avais-je donc aperçu Auguste, et sans même encore savoir son nom, que j'étais déjà saisie par l'angoisse d'en être à jamais séparée. Il me fallait découvrir un moyen de le rapprocher de moi.

En rentrant de cette cérémonie, j'écoutai mon père, comme à son habitude, nous raconter qui étaient les nouveaux prisonniers soumis à son pouvoir absolu. Plus la liste était prestigieuse, plus il pensait accroître sa propre importance. Pendant qu'il énumérait leurs titres, il jetait vers ma mère et moi des regards vaniteux. Après avoir mentionné toute une série de Russes, il parla de deux étrangers, un Suédois et un Hongrois, capturés pendant la guerre de Pologne.

— Le Hongrois, c'est le grand gaillard que vous avez vu un peu en avant de la troupe et qui semble en être reconnu comme le chef. Il paraît que c'est lui qui a pris le commandement du bateau pendant la tempête et qui l'a sauvé.

— Que faisait un Hongrois en Pologne, mon père ? demandai-je d'un ton détaché, sans paraître trop m'intéresser.

Le gouverneur, qui avait interrogé les prisonniers un à un la veille, se lança dans une longue explication à propos de la guerre en Pologne et du rôle qu'Auguste y avait tenu. Il en ressortait que le cas de ce personnage avait particulièrement attiré son attention.

— Figurez-vous qu'il parle un nombre incroyable de langues : le hongrois bien sûr, le polonais et le russe, mais aussi le français et l'allemand car il a servi jadis dans l'armée d'Autriche. Il possède même de solides notions d'anglais et de latin.

Je notai ce point avec intérêt et dès notre arrivée au fort, demandai à ma mère de venir dans ma chambre. Là, je la persuadai d'intercéder auprès de mon père pour qu'un de ces exilés pût me donner des cours de langue. Il y avait longtemps, lui dis-je, que mon plus cher désir était d'entendre le français.

Ma mère replaça tendrement une mèche sur mon front. Cette femme, à ce que je sais, n'avait jamais connu l'amour, mais elle l'avait sûrement beaucoup désiré et elle était capable de le reconnaître. Elle lisait trop en moi pour que je pusse lui cacher mes sentiments. Elle me promit de tout faire pour assurer mon bonheur.

II

Le gouverneur, mon père, ne fit aucune difficulté pour satisfaire la demande de sa femme. Il désigna le captif hongrois comme notre professeur de langue.

Cette fonction supposait qu'il soit reçu chez nous et que nous lui adressions la parole, ce qui était défendu par le décret impérial. Mon père jugeait toutefois qu'en raison de sa conduite sur le bateau cet officier avait droit à la reconnaissance de la Russie et par conséquent à un traitement favorisé.

Il vint lui-même nous présenter notre nouveau précepteur. On voyait bien qu'il appréciait beaucoup ce prisonnier. Il n'affectait pas avec lui les manières distantes et teintées de mépris qu'il réservait aux autres. Cette bonté m'apparut comme un petit miracle. En même temps, dans ma naïveté de jeune fille rêveuse, il me semblait presque normal que le monde entier fût sensible à ces mêmes qualités éclatantes qui m'avaient fait remarquer cet homme.

Le professeur s'installa à une table devant mon frère et moi, et mon père quitta la pièce. J'en voulais à mon frère pour sa présence indiscrète. Pourtant, il m'évitait la gêne d'être seul à seul avec cet inconnu. La timidité m'aurait empêchée d'ouvrir la bouche. Je laissai mon frère poser les premières questions. Il était un peu impressionné mais moins troublé que moi.

L'homme avait une belle voix douce et son accent indéfinissable en russe, français peut-être, était charmant et lui donnait des intonations presque enfantines. Il nous dit qu'il se nommait Auguste Benjowski et qu'il était comte. Il nous parla de son enfance dans un château et de sa vie militaire. Mon frère l'interrogea sur les batailles. Il énuméra celles auxquelles il avait pris part. Pendant qu'il parlait, je détaillais toute sa personne. De près et sans manteau, il paraissait tout aussi grand mais d'une maigreur extrême. Je ne pouvais détacher les yeux de ses poignets où se voyait encore la trace des fers qui l'avaient entravé. Nous avions croisé pendant notre voyage quelques convois de prisonniers et je savais quelles extrêmes souffrances ils devaient subir. Jamais jusque-là ces malheurs ne m'avaient personnellement émue. Je plaignais ces pauvres bougres mais sans vraiment compatir à leur supplice. Tandis que devant Auguste, et bien qu'il fût désormais à l'abri de ces persécutions, je ressentais une douleur qui me faisait presque venir des larmes. J'essayais de penser à autre chose pour m'éviter le ridicule de pleurer. Or, voilà que mon idiot de frère, poussé par une curiosité de petit mâle, voulut voir les blessures que notre précepteur avait reçues au combat. Il relevait déjà une de ses manches et découvrait une affreuse cicatrice. Je criai. Il rabaissa sa manche et posa sur moi son regard bleu. J'eus l'impression qu'il me dévisageait pour la première fois, ce qui, je le sais bien aujourd'hui, était faux. Il me dira par la suite, et il peut en témoigner ici, qu'il m'avait remarquée dès le jour où il nous avait été présenté avec ses compagnons. J'étais loin de m'en douter et je préférais penser que le trouble qui me saisissait et sur lequel je ne mettais pas encore de nom m'attirait vers cet homme sans qu'il en sût rien. Je m'en voulus de mon cri, qui pouvait lever un coin du voile sur ce secret.

— Pardonnez-moi, monsieur, dis-je. La vue du sang m'incommode, et une blessure encore davantage.

J'ai parfois le regret que nos premiers mots aient été ces banalités et surtout ce mensonge. Car la suite de ma vie devait montrer assez que je ne crains ni le sang ni la vue des chairs navrées. L'avantage est que ces paroles, dont nous conservons l'un et l'autre le souvenir, donnent une exacte idée de l'ingénue que j'étais et une mesure précise du chemin parcouru depuis. Auguste me présenta ses excuses, laissa peser un long instant encore son regard sur moi, puis en vint à la question des langues que nous voulions apprendre. Mon frère était intéressé par l'allemand. Il admirait Frédéric de Prusse, dont notre père parlait comme d'un grand stratège. Je voulais surtout, quant à moi, apprendre le français.

— Fort bien, mademoiselle. Mais puis-je vous demander pourquoi ?

Je ne m'attendais pas à une telle question, bien qu'elle fût probable, et mon émoi ne me permettait guère de réfléchir. Je rougis et lançai une réponse que je regrettai immédiatement.

— Pour lire *La Nouvelle Héloïse.*

J'avais reçu ce livre en cadeau d'anniversaire avant mon départ pour le Kamtchatka et je m'étais plongée avec délices dans cette mauvaise traduction russe pendant tout mon voyage. La mention de ce livre à cet inconnu me parut être une révélation indiscrète sur les passions intimes qui m'agitaient. Tout était amour dans ce livre et j'étais si peu habituée à en entendre parler dans le monde où je vivais que cela m'avait bouleversée. En le citant, je faisais en quelque sorte l'aveu impudique de cette inclination.

— Vous aimez donc Jean-Jacques Rousseau ? me demanda-t-il.

M'aurait-il demandé si j'aimais Saint-Preux, Héloïse ou Claire que je lui aurais répondu facilement. Mais j'avais si peu associé ce livre à son auteur, sur lequel au demeurant je ne savais rien, que je restai stupide.

Il eut la bonté de me tirer rapidement d'embarras en enchaînant sur autre chose.

Ce premier entretien dura près d'une heure. Je me sentis si mal à l'aise, si gauche, que j'aurais voulu qu'il finisse le plus vite possible. Et pourtant je ne désirais surtout pas qu'Auguste parte. Quand le terme de la rencontre approcha, je me pris à penser avec terreur que dans peu d'instants je ne le verrais plus. Il allait replonger aussitôt dans l'inconfort et le froid de cet hiver impitoyable. Dieu sait dans quelle affreuse cabane il coucherait ce soir. J'avais beau savoir qu'il avait traversé des épreuves bien pires, je voulais lui épargner autant que possible toute nouvelle souffrance, à défaut de pouvoir lui procurer du bonheur.

Il partit. Mon frère fit mille commentaires qui me parurent insignifiants et je disparus dans ma chambre sans lui répondre.

Ma mère, un peu plus tard, entra pour me demander comment cela s'était passé.

— À merveille, lui répondis-je, l'œil brillant.

Et je me jetai dans ses bras, en poussant des sanglots nerveux.

*

Les cours commencèrent. Auguste avait déniché Dieu sait comment des grammaires allemande et française. Il commençait par nous apprendre l'alphabet romain puis nous lisait de courts textes en langue originale qu'il traduisait ensuite.

Les leçons se déroulaient dans le fort et toujours avec mon frère. Le gouverneur venait parfois y assister. Il entrait au milieu du cours et se mettait au fond de la salle. Il se déclarait très satisfait des méthodes de notre professeur. Un jour, à la fin du cours, il le félicita à haute voix et lui offrit en récompense une femme kamtchadale. J'en étais piquée jusqu'au dégoût. Je savais par ma caméristе qui était russe que les prisonniers vivaient pour la plupart en concubinage avec des indigènes. Il leur arrivait même d'avoir des enfants avec elles. Je ne pouvais imaginer Auguste dans une telle promiscuité. Que mon père l'y incitât en lui donnant une esclave me révoltait.

Ce qui me contrariait le plus, c'était qu'un tel procédé de sa part montrait qu'il continuait de considérer Auguste comme un captif. Vous me direz qu'il l'était toujours. Mais moi, dans les rêves qui m'habitaient jour et nuit et désormais tournaient tous autour de lui, je l'imaginais déjà libre et capable de demander ma main.

Il faut bien comprendre qu'à cette époque je ne pouvais concevoir d'autre issue à l'amour qu'une situation très officielle et très ordinaire. Hormis la fornication, qui était le propre des bêtes et des déclassés, il n'y avait d'autre accouplement possible à mes yeux que le mariage. Les gens honnêtes et libres y étaient naturellement destinés.

C'était ainsi que je rêvais. À peine avais-je échangé trois mots avec cet homme que déjà je songeais aux arrangements de notre vie

commune. Le contraste était d'autant plus saisissant avec la réalité que, pendant nos leçons, il
se tenait sur la réserve et accordait son attention
à parts égales entre mon frère et moi. Surtout,
il prenait bien garde de me manifester le plus
distant respect.

Cette froideur de manières ne me décourageait pas. J'avais eu le temps de mettre un nom
sur l'attrait que je ressentais pour lui et je ne
doutais plus que ce fût l'amour. Plus étonnant,
je ne doutais pas non plus qu'Auguste parta-
geât ce sentiment. J'interprétais les moindres
regards, les plus insignifiantes attentions comme
la preuve de son attirance vers moi. Et je mettais
sur le compte de sa condition de captif l'impos-
sibilité où il se trouvait d'exprimer plus ouvertement ces sentiments. J'en vins à la conclusion,
logique dans mon système, que ce serait à moi
d'agir si je voulais que cet amour prenne vie et
se déploie au grand jour.

Il me parut d'autant plus nécessaire de le faire
qu'un événement inattendu vint contrarier nos
naissantes habitudes.

Mon père était assisté d'un chancelier qui s'occupait des affaires administratives de la région.
Celui-ci proposa que notre professeur, puisqu'il
avait donné la preuve de sa compétence, pût
faire profiter tous les enfants de la colonie de
son savoir. Il recommanda la création d'une
école publique dans laquelle d'autres élèves
pourraient être inscrits. L'emploi du temps du
professeur ne lui permettait pas d'exercer deux

magistères : mon frère et moi irions donc suivre les cours avec les autres.

Cette proposition, quoiqu'elle ne lui plût certainement pas, ne pouvait être refusée par mon père, sauf à provoquer un ressentiment dangereux dans la colonie. Il n'oubliait jamais que plusieurs de ses prédécesseurs avaient été assassinés à la suite de révoltes sanglantes.

Le projet fut mené à bien très rapidement. Les captifs aménagèrent une salle de classe dans une des maisons de la commune. En moins d'une semaine, tout était prêt. Auguste ne venait plus au fort. Nous suivions ses cours perdus dans un groupe nombreux d'enfants de tous âges.

Je devais absolument trouver un moyen de me rapprocher de lui. D'autant que, pendant la même période, les projets de mariage que mon père nourrissait pour moi avançaient rapidement. Ma mère avait fini par me révéler le nom de l'officier cosaque qui m'était destiné. C'était un homme de manières brutales que je jugeais d'autant plus laid et vil que je le comparais à Auguste. Il fallait que je réagisse au plus vite.

Ma participation à l'école publique eut un seul mérite : elle me donna l'occasion de sortir de notre maison et de voir l'homme que j'aimais dans un autre décor. Pour gagner l'école, j'insistai malgré le froid pour traverser à pied la distance qui la séparait du fort où j'habitais. Sur ce trajet, je passais devant des cabanes d'exilés. Je découvris qu'Auguste était hébergé dans l'une d'elles. Il était impossible aux captifs de construire leur propre hutte avant la fin de l'hiver. Les nouveaux arrivants avaient été répartis chez des prisonniers plus anciens. Auguste était l'hôte d'un certain Khrouchtchev, homme très respecté dont mon père parlait souvent et avec bienveillance.

Je fus heureuse d'apercevoir, même si ce spectacle me désola, l'endroit où vivait celui que j'aimais. Cela pouvait donner plus de matière à mes rêves. Quand il était hors de ma vue, je pouvais désormais imaginer où il se trouvait.

Je rencontrai aussi quelques-uns de ses compagnons. Leur nom m'était inconnu car ils se tenaient toujours à distance de moi. Un seul me suivait et n'hésitait pas à m'aborder. Ses manières doucereuses et insistantes ne me plaisaient guère. Il avait pour nom Stepanov. Cependant, comme il m'avait confié qu'il avait été exilé de Kazan dans le même convoi qu'Auguste et qu'il le connaissait donc depuis près d'un an, je ne le repoussai pas. Peut-être pourrait-il m'apprendre des choses sur celui qui n'était encore que mon professeur et je me réservais de l'interroger. Je me posais en effet mille questions et l'amour inquiet faisait naître en moi des angoisses. La principale était simple et le préalable à tout. Auguste était-il marié ou même engagé dans son pays ? Au fond de moi, j'avais la certitude qu'il n'en était rien mais, tant que je n'en avais pas la preuve, je pouvais trembler.

Pour faire revenir Auguste au fort et disposer

avec lui de moments plus personnels, j'explorai divers moyens et en arrêtai un qui me paraissait le meilleur. Toutefois, avant d'en faire part à mes parents, il fallait que je m'assure de quelque chose.

Un matin, à la fin des cours, j'allai jusqu'à Auguste et attendis que le petit essaim d'élèves qui bourdonnait autour de lui se dispersât. Enfin, au prix d'un immense effort pour surmonter mon émotion, j'osai lui demander s'il pouvait enseigner la musique.

Nous en avons souvent parlé depuis. Je sais maintenant qu'il était aussi désespéré que moi de ne plus se rendre au fort. Il était assez vif pour comprendre ce que sous-entendait ma proposition.

La réponse qu'il me fit contenait un énorme mensonge, que j'aurais pu deviner au temps de confusion qui avait suivi ma question, et une audace qui lui ressemblait.

Le mensonge était de ne pas révéler qu'il ignorait tout de la musique. L'audace, de prétendre crânement le contraire.

— Bien sûr, mademoiselle Aphanasie. Je puis l'enseigner.

Pour donner à cette imposture un semblant de réalité, il ajouta :

— Hélas, le seul instrument dont je sache jouer est la harpe. Je gage qu'il ne s'en trouve pas ici.

— En effet, je n'ai jamais rien vu de tel au fort.

— C'est que, sans harpe, je ne peux rien enseigner.

Et sans me donner le temps de me désoler, avec beaucoup de malice dans le regard, il conclut :

— Laissez-moi faire.

III

Le temps que je convainque mon père de me faire suivre des cours de musique et Auguste s'était déjà procuré une harpe.

À vrai dire, sans savoir à quoi était destiné cet objet, il aurait été difficile d'y reconnaître un instrument de musique. Le cadre était composé d'os de baleine, matériau courant dans la presqu'île et qui servait à tout car le bois était rare. Ils avaient été travaillés sommairement et solidarisés avec des chevilles. Sur cette base étaient tendues des cordes grossières en boyau de chien et, pour les plus grosses, en tendon de renne. Des clefs en métal grossier servaient à en varier la tension et à ajuster le son.

Auguste me confia plus tard qu'il avait fait fabriquer cet extraordinaire appareil par les plus bricoleurs de ses compagnons mais, sur le moment, il n'en indiqua pas la provenance. Il le présenta comme s'il s'agissait d'une harpe authentique, sortie de chez les meilleurs luthiers de Vienne. Il s'installa sur un tabouret avec des mimiques de virtuose et inclina l'instrument contre lui. De ses rudes mains, il effleura les cordes qui rendirent des sons étranges plutôt semblables à des claquements de langue. Il était impossible de distinguer la moindre mélodie.

Ma mère était avec nous pour cette présentation. Je crois que ce fut elle qui rit la première. Je regardai Auguste, craignant qu'il ne se sentît insulté. Mais il était plutôt soulagé par cet accueil et il éclata lui aussi de rire. Je n'y résistai pas et nous partîmes tous les trois dans un fou rire qui dura près d'un quart d'heure.

Cette histoire de harpe n'avait que des avantages. Elle permettait à Auguste de revenir chaque jour au fort et de me donner une leçon. Ma mère, pour garantir la moralité de l'affaire, était censée suivre le cours avec moi. Mais dès le premier jour, elle inventa des prétextes pour s'absenter et nous laissa souvent seuls.

En même temps, cette comédie servait d'aveu à Auguste comme à moi. J'avais arrangé cette histoire de cours de musique sans autre intérêt que de le faire revenir chez nous. Et en se munissant d'un objet aussi ridicule, il avait montré qu'il était plus préoccupé de me retrouver en intimité que de m'enseigner un art que, de toute manière, il ignorait.

Cependant, quelque plaisir qu'Auguste prît à ces séances, il continuait de s'y comporter avec retenue, même quand ma mère nous laissait ensemble (et surveillait dehors, je le savais, qu'aucun importun ne nous surprenne). Je n'en étais pas autrement étonnée. En tant que captif, pensais-je, il avait tout à craindre de se montrer trop entreprenant avec la fille de l'homme dont dépendait sa vie. Je rassemblai donc mon courage et m'efforçai d'abattre peu à peu le mur qui nous séparait.

Comment s'y prendre lorsqu'on est une jeune fille sans expérience à laquelle les règles de la bienséance, même au fond de régions sauvages, imposent une réserve peu compatible avec l'aveu que je recherchais ?

Je multipliais les fous rires complices, les minauderies, les attouchements chastes et prétendument involontaires, par exemple lorsque mes doigts maladroits, guidés par mon maître de musique, s'emmêlaient avec les siens pour pincer les cordes en boyau de chien…

Puis un jour, je feignis de m'alarmer.

— Cher Auguste, lui dis-je ce matin-là, posez cet instrument, je vous prie. Nous devons nous parler. J'espère que ma franchise ne vous offensera pas. Voici en deux mots : il me semble que nos relations ont été remarquées par quelques personnes et j'ai lieu de m'en inquiéter.

— Qu'entendez-vous par là ?

— Que nous sommes bien proches et que certains peuvent en déduire…

— Souhaitez-vous que nous nous voyions moins souvent ? suggéra Auguste, avec un sourire naïf.

— Non ! Certainement pas, répondis-je un peu trop vite.

Cette précipitation, pour imprudente qu'elle fût, avait le mérite de faire avancer l'affaire. Je poussai un peu plus loin mon aveu.

— À vrai dire, continuai-je les yeux baissés, j'éprouve un très vif plaisir à nos entretiens. Me trompé-je en pensant qu'il en va un peu de même pour vous ?

J'accompagnai cette question d'un regard modeste.

— Certes non, Aphanasie. Vous ne vous trompez pas. Nos entretiens sont très agréables pour moi aussi.

J'espérais un peu plus mais il ne dit que cela et se tut. Nous échangeâmes de grands sourires un peu forcés. Je m'attendais à ce qu'il me prît la main ; il n'en fit rien. Il me fallait donc continuer. J'avais l'impression de m'être jetée dans des ronces et de ne pouvoir en sortir qu'en m'y enfonçant davantage.

— Avant de savoir, ajoutai-je, si je dois m'alarmer d'un tel attachement réciproque, il me semble que je dois vous demander… qui vous êtes.

— Qui je suis ? Mais vous connaissez ma vie, répondit-il simplement, comme s'il avait décidé de me rendre la tâche d'autant plus pénible.

— Je ne la connais… pas toute.

— Que vous reste-t-il à savoir ?

J'allais me désespérer et peut-être renoncer quand, soudain, il vint à mon secours.

— Vous vous demandez sans doute si je suis engagé ?

Je hochai la tête et déglutis difficilement. J'avais besoin de tout mon courage pour entendre la réponse.

— Eh bien non, mademoiselle, avoua-t-il très naturellement. Je ne suis pas marié et je suis libre de mes engagements.

Ces mots prononcés, le silence se prolongea. Il n'y avait entre nous ni complicité ni gêne, seulement l'attente de quelque chose, du moins pour moi.

Nous étions tout proches. Je sentais son souffle sur ma main, qui était encore posée sur le montant en os de notre harpe complice. Comment plaçai-je mon visage à cet instant ? Les jeunes filles ont parfois des pudeurs qui ressemblent à des provocations… Le fait est qu'en inclinant légèrement ma tête, les yeux mi-clos, je tendis mes lèvres dans la direction des siennes et si près qu'il n'eut guère à s'avancer pour y déposer un baiser.

Ce fut ainsi, sans que nul puisse dire jusqu'à aujourd'hui qui prit l'initiative de ce premier geste, que notre relation quitta le domaine du rêve.

En vérité, la jeune ignorante que j'étais n'avait aucune idée de ce que pouvait être un baiser. Mes parents ne s'étaient jamais embrassés devant moi, ni même seulement pris par la main. Aurais-je été mieux informée que je me serais rendu compte à quel point ce baiser-là était timide et encore chaste. N'en sachant pas très long sur ce sujet et m'en tenant à ce que les romans racontaient, je croyais que nous avions franchi une invisible frontière qui nous engageait à jamais. En somme, je nous considérais comme fiancés.

Je pensais que cette intimité allait changer le cours de nos relations et donner à Auguste le courage de se déclarer à son tour. Il n'en fut rien. Il revint pourtant quotidiennement. La prétendue leçon de musique consistait désormais en une conversation sans ordre qui roulait sur tous les sujets. Il affectionnait de parler de philosophie. Je notai son goût pour les idées abstraites et les textes difficiles. J'admirais son savoir et faisais profit de son enseignement. Il m'arrivait, au fond de moi, de trouver ces notions de métaphysique et de morale un peu sèches. Je leur préférais les romans et la peinture de la vie. Il y avait sans doute là des approches incompatibles. Peut-être fallait-il mettre mon goût romanesque sur le compte de mon âge et de mon sexe. Cette opinion me parut acceptable jusqu'à ce que je découvre qu'un même homme, ce fameux Jean-Jacques Rousseau, avait pu écrire cette merveille de sensibilité qu'est *La Nouvelle Héloïse* aussi bien que les textes abstraits sur les lois, la politique ou la société dont Auguste me donnait lecture avec une passion incompréhensible pour moi.

J'essayais de le ramener par mes questions à l'expression de ses sentiments et à ces émois charmants dont je trouvais alors modèle dans les romans.

Il s'y résolvait difficilement.

Certes, il lui arrivait pendant nos moments d'intimité de murmurer quelques mots plus tendres et de protester de son affection pour moi. Il allait parfois jusqu'à effleurer ma main avec ses lèvres et caresser mes poignets. Cependant, il ne poussait pas plus loin et restait parfaitement gentilhomme. Je lui sus d'abord gré de cette retenue. Puis je m'impatientai de le voir si peu entreprenant. J'étais à la fois heureuse qu'il me témoigne du respect et déçue de ne pas avoir à défendre plus vigoureusement ma vertu.

Je me reprochai vite ce caprice. Il m'apparaissait clairement que si Auguste se montrait si emprunté, c'est qu'il était toujours gêné par sa condition de prisonnier. Mon amour était si profond qu'il me faisait m'interroger sans cesse sur la profondeur du sien. Au fond de moi, j'avais la secrète certitude qu'il m'aimait. Il ne pouvait pas laisser libre cours à ses sentiments, me disais-je, tant qu'il n'aurait pas recouvré la liberté. Je pouvais feindre d'oublier son état de captif, il s'imposait à lui à chaque instant et lui interdisait d'obéir aux élans de son cœur.

Le fossé qui existait entre nous lui semblait infranchissable et c'était sûrement la raison de sa réserve. Du moins je le croyais, avant d'apprendre ses véritables intentions. Il ne suffisait pas que je me déclare la première, il fallait encore que je crée les conditions pour que notre amour soit avouable. Je résolus de tout faire pour mettre un terme à l'odieux esclavage que subissait Auguste.

En attendant, je constatais jour après jour qu'au moins sa situation matérielle s'améliorait. Il était mieux vêtu. Il avait quitté peu à peu ses hardes trouées de déporté et s'était procuré une vraie chemise de toile, des bottes fourrées comme en fabriquaient les Kamtchadales et un chaud manteau de martre. Comment avait-il pu acheter ces biens très convoités parmi les exilés ? Il fallait qu'il eût apporté avec lui de l'argent – chose peu probable – ou sinon qu'il ait trouvé dans la colonie un emploi bien rétribué, ce qui aurait été plus extraordinaire encore. J'appris finalement qu'il était un joueur d'échecs hors pair et qu'il en avait fait un moyen de gagner sa vie.

Sa Majesté le tsar Pierre avait interdit les jeux de cartes dans la colonie, en raison de la frénésie de paris qu'ils généraient et des violences de toute nature qui en étaient la conséquence. Les joueurs n'avaient pas pour autant renoncé à leur vice. Ils s'étaient simplement rabattus sur les échecs. De grosses sommes étaient en jeu. Il arrivait que des parieurs utilisent des joueurs plus forts pour mener la partie à leur place et ils les rétribuaient à proportion de leurs gains. Auguste avait commencé ainsi, avant d'avoir amassé suffisamment d'argent pour engager lui-même de grosses mises.

Sa réputation s'était vite répandue. Il jouait aussi bien avec des collaborateurs de mon père, comme son chancelier ou l'hetman des cosaques, qu'avec les nombreux marchands qui faisaient le commerce des fourrures. Il arrivait d'ailleurs, me confia-t-il quand je lui en parlai, que les paris se fassent pour partie en argent mais aussi en peaux.

Je craignais un peu pour lui cette activité. Le jeu était régulièrement le motif de querelles pouvant aller jusqu'à la violence physique. On le retrouvait aussi derrière certaines vengeances et même à l'origine de crimes de sang. Il me promit de ne pas prendre de risques. Le jeu n'était pas chez lui une nécessité. Il avait appris les échecs pendant ses campagnes militaires et ses captivités. S'il s'y montrait doué, c'était sans effort et en tout cas sans passion. Il n'avait recours à ce moyen, me dit-il, qu'aux fins d'améliorer sa condition et de se rendre digne d'être reçu dans une maison telle que la nôtre.

Je le crus.

Pourtant, deux semaines plus tard, il se présenta à la leçon de musique la lèvre fendue et une vilaine bosse sur la tempe. L'amour en moi s'alarma, moins pour ce qu'il avait souffert et qui n'était pas trop grave que pour le risque qu'à l'évidence il avait couru. Je le pressai de questions. Il me servit d'abord divers mensonges puis m'avoua qu'un marchand lui avait tendu une embuscade avec deux complices à la suite d'un différend aux échecs. Il s'était défendu et les avait mis en fuite.

Cet incident fut somme toute sans conséquence et le responsable de l'embuscade subit un châtiment à la mesure de son ignominie.

Cependant, ce genre d'affaire pouvait se renouveler, et en plus grave, ce que la suite démon-
trera. L'événement me fit comprendre qu'il ne
fallait plus tarder à agir pour mettre un terme
à cette situation. Tout le monde savait certainement qu'Auguste était bien en cour chez nous.
Cela, joint à l'argent qu'il gagnait en battant
tout le monde aux échecs, ne manquerait pas
de lui attirer de plus en plus de jalousies et de
l'exposer au pire dans ce milieu violent. Il fallait
trouver le moyen de le rendre libre.

Il était inutile de demander quoi que ce fût
de plus à mon père : il favorisait déjà Auguste
de toutes les manières possibles. Il le recevait
chez lui, lui avait fait cadeau d'un traîneau à
chiens avec son conducteur ainsi que de pièces
d'argenterie pour meubler sa future cabane.
Il le recevait à dîner au fort, en compagnie
de personnalités de passage ou pour le seul
plaisir de sa conversation. Il alla même, et je
ne goûtai guère cette faveur, jusqu'à lui permettre une absence de quatre jours pour se
rendre à la chasse à l'ours. Ces animaux sont
nombreux dans nos parages et peu dangereux
en temps ordinaire. Ils deviennent extraordi-
nairement agressifs quand on entreprend de
les chasser. Auguste, heureusement, revint sain
et sauf. Mon père lui avait aussi fait confier
par le chancelier des travaux de cartographie
des rivages marins du côté des îles Kouriles et
jusqu'aux côtes américaines. Auguste passait
ses journées confortablement installé à la chan-

cellerie à consulter des journaux de bord et des récits d'expédition.

J'étais encore loin de me douter des raisons véritables de l'intérêt qu'il y prenait...

Que solliciter de mon père en faveur d'Auguste qu'il ne lui accordât déjà ? Il était capable d'aménager les règles officielles et de les assouplir mais il ne prendrait jamais le risque d'y contrevenir. Il ne pouvait abolir une sentence d'exil de sa propre volonté. L'eût-il fait que les bonnes âmes, le chancelier peut-être, n'auraient pas manqué de le dénoncer à Moscou. Dieu sait alors quelle sentence il aurait encourue...

Il n'existait qu'un seul cas dans les instructions impériales qui autorisait formellement une telle annulation de peine. Si l'exilé contribuait à dénoncer un complot contre le gouvernement et ses chefs, il était prévu qu'il soit sur-le-champ déclaré libre.

Le hasard voulut qu'une telle circonstance advînt bientôt. L'affaire éclata le 1er janvier de cette année 1774 qui allait être si remarquable pour moi. Les exilés étaient venus au fort présenter leurs hommages à mon père. Je les avais aperçus de loin. Auguste, que je devais voir l'après-midi, ne m'avait adressé qu'un discret sourire. Ce pauvre Stepanov s'était, lui, donné le ridicule de faire de petits gestes affectueux dans ma direction, allant même jusqu'à m'envoyer un baiser du bout des doigts. J'en conclus que le malheureux n'était pas guéri des sentiments qu'il nourrissait pour moi. Cette passion visible pouvait laisser penser que je donnais des espoirs à ce pauvre homme. Un tel malentendu était de nature à atténuer quelque peu la préférence que nous accordions tous à Auguste et, par conséquent, à réduire la jalousie qu'elle pouvait susciter. Aussi, je ne m'en irritai pas. Je me contentai de ne rien répondre.

Après leur visite, les exilés, à ce que je sus par la suite, se réunirent chez ce Khrouchtchev qui était l'ami d'Auguste. Ils burent un thé avec du sucre pour se réchauffer et célébrer la nouvelle année.

Hélas, quelques minutes à peine après avoir commencé à absorber ce breuvage, ils furent tous saisis d'épouvantables douleurs et d'un dérangement de ventre qui en fit tomber plusieurs à terre. Au milieu des cris, les plus vaillants parvinrent à se saisir d'huile de baleine et à en distribuer à tous. Un des exilés qui n'avait rien consommé courut chercher du lait de renne. Ces soins permirent aux moins atteints de se rétablir. Les autres souffrirent encore longtemps et un de ces malheureux ne put être sauvé. Il décéda au petit jour.

L'empoisonnement ne faisait aucun doute. Pour s'en assurer, ils rompirent les pains de sucre et donnèrent des morceaux à un chat et à un chien. Les pauvres bêtes succombèrent presque sur-le-champ. Ce sucre avait été offert par un marchand bien connu de la colonie. Les exilés demandèrent audience à mon père et lui exposèrent toute l'histoire.

Mon père décida de mettre le marchand à l'épreuve. Il nous rassembla, ma mère, mon frère et moi, dans un salon. J'ignorais encore tout de ce qu'il était advenu. Je fus assez étonnée de voir Auguste entrer dans le salon en compagnie de deux autres exilés et se cacher derrière une tenture sans mot dire. Le marchand fut bientôt introduit par les gardes. Il avait l'air troublé par l'honneur qu'on lui faisait mais ne semblait pas soupçonner ce qui l'attendait.

Mon père fit servir le thé par notre vieux domestique russe puis déclara sans quitter le marchand des yeux que le sucre qu'il allait consommer était le cadeau apporté le matin même par les exilés. Mon père ignorait comment eux-mêmes se l'étaient procuré mais trouvait le geste généreux.

Ma mère, mon frère et moi avions reçu l'ordre avant d'entrer de ne pas toucher à ce que l'on nous servirait. Le marchand, lui, avait déjà pris deux gros morceaux de sucre et s'apprêtait à les fourrer dans sa bouche. Il les lâcha et ils tombèrent sur le tapis.

S'ensuivit un long regard accusateur de mon père et le marchand se jeta à ses pieds.

— Ainsi, vous reconnaissez avoir empoisonné ce sucre ?

— Grâce, Excellence, j'ai cru bien faire.

— Bien faire ? En tuant des exilés qui sont, je vous le rappelle, la propriété du gouvernement et les sujets du tsar.

— Votre Excellence est abusée par leurs singeries. Ils sont dangereux. Ce Benjowski en particulier qui est leur chef.

— Il vous a gagné de l'argent aux échecs, c'est bien cela ?

— Oui, mais là n'est pas l'essentiel.

Mon père, à cet aveu, était déjà debout et appelait les gardes. Cependant Auguste et ses compagnons sortaient de derrière leur tenture. À leur vue, le marchand se mit à hurler tandis qu'on se saisissait déjà de lui.

— Ils vous mentent, Excellence. Ils complotent pour s'enfuir d'ici en volant un vaisseau de Sa Majesté… Un des conjurés me l'a avoué.

Il cita un nom et des détails précis mais nul ne l'écoutait plus. Les exilés poussaient des cris d'indignation. Mon père les rejoignit et leur persuada que justice serait faite.

— Tous vos biens seront confisqués dès demain, lança-t-il au marchand. Et l'on vous conduira aux mines de sel où vous travaillerez jusqu'à votre mort.

La garde évacua non sans mal le condamné, qui gesticulait et criait pour implorer sa grâce.

Je rentrai dans ma chambre très ébranlée. Auguste et ma mère me rendirent visite. Il nous conta toute l'affaire en détail et m'assura qu'il avait recouvré une santé parfaite. Le gouverneur nous rejoignit et le félicita chaleureusement.

— Vous avez, lui dit-il, déjoué un complot de la plus haute gravité.

Ces mots me firent revenir à moi. Il était temps

d'agir. Une opportunité unique était offerte qui ne se reproduirait peut-être pas. Il me fallait seulement du courage, et l'amour m'en donnait de reste.

IV

Je craindrais de vous faire perdre votre temps en vous contant une histoire qui prend place bien avant ma rencontre avec Auguste, si elle n'était pas indispensable pour comprendre les événements qui vont suivre.

Ma mère, un jour particulièrement gris de l'automne à Bolcheretsk, était venue me voir dans ma chambre. Elle était tombée dans mes bras en sanglotant. Je la consolai du mieux que je pus et notai en séchant ses larmes qu'elle avait tenté de recouvrir sous une épaisse couche de fard des traces bleues sur son visage dont je ne connaissais que trop la signification. La veille au soir, j'avais entendu mon père rentrer d'un voyage dans la région ouest et je savais qu'en ces occasions il buvait plus encore que de coutume. Des bruits de dispute et le coup sourd de meubles renversés m'avaient fait assez deviner qu'il avait été violent.

Ma mère ne m'avait jamais parlé de son mariage auparavant quoiqu'il fût évident qu'il n'était pas heureux. Mon père, de vingt ans son aîné, lui avait été présenté par son propre père et elle n'avait pas pu se soustraire au projet de mariage que l'on avait formé pour elle. De là sans doute sa volonté de me préserver d'un tel sort, bonheur qu'elle n'était pas parvenue à connaître avec mes sœurs. Ce jour-là, devant son désarroi et son humiliation, j'osai lui poser une question sur sa vie. Mon intention était de suggérer qu'un jour, quand nous serions élevés, elle pourrait entreprendre quelque chose pour reconquérir sa liberté. Je ne m'attendais pas à des confidences de sa part à propos du passé. À ma grande surprise, ma mère me révéla un épisode qui avait eu une importance considérable dans sa vie et qui devait en avoir une plus décisive encore sur la mienne.

Elle s'assit à côté de moi sur le lit et, sans cesser de fixer la surface ambrée du thé que j'avais tiré pour elle du samovar, elle me raconta l'histoire suivante.

Au cours de sa carrière, mon père avait commandé diverses garnisons, dont une dans une ville au pied de l'Oural où avait été construit un hôpital militaire. Ma mère, pour se rendre utile, avait proposé de venir assister les infirmières auprès des blessés. Elle y passait ses après-midi et parfois la soirée car mon père était souvent appelé auprès de ses supérieurs à Tobolsk et parfois même jusqu'à Moscou et Pétersbourg.

C'est dans cet hôpital qu'elle avait fait la connaissance d'un jeune lieutenant qui avait été gravement brûlé aux jambes par un feu grégeois lors d'un combat contre les Suédois.

J'irai au fait, quoique ma mère eût éprouvé le besoin ce jour-là de me livrer mille détails émouvants dans ses confidences. Elle vécut avec ce jeune officier, qui terminait sa convalescence et reprenait la marche en s'appuyant sur elle, une passion à laquelle elle ne trouva pas la force de résister. Cet amour était désespéré car ma mère, qui avait déjà mis au monde mes sœurs, ne concevait pas de les abandonner. Son amant était trop pauvre pour lui offrir une vie décente et trop affaibli pour traverser les épreuves qu'un enlèvement aurait engendrées. Ils vécurent cet été de passion comme la dilapidation consciente d'un trésor qu'ils n'avaient reçu que pour le dépenser mais qui, une fois disparu, persisterait à jamais sous la forme de souvenirs merveilleux.

Pendant que ma mère parlait, je calculais les années et lui posai la question qu'elle attendait.

— Et moi ?

— Oui. Tu as compris.

Elle me prit dans ses bras et nous pleurâmes ensemble.

J'avais découvert la clef d'un long mystère. Depuis ma tendre enfance, il n'était que trop évident qu'entre mes sœurs et moi existaient des différences physiques frappantes. Quand mon frère naquit, bien plus tard, à une période où ma mère n'avait plus aucun moyen de se soustraire aux assauts charnels du gouverneur, chacun nota la ressemblance du garçon avec ses deux sœurs aînées. J'étais seule de mon espèce et si la nature peut offrir parfois des variations inattendues, explication qui fut sans doute donnée à mon père, il restait qu'en la matière ces variations étaient difficilement compatibles avec l'intervention du même géniteur.

Je fis parler ma mère de celui à qui je devais la vie. Il avait, hélas, succombé dans une embuscade au sud du Caucase, peu après son retour dans l'armée active. Ma mère me le représenta comme un homme généreux, d'un courage extrême, qui n'était entré dans l'armée qu'avec l'espoir d'y servir la justice, de défendre les faibles et de s'opposer à la barbarie.

Je me demandais souvent s'il m'avait transmis quelques-unes de ses qualités. Il me semblait sentir pousser en moi ces semences qui me rendaient si fière d'être bâtarde. Mais elles n'avaient jamais eu l'occasion de s'épanouir. L'amour que je portais à Auguste, la nécessité où je me voyais de tenter l'impossible pour que notre union puisse se réaliser me donnaient enfin l'occasion de puiser dans l'héritage moral de mon vrai père. Je pensais que le combat se bornerait à affronter celui qui avait usurpé sa place. L'affaire devait se révéler autrement plus compliquée, compte tenu de ce que j'allais découvrir sur Auguste, et elle allait me mener bien plus loin que je n'aurais jamais pu l'imaginer.

La scène décisive par laquelle tout commença eut lieu dans notre salon, une fin d'après-midi de ce mois de janvier. Mon père avait fait chercher

Auguste pour lui proposer de se joindre à nous dans un voyage qu'il comptait organiser le long de la côte. Le chancelier et l'hetman des cosaques étaient conviés aussi.

À cette idée de voyage, ces deux-là se récrièrent. Mon père leur en demanda la raison. Ils avouèrent qu'ils ne pouvaient plus se passer de leur partie d'échecs quotidienne. Auguste proposa très simplement d'emporter un échiquier et des pièces, et de jouer le soir aux étapes.

Le gouverneur s'était rembruni, en entendant ces objections. Il devait ruminer des questions sur ce jeu depuis un moment et cet incident lui donna l'opportunité de les poser aux intéressés.

— À combien se montent donc vos gains à ce jeu ?

Le chancelier et l'hetman se troublèrent. Le changement de ton du gouverneur leur faisait craindre de sa part une colère et peut-être des violences. C'était une des habitudes de mon père, moitié en raison de son caractère et moitié comme système de gouvernement, que de passer en un instant d'une humeur à l'autre. Il pouvait se montrer brutal quand, une minute plus tôt, il apparaissait calme et souriant.

En calculant les gains qu'ils avaient accumulés avec l'aide d'Auguste, le chancelier parvint à un montant de quarante-deux mille roubles. Il était inutile de le réduire : le gouverneur était certainement au courant et l'énormité de cette somme avait motivé sa question. En entendant confirmer ce chiffre, mon père devint sombre et se mit à mâchonner, comme il le faisait toujours avant de laisser éclater sa colère. Le chancelier, pris de peur, déclara que l'occasion était excellente pour annoncer au gouverneur une bonne nouvelle : l'hetman et lui-même étaient convenus de faire don du dixième de leurs gains à la famille de M. de Nilov. Le cosaque étouffa un cri d'indignation car il n'avait pas été consulté sur cette libéralité et il ne l'approuvait pas. Auguste dut écraser discrètement sa botte pour le faire taire.

Mon père, par paliers, reprit un visage plus serein et même satisfait. Ma mère remercia vivement le chancelier et, quand le silence se fit, je sus qu'il était temps pour moi d'entrer en scène. Je rassemblai mon courage et sans trembler, en regardant le gouverneur dans les yeux, je déclarai ceci :

— Nous avons toutes raisons de nous réjouir de la décision du chancelier et de l'hetman et de les en remercier. N'oublions pas cependant qu'ils doivent pour grande partie ces gains au talent du comte Auguste Benjowski. J'ose espérer qu'ils lui témoigneront leur reconnaissance en demandant que soit abolie sa sentence d'exil et qu'une grâce lui permette d'occuper un emploi au gouvernement.

Mon père s'assombrissait à mesure que je parlais et je le voyais près d'intervenir pour m'imposer le silence. Je poursuivis d'une voix plus forte.

— Je n'ai pas de plus grand désir que de voir le comte Auguste Benjowski heureux...

131

Puis, dans un souffle, j'ajoutai :

— … et de partager son bonheur.

C'était une déclaration sans détour qui stupéfia l'assistance. Tous se tournèrent vers mon père. Il était rouge et un trait de salive épaisse marquait la commissure de ses lèvres. Il semblait trop gagné par la colère pour seulement pouvoir l'exprimer. Quand enfin il ouvrit la bouche, ce fut pour laisser sortir des mots d'une grande vulgarité à l'adresse d'Auguste.

J'avais longuement réfléchi à ce qui se passerait alors. Une observation attentive de ce père qui n'était pas le mien m'avait conduite à la conclusion que derrière sa grossièreté et sa violence se cachait un seul trait de caractère : la lâcheté. Sa jouissance à dominer les prisonniers, sa cruauté avec les indigènes, sa brutalité avec ma mère avaient un point commun : c'étaient des actes de lâche. Ce système tenait tant qu'en face de ces outrances il ne sentait aucune résistance. Je faisais donc le pari qu'à lui opposer une volonté supérieure, on le ferait quitter sa posture de prétendu courage. Je m'y appliquai en gardant braqués sur lui mes yeux grands ouverts, pleins de défi et de menace. Il continua un instant ses invectives puis bredouilla, grogna, se passa la main sur les yeux. Sa résistance faiblit ; la mienne resta inflexible. Finalement, il se leva. J'avais gagné.

Le chancelier, qui n'aurait pas eu ce courage mais qui savait mieux que quiconque évaluer l'humeur de son maître, reconnut immédiatement la capitulation du gouverneur. En courtisan avisé, il avait compris dans quel sens il fallait désormais aller.

Il déclara qu'il serait injuste d'accuser Auguste des sentiments que je nourrissais à son égard. Comme mon père ne protestait pas, il poursuivit en lui représentant combien il serait généreux et d'un grand avantage de me donner l'époux de mon choix, d'autant que ce mari serait un homme dont tous avaient pu apprécier la droiture et les talents.

Mon père écoutait ce discours les yeux fixés, à travers la croisée, sur le paysage de neige qui entourait le fort. Quand il se tourna vers nous, il souriait. « Ce qu'on ne peut éviter, il faut le vouloir. » Je ne sais pas si Auguste lui avait répété aussi souvent qu'à moi cette phrase de Machiavel qu'il appréciait tant. En tout cas, le gouverneur avait repris toute son autorité pour annoncer sa décision. « La loi du tsar Pierre, dit-il, porte que tout exilé qui découvrira un complot sera absous de sa sentence d'exil. En révélant les agissements du marchand qui voulait nous empoisonner tous, l'homme que vous voyez a obtenu le droit à cette absolution. »

Le chancelier applaudit à ces mots et pressa le gouverneur de convoquer une assemblée pour le lendemain. Il accepta et, en regardant Auguste, il déclara qu'à compter de ce moment il était libre.

J'étais au comble du bonheur mais cette émotion, loin de troubler mes sens, redoublait leur acuité. Je regardai intensément Auguste. Il était occupé à serrer les mains que lui tendait l'assistance enthousiaste. Quand il dirigea enfin son regard vers moi, j'y lus de la reconnaissance, de l'étonnement, de l'amour aussi, mais surtout une inquiétude dont j'allais mettre longtemps à comprendre la cause.

*

Commença alors une période étrange. Nous étions officiellement engagés, Auguste et moi. Je m'occupais de l'organisation de notre mariage, qui me semblait être à ce moment-là le plus désirable événement qu'une femme pût désirer. J'étais, on le voit, dans des dispositions bien conformes à ce qu'enseignait la bonne société. Le contraste entre la liberté que j'avais conquise en imposant ma volonté à mon père et la sujétion dans laquelle j'allais me jeter en acceptant l'existence d'épouse soumise ne m'apparaissait pas encore.

Je vivais dans l'attente de ce qu'on m'avait persuadée de considérer comme « le plus beau jour de ma vie ».

Aussi comprenais-je d'autant moins le peu d'enthousiasme que cette perspective semblait provoquer chez Auguste.

Il était désormais un homme libre. Sa liaison avec moi pouvait apparaître au grand jour. Il allait et venait à sa guise dans le fort, quoiqu'il eût toujours sa résidence au-dehors. Je ne m'ex-

134

pliquais pas sa réserve. Il m'avait remerciée pour mon coup d'éclat auprès du gouverneur. Il me témoignait par ses baisers et ses caresses un amour sur la profondeur duquel je n'aurais jamais aucun doute. Pourtant, il ne répondait pas à mes emballements. Il ne montrait qu'un intérêt distant pour la cérémonie qui nous unirait et ne paraissait pas curieux de choisir avec moi les détails de notre installation. À plus long terme, tandis que je rêvais avec animation à notre vie future lorsque enfin nous pourrions quitter le Kamtchatka et nous établir dans une ville russe plus à l'ouest, il ne livrait aucune opinion. On aurait dit que tout cela lui était étranger.

Par contraste, il déployait une intense activité pour mener à bien d'autres projets qui me semblaient incompréhensibles. C'est ainsi qu'il avait demandé au gouverneur l'autorisation, maintenant qu'il était libre, de fonder une nouvelle colonie à la pointe de la péninsule dans la région de Lopatka. Il avait préparé cet établissement en effectuant plusieurs voyages de reconnaissance sur ces petits bateaux indigènes construits en os de baleine et en peau de loup de mer que l'on nomme baïdaras. Il était revenu très exalté par la perspective de cette future colonie, expliquant qu'elle offrait une vaste plaine pour s'établir, quoiqu'elle fût encore couverte de neige.

Je faisais mine de partager cette animation mais elle me semblait aberrante. Comment cet homme jeune et doué de tant de talents de société, jeté dans les solitudes affreuses de cet

Extrême-Orient sibérien, pouvait-il se résoudre à s'y enfoncer plus profondément encore ? Je m'ouvris de ces préoccupations à ma mère. Elle me délivra des conseils décourageants de femme résignée. Selon elle, une épouse doit suivre les décisions d'un mari sans les approuver ni bien souvent les comprendre. Elle me donna pour seul espoir la capacité qu'a une femme, par sa patience et sa douceur, d'infléchir les vues de son époux et de faire entrer dans son esprit des idées différentes qu'il finirait par croire siennes.

Cet enseignement ne me convenait pas du tout.

Je restais avec la conviction qu'il existait une faille, une contradiction radicale entre l'homme que je connaissais, son caractère, tout ce qui me le rendait aimable, et le projet auquel il feignait de consacrer notre vie commune.

Je ne savais comment faire pour découvrir le fin mot de cette affaire. Je mis à profit la liberté qui m'était donnée d'afficher notre union à venir pour sortir du fort et rendre visite à Auguste chez les exilés. Je découvris la pauvreté de leurs établissements et la rigueur de leur vie. Cependant, tous me firent un bon accueil et me reçurent en tâchant de maintenir dans ces misérables cabanes les apparences de la civilité. Assis sur des vertèbres de baleine posées à même le sol de terre battue, ils me servaient du thé dans des tasses en porcelaine et dans le service en argent que ma mère avait offert à Auguste. Je fis la connaissance de M. Khrouchtchev, d'Oleg, le compagnon suédois d'Auguste, et de quelques autres fort sympathiques. Seul Stepanov m'inquiétait un peu car il continuait de me regarder avec des yeux brillants de désir.

Personne ne livra jamais la moindre confidence qui pût m'éclairer sur les projets d'Auguste. Tous feignaient de partager ses vues et son exaltation. J'avais pourtant l'impression qu'ils me cachaient quelque chose d'essentiel. Ils se surveillaient les uns les autres et Stepanov semblait être l'objet d'une défiance particulière. Les conversations cessaient à mon approche. Mes questions ne suscitaient que des réponses convenues. Je me désespérais d'obtenir jamais quelque information que ce fût de la part de ces hommes sur leurs gardes et rompus, après ces années de captivité, au secret, sinon au mensonge.

C'est d'un tout autre côté et par hasard que me vint le renseignement qui allait tout me découvrir et précipiter le drame.

V

Ma femme de chambre, fille fort dévouée avec laquelle je partageais mes secrets de jeune fille, m'avait avoué depuis longtemps qu'elle avait un amant parmi les exilés. Cet homme, prénommé Sacha, était un des compagnons d'infortune de mon fiancé.

Or voilà qu'un matin, tandis que je cherchais toujours la clef de l'énigme du comportement d'Auguste, cette femme entra chez moi en essuyant des pleurs. Elle venait, me dit-elle, me faire ses adieux. Je compris bientôt que ses larmes étaient dues pour une part à la tristesse de me quitter mais pour une autre à la joie de commencer une nouvelle vie.

Sacha lui avait depuis longtemps proposé de l'épouser. Avant de s'engager avec un banni, elle avait demandé réflexion. Or son amant était revenu deux jours plus tôt en lui annonçant que tous les obstacles à leur union étaient levés. Il était sur le point de quitter le Kamtchatka dans un bateau que les exilés s'apprêtaient à dérober.

Il avait obtenu de l'emmener avec lui à bord. Ainsi, sous peu, ils se retrouveraient en Europe où les attendrait sans nul doute une vie d'amour, de liberté et d'honnête labeur. J'aurais été heureuse pour elle d'apprendre cette nouvelle si elle n'en avait ajouté une autre : Auguste était partie prenante dans ce projet et même il y tenait un des premiers rôles.

Cette révélation produisit un double effet sur moi. D'une part, elle apporta un soulagement immédiat à mes tourments : la conduite d'Auguste s'éclairait de façon aveuglante. J'en ressentis la satisfaction que l'on éprouve toujours à voir vérifier ses intuitions, quand même elles seraient funestes. D'autre part, bien entendu, elle m'apprenait que mon bonheur était condamné, que j'allais être abominablement trahie et que, pour le dire d'un mot comme je le concevais alors, j'étais déshonorée.

Cependant, la confrontation que j'avais engagée avec le gouverneur me faisait prendre conscience d'un autre aspect de mon caractère. Un peu plus jeune, je me serais sentie désarmée face à une telle ignominie. Désormais, j'étais d'humeur, et peut-être de taille, à me battre. Étouffant le premier sanglot, je me redressai et commandai à la fille de tout me répéter en détail. Je notai plusieurs imprécisions dans son récit et lui demandai de bien vouloir convoquer son amant au fort sans délai. Elle lui poserait une série de questions choisies par mes soins. Tandis qu'elle l'interrogerait dans l'office où elle se tenait d'ordinaire, j'écouterais les réponses en me dissimulant derrière un paravent. Ma femme de chambre accepta avec beaucoup de réticences car son amant lui avait fait jurer qu'elle ne révélerait ce secret à personne et il ne devait à aucun prix découvrir ce stratagème.

L'entrevue eut lieu le lendemain. La servante fit entrer l'homme par une porte de derrière car il n'avait pas, lui, l'autorisation de circuler librement dans la demeure du gouverneur. Elle lui servit un grand verre d'un alcool indigène distillé à partir de racines. Après avoir, malgré ses protestations, commencé à la lutiner, Sacha accepta de répondre aux questions qu'elle lui fit.

Il en ressortait que l'on ne pouvait avoir aucun doute sur l'affaire. Le complot était ancien. Si des idées d'évasion traînaient dans la conscience des exilés depuis bien longtemps, c'était l'arrivée d'Auguste et de ses compagnons qui avait conduit à entreprendre leur réalisation. Je reconnus bien dans la description l'énergie et la persuasion de mon fiancé. Il avait mis au service de ce projet tous les talents qui m'avaient séduite. Autour d'un noyau de conjurés constitué par Auguste et ses proches amis s'étaient agrégés d'autres exilés. Le groupe s'élevait pour l'heure à près de quatre-vingts personnes. L'homme se refusa à donner des détails sur la date et les circonstances de l'affaire. Il se borna à dire que le départ était imminent. À ces mots, il parut au comble de l'excitation et saisit sa bien-aimée à la taille pour la couvrir de baisers indiscrets. Elle se dégagea et alla s'asseoir sur un tabouret. Elle cacha son visage dans ses mains et fit mine de sangloter.

— Pourquoi cela te rend-il si triste ? Tu n'es pas heureuse de quitter cet affreux pays ?

— Si, bien sûr, dit la finaude qui jouait à merveille sa petite comédie pour en apprendre un peu plus.

— Alors ?

— Ma maîtresse...

— Quoi ?

— Si son fiancé s'évade avec nous, elle va se retrouver seule ici.

— Seule, seule... Elle est la fille du gouverneur, l'oublies-tu ? Ces gens-là n'ont pas besoin de voler un bateau pour s'enfuir. Quand viendra son heure, elle partira.

— Mais elle l'aime, s'écria ma brave servante, en tournant vers son amant ses yeux rougis de les avoir frottés.

Et elle ajouta, avec un air de profond dégoût dont il pouvait craindre de prendre sa part :

— Les hommes sont affreux. Comment peut-il la trahir de la sorte ? Hier encore, il était ici à recevoir d'elle mille tendresses...

L'homme saisit son verre, but une lampée et en considéra le fond.

— C'est qu'il n'a pas le choix.

— Que veux-tu dire ?

— Il est entré dans cette conjuration depuis son arrivée, bien avant d'être libre. Il en connaît

141

tous les secrets. Les autres ne lui ont pas laissé le loisir de s'en retirer.

— Et s'il le fait ?

L'homme haussa les épaules.

— Tu ne sais pas, toi.

— Non. Explique-moi.

Alors, saisissant brusquement un poignet de la fille et l'approchant de son visage avec un air de menace, Sacha dit d'une voix plus basse :

— Les traîtres, ils les tuent, figure-toi. Et sans avoir besoin d'un jugement. Il leur suffit d'un soupçon, d'un doute. Depuis que je suis dans l'affaire, j'ai déjà vu exécuter trois mouchards. Et hier encore, il y a eu une sévère alerte. Un imbécile nommé Stepanov, tu le connais, c'est un soupirant de ta maîtresse...

— Oui.

— Eh bien, il a provoqué Auguste en duel à cause d'elle.

À ces mots, je faillis lâcher un cri et être découverte. Par bonheur, le son s'étouffa dans ma gorge.

— Auguste l'a battu, évidemment. Mais il lui a laissé la vie sauve et tout le monde le lui a reproché. Va savoir maintenant si ce fou de Stepanov ne va pas nous vendre.

Sacha laissa la femme de chambre retirer son bras et il se redressa.

— En tout cas, si Auguste les quittait pour rejoindre la famille du gouverneur, il serait regardé comme dans leur camp. C'est un risque qu'ils ne prendront jamais.

Puis il rattrapa son amoureuse pour l'embrasser et il ajouta :

— Ta maîtresse, si elle l'aime, devrait plutôt se réjouir. En la quittant, au moins il reste en vie…

La conversation prit fin sans apporter d'autres nouvelles mais j'en savais assez.

Je retournai à ma chambre et m'y enfermai sans paraître pour le dîner. Toute la nuit, je tournai le problème dans ma tête. Au petit matin, finalement, j'avais arrêté un parti. La question à mes yeux était claire : Auguste m'aimait, cependant des forces plus puissantes que lui le contraignaient à m'abandonner. Certes, il aurait pu dénoncer le complot et obtenir la protection du gouverneur. Mais, traître à ses pairs, Auguste n'avait aucune chance d'échapper à leur vengeance.

En conséquence, c'était à moi de le délivrer de cette menace. Tel était le prix à payer pour que notre amour puisse s'épanouir.

Vous voyez que si j'étais encore naïve, je n'avais plus rien de la jeune fille passive et obéissante que j'étais encore quelques semaines plus tôt. J'étais mûre pour emprunter des chemins de traverse, fussent-ils mortellement dangereux. Mon raisonnement était simple, comme toutes les idées fausses. Il m'était impossible de rapporter moi-même ces informations au gouverneur. Il risquait de ne pas y prêter attention, pas plus que quand le marchand empoisonneur avait raconté toute l'affaire. Et s'il l'avait fait, il n'aurait pas manqué de mettre Auguste dans le même sac que les autres et de le condamner. Au fond, mon père n'avait accepté l'idée de notre union que sous la contrainte. Il aurait été ravi de pouvoir exercer une vengeance sur moi-même comme sur Auguste.

Il fallait une dénonciation crédible, circonstanciée, par un autre des conjurés. J'aurais tout loisir alors d'intervenir pour expliquer que je savais tout et qu'Auguste n'était pas étranger, quoique discrètement, à la révélation de ces faits. Ainsi, il serait libéré de la contrainte de ses pairs mais sans porter la responsabilité de la dénonciation, donc sans encourir leur vengeance.

Un seul instrument s'offrait à moi pour parvenir à cette fin : Stepanov.

Je préfère vous dire qu'avec le temps je juge sévèrement ma conduite de l'époque. Je poussais à l'extrême les travers d'une femme amoureuse et, de surcroît, assez ignorante de la vie pour se montrer affreusement cruelle sans en éprouver de remords. J'envoyai ma femme de chambre prévenir discrètement Stepanov. Elle lui donna rendez-vous de ma part dans un bois situé à la lisière du village derrière une colline. C'était un endroit où il m'arrivait d'aller me promener l'hiver à traîneau, pour admirer les arbres givrés et voir passer, de l'autre côté de la rivière, des familles d'ours bruns.

Je n'avais rien à craindre de mon conducteur indigène qui parlait à peine le russe. Peu après déjeuner, je partis pour cette promenade et j'aperçus Stepanov qui faisait semblant de couper du bois en m'attendant. Je fis arrêter le traîneau et nous échangeâmes quelques mots. Il avait ôté son bonnet de loutre et le pétrissait dans ses mains.

— Mon ami, lui dis-je avec une fausseté qui me fait horreur aujourd'hui, je sais tout du complot qui se trame et dont vous êtes, hélas, partie.

Il voulut répondre mais seul un petit nuage de vapeur sortit de sa bouche.

— L'affaire va être découverte. Je suis bouleversée d'avoir été trompée par celui que j'aimais. Il sera puni à proportion de sa trahison.

Un pâle sourire fleurit sur les lèvres de Stepanov, rougies par le froid.

— Tant qu'à être dénoncée, car elle va l'être, autant que cette conspiration le soit par vous. Vous échapperez à toute sanction et vous serez récompensé par la liberté.

Je n'en dis pas plus mais le sourire qui illumina le visage du malheureux montra assez quels espoirs j'avais fait naître par ces seuls mots.

J'ajoutai, en donnant l'ordre au conducteur de fouetter les chiens :

— Mais ne perdez pas de temps si vous voulez être le premier.

Sitôt rentrée dans ma chambre, je me mis à rédiger une lettre pour mon père dans laquelle je lui avouai avoir tout appris du complot par l'aveu même d'Auguste. J'expliquai que celui-ci ne pouvait se soustraire à la contrainte exercée par ses anciens camarades d'exil et que je lui avais demandé expressément de ne pas courir le risque de les dénoncer. C'est pourquoi j'avais encouragé quelqu'un d'autre à le faire, ce qui probablement lui coûterait la vie.

Cette accumulation de mensonges avait évidemment pour but de sauver Auguste. J'avais seulement oublié un détail : m'assurer de ce qu'il pensait.

Il ne se passa rien durant la soirée. Mon père dîna avec nous et parla le plus naturellement du monde de divers sujets qui intéressaient la colonie. Aucune dépêche ne lui fut remise. Nous allâmes tous nous coucher avec une sérénité qui n'était pour moi que d'apparence.

Pour la deuxième nuit consécutive, je ne dormis pas. Je guettai, la fenêtre entrouverte malgré le froid, des cris qui seraient montés du côté des cabanes. Rien ne vint. La tempête ne se déchaîna qu'au petit matin.

Un garde vint prévenir mon père pendant que nous prenions notre première collation qu'une échauffourée avait lieu entre des exilés et des cosaques. Celui-ci jeta sa serviette sur la table et se leva.

— Ils vont voir, lança-t-il.

Je sentais confusément que cet incident devait être relié à l'affaire du complot mais ne comprenais pas de quelle manière. Ma mère nota ma nervosité sans en connaître la cause et elle toucha ma main pour me calmer.

Mon père rentra un peu plus tard et reprit

place à table. Il nous raconta qu'un exilé avait été attaqué par ses camarades au motif qu'il aurait tenté de les empoisonner.

— Encore ! s'écria ma mère.

— C'est monnaie courante ici.

Quand les assaillants s'étaient saisis du présumé coupable, celui-ci s'était mis à hurler et des soldats qui passaient près de sa cabane étaient accourus. Les exilés avaient refusé de livrer leur prisonnier et d'autres soldats étaient intervenus. La dispute avait tourné à la bataille rangée.

— Qu'avez-vous décidé ? demandai-je sans laisser paraître que je m'inquiétais de la réponse.

— J'ai fait rentrer les soldats à leur cantonnement et j'ai laissé les exilés régler leurs propres affaires.

— Que vont-ils faire de leur camarade ?

— Le juger, probablement. Ils s'y entendent assez bien et je leur fais confiance pour dénouer les litiges qui les concernent.

Et, en s'étirant sur sa chaise, il fit signe qu'il s'en lavait les mains.

— Et comment se nomme ce fauteur de trouble ?

— Il paraît que c'est un homme qui se déclare amoureux de vous, ma fille. Encore un. Je commence à trouver que vous êtes excessivement populaire au milieu de ces hommes sans honneur.

— Vous exagérez, père. Il n'y en a qu'un. C'est un malheureux et je ne suis pour rien dans sa folie. Il s'appelle…

— Stepanov. C'est bien lui. Eh bien, quelque chose me dit que vos chers exilés vont bientôt vous en débarrasser.

Je me levai sans prononcer un mot. Mon sang avait reflué et je manquai m'évanouir. Qu'est-ce que cet incapable de Stepanov avait bien pu faire ? Le complot n'était pas dénoncé et pourtant les exilés étaient sur le point de le massacrer… Avait-il trop parlé, prévenu quelqu'un de ses intentions ? Je montai jusqu'à ma chambre chercher un manteau et des chaussures fourrées. En passant devant un miroir, je remarquai que j'étais livide. Dix minutes passèrent et j'entendis le tarantass du gouverneur s'ébranler avec tous ses grelots. Je savais qu'il avait projeté une visite au port. Sitôt qu'il eut disparu, je sortis et courus jusqu'aux cabanes des exilés.

VI

Dans les cabanes régnait une grande confusion. Des exilés entraient et sortaient, le visage fermé. Des discussions animées avaient lieu dans les plus anciennes maisons, où se tenaient de petits groupes de conjurés. Le silence se faisait dès qu'ils m'apercevaient.

Je cherchais Auguste. Il tomba sur moi par hasard, tandis qu'il marchait tête baissée pour passer d'un lieu de réunion à un autre. Quand il me reconnut, il maîtrisa une première expression de mauvaise humeur et se força à adopter un ton suave.

— Aphanasie ! Quel bonheur... vous me cherchiez ?

Je saisis les manches rugueuses de son épais manteau. Je n'avais pas pris le temps d'enfiler de gants avant de sortir. Mes mains étaient mordues par le froid vif.

— Trouvons un endroit où nous pourrons être seuls.

Il ne semblait pas comprendre ma requête,

croyant peut-être que je lui demandais un moment tendre.

— C'est que j'ai plusieurs affaires urgentes…

— Moi aussi. Il *faut* que je vous parle sans délai.

Auguste regarda autour de lui et, avec humeur, marcha d'un pas décidé vers une cabane située un peu à l'écart des autres. Nous y entrâmes. Elle était inhabitée et devait servir d'entrepôt. Des balles de fourrures étaient entassées presque jusqu'au plafond. Elles répandaient une odeur surie de peaux mal tannées. Surtout, elles étouffaient les sons. Auguste referma la porte qui se verrouillait de l'intérieur avec un loquet de bois grossier. Il alluma deux chandelles posées sur un tonneau.

— Où est Stepanov ? lui demandai-je aussitôt.

— Stepanov ? Quel intérêt prenez-vous à ce misérable ?

— Répondez-moi.

— Il est près d'ici, en sûreté, gardé par nos amis.

— Vivant ?

— Malade, à ce qu'on me dit. Mais oui, vivant. Pourquoi ?

— Qu'a-t-il fait exactement ?

Auguste me regardait avec sévérité. Il se posait à l'évidence mille questions sur la nature de mes sentiments pour ce personnage qui n'avait jamais fait mystère de sa passion pour moi.

— Répondez, je vous en supplie. Je vous donnerai le fin mot de cette histoire ensuite.

— Eh bien, il a cherché à nous empoisonner et nous l'avons saisi chez lui tandis qu'il préparait ses drogues.

Je regardai Auguste droit dans les yeux. Il soutint mon regard mais cilla.

— C'est faux, dis-je. Il a voulu dénoncer votre complot et vous l'en avez empêché.

— Notre complot ?…

— Ne perdons pas notre temps, mon ami. Je sais tout. L'évasion que vous avez préparée, les quatre-vingts conjurés, le bateau dont vous allez vous saisir pour quitter le Kamtchatka.

Auguste restait bouche bée. Je ne savais que lire sur son visage : la peur, l'étonnement, l'indignation, l'amour aussi, espérais-je, se disputaient son expression.

— Je veux seulement savoir ce qu'a fait Stepanov.

Il hésita puis répondit d'une voix sourde.

— Il a demandé à voir le gouverneur pour lui livrer des secrets. C'était hier après-midi. Le garde ne l'a pas laissé passer.

— Ensuite ?

— Il est retourné chez lui et a commencé à rédiger une longue dénonciation. Nous avions toutes raisons de le surveiller. Un des nôtres est entré sous un prétexte quelconque et l'a découvert assis à sa table, en train de noircir des feuilles. J'ai donné l'ordre de se saisir de lui. Il a hurlé. Une patrouille de cosaques qui passait a pris sa défense. Nos amis se sont assemblés pour l'en empêcher. Des renforts sont arrivés. Finalement, le gouverneur est venu calmer ses troupes. Il nous a laissé le soin de juger ce misérable.

— Qu'allez-vous en faire ?

— Je n'en sais rien encore. L'empêcher de nuire.

— Écoutez-moi, Auguste.

L'heure était venue de tout avouer. Je m'assis à demi sur une balle de fourrures et lui dis de faire de même.

— J'ai appris tout le détail de votre conjuration par une indiscrétion de ma femme de chambre. Et c'est moi qui ai demandé à ce pauvre fou qui a la tête pleine de songes de dénoncer ce complot à mon père.

— Vous !

— Moi.

— Mais… Pourquoi ?

— Pour vous sauver, Auguste. Je sais que vous êtes tenu par vos engagements, que ces exilés vous contraignent à les suivre. J'ai voulu vous délivrer, voilà tout. Et si ce moyen a échoué il nous faudra en trouver un autre. Je ne vous abandonnerai pas, Auguste.

Je le vis se décomposer pendant ce discours. Il ouvrit la bouche pour répondre mais les mots ne sortaient pas. Il se leva, se retourna vers les membrures en os de la cabane et, au bout d'un instant de silence, il me fit face.

— Je ne suis le prisonnier de personne, Aphanasie.

— Que voulez-vous dire ?

— Que je suis entré dans ce complot de mon

152

plein gré et que j'y reste sans que quiconque m'y contraigne.

— Vous m'annoncez que… vous m'avez trompée ?

L'ambiance ouatée de ce lieu clos, la lumière vacillante des chandelles, la présence animale de ces fourrures entassées dans l'obscurité, tout donnait à la scène un caractère d'étrangeté solennelle. Quand Auguste s'approcha pour me livrer le fond de sa pensée, je le trouvai plus beau que jamais. Quelque déplaisir que j'eusse à entendre ses paroles, la vue de son visage sculpté d'ombres, la noblesse de ses gestes, le mouvement harmonieux de ses larges mains me remplissaient d'un bonheur inattendu.

— Aphanasie, vous connaissez mes origines et le rang que j'occupais avant ma captivité ? Nous avons assez parlé de cela et vous avez versé trop de larmes sur ce destin brisé. Pensez-vous que je puisse me satisfaire de la liberté que m'a accordée votre père ? La véritable liberté pour moi, c'est de reprendre ma place dans le monde qui est le mien, de me soustraire à l'arbitraire absolu qui règne ici. Qu'un autre gouverneur soit nommé et il pourra me remettre dans les fers. Quel espoir ai-je, même libre, de quitter ce lieu désolé ?

— Mais moi…, murmurai-je.

— Vous, Aphanasie, vous… Quelle vie puis-je vous offrir ? Nous allions nous marier pour faire de vous la femme d'un exilé, pour vivre dans une de ces cabanes que votre mère a fait meubler et que j'ai visitée lors de mon dernier voyage sur la côte ? Une vie dans ces horizons de plomb, au milieu des bannis, et des ours. À moins que par extraordinaire je ne réussisse à m'employer dans un bourg de Sibérie que nous trouverons charmant parce qu'il sera un peu moins éloigné de Moscou...

Je gardai le silence. Les mots d'Auguste sonnaient vrai. Pourtant, le sens général de son propos me semblait infiltré par un invisible mensonge, comme ces bois mangés de vers qui ont encore l'apparence de la solidité quoiqu'ils soient sur le point de tomber en poussière.

— Dans ce cas, pourquoi m'avoir...

Auguste baissa les yeux. Quand il me répondit, il affecta une douceur bienveillante qui, plus que ses paroles, me révolta.

— J'avoue qu'en arrivant ici j'ai cherché à entrer dans les bonnes grâces du gouverneur et j'y suis parvenu en vous donnant ces leçons de langue et de musique que nous aimions tant. Vous m'avez ému, Aphanasie, et j'ai toujours eu grand plaisir en votre compagnie. Cependant, c'est vous...

Il se troubla devant mon air sévère et continua en affectant une fausse bonne humeur.

— ... c'est vous qui m'avez fait l'honneur de me déclarer votre amour, qui êtes intervenue – et avec quel courage – pour obtenir ma liberté et proposer le mariage.

Je me levai vivement. Le visage me cuisait sous l'insulte, comme s'il m'avait giflée. J'eus la tentation de pleurer mais mes larmes séchaient au feu d'une indignation qui ardait dans tout mon être.

Ces instants furent sans doute les plus décisifs de toute ma vie. C'est à ce moment précis que je quittai l'enfance et ses rêves naïfs. Dans le silence épais de cette cabane minuscule, je vis tout et très loin. Ma vie passée et ma vie future, l'immense carrière de l'existence que j'avais jusque-là bornée aux ambitions étroites de la famille et du mariage. À cette minute, je devins en somme celle que je suis encore aujourd'hui.

— Vous mentez, mon ami, dis-je en me tournant vers Auguste que ma métamorphose frappa tout de suite. Vous me mentez mais, surtout, vous vous mentez à vous-même. Toutefois, sur plusieurs points, vous avez raison.

J'avançai d'un pas.

— Je vous aime, Auguste, et vous m'aimez aussi. De cela vous ne parlez pas. Pourtant, j'en suis sûre. Je ne crois pas que vous ayez jamais connu semblable passion. C'est peut-être la raison pour laquelle vous ne savez pas la reconnaître.

Je me tus un instant puis, marchant en cercle autour d'Auguste qui s'était rassis devant les chandelles, je poursuivis, comme si je pensais à voix haute :

— Cependant, vous avez raison : je vous ai demandé de payer cet amour à un prix trop élevé. J'ai prétendu vous obtenir la liberté quand, en vérité, je vous enfermais dans la perspective désolante d'un mariage banal, d'une vie étriquée, bornée à des rivages misérables.

D'où sortaient ces paroles qui m'étonnaient moi-même ? J'avais l'impression de découvrir un continent inconnu, en même temps que je le décrivais.

— Quant à vous, repris-je, vous ne dites pas la vérité et c'est peut-être parce que vous l'ignorez.

Auguste leva les sourcils.

— Je veux dire que vous ne cherchez pas à vous évader pour reprendre votre place et votre rang dans le pays qui vous a vu naître.

— Non ?

— Non. Vous m'avez raconté vous-même que, malgré vos tentatives répétées, vous aviez tout perdu là-bas et que votre souverain vous avait interdit d'y reparaître.

— C'est exact. Alors ?

Je tirai par un coin un ballot de fourrures et le disposai en face d'Auguste. Je m'assis et lui pris les mains.

— Alors, ce que vous entendez par la liberté, c'est l'inconnu, c'est le monde entier ouvert à votre carrière, c'est le meilleur s'il vous est destiné et le pire s'il doit vous advenir. Je le comprends et je veux que vous sachiez que mon plus cher désir est de vous voir éprouver ces bonheurs. Et de les partager avec vous.

J'approchai ses mains de mon visage et à ce moment-là seulement laissai couler mes larmes.

— Que ne m'avez-vous demandé de vous suivre ? dis-je entre deux sanglots. Je vous accompagnerais au bout du monde.

Auguste pleurait avec moi. Et vous le voyez

encore aujourd'hui, ce grand nigaud : il est au bord des larmes chaque fois que nous parlons de cet instant tragique et merveilleux.

— Jamais, me répondit-il, je n'aurais osé vous le proposer.

— Mais quand on aime vraiment, Auguste, on veut le bonheur de celui qu'on aime. Je vous ai proposé ce que je croyais hier encore être la seule solution pour assurer ce bonheur. Mais désormais que j'en vois une autre, je l'accepte et même je la désire.

Nous nous levâmes pour nous embrasser avec une violence que nous n'avions jamais connue.

Il n'y avait plus en lui ni en moi ces réticences, ces retenues qui avaient jusque-là barré entre nous les expressions du désir et de la tendresse. Oserai-je vous avouer que c'est là, sur ces four-rures entassées, dans cette cabane qui était pri-vée de tous les conforts qu'offrait une chambre, que je devins tout à fait la femme d'Auguste ?

Nous restâmes étendus un long moment, enla-cés, à écouter le silence du dehors. On devait nous chercher mais personne n'eut l'idée de nous découvrir dans ce réduit. Entre deux mots d'amour, nous mîmes au point nos rôles futurs. J'étais dès lors partie prenante dans la conspira-tion et, à ce titre, je jurai le secret. Rien ne devait changer d'abord et je devais reprendre ma place habituelle auprès de mes parents. Je serais plus utile au sein même du fort où je pouvais tout observer.

J'obtins d'Auguste l'assurance que Stepanov

ne serait pas exécuté. Pour avoir joué avec la vie de ce malheureux, je me sentais au moins l'obligation de la lui épargner.

Puis, après quelques ultimes baisers, nous convînmes bien à regret de nous séparer. La nuit était tombée. Je rentrai discrètement au fort et Auguste alla de son côté.

Dans ma chambre, pour calmer mes sens, je repris *La Nouvelle Héloïse*. C'était étrange. Le roman que je découvrais, après l'avoir tant lu, me semblait prendre un autre sens. Au lieu d'attendre le retour de Saint-Preux à Clarens, j'imaginais Héloïse s'élançant à sa suite sur les mers du Sud et vivant les aventures du voyage de l'amiral d'Anson qu'Auguste avait toujours sur sa table. Il me semblait que le plus grand des bonheurs leur serait donné sur ces routes fabuleuses où rien de constant, rien de connu ne les attendrait jamais, sinon l'amour qui ne les quitterait plus.

VII

Le complot des exilés avait déjà traversé bien des péripéties quand Auguste m'y associa. Les conjurés avaient examiné successivement divers projets qui s'étaient tous révélés impossibles à mener à bien.

La première idée avait été d'utiliser pour cette évasion un bateau marchand dont l'équipage s'était mutiné. Cela s'était avéré trop risqué. Puis Auguste avait proposé de demander au gouverneur l'usage d'un bâtiment pour transporter les volontaires dans la colonie qu'il se proposait de créer à Lopatka. De là, les conjurés auraient contraint le navire à continuer sa route. Mais le gouverneur s'était montré peu empressé, d'autant qu'il disposait de fort peu de bateaux pour son usage.

La dernière idée, celle qui était encore d'actualité, consistait à s'assurer des complicités dans l'équipage et le commandement du bateau qui faisait de temps en temps la navette entre le Kamtchatka et Okhotsk, sur le continent. Le navire concerné se nommait le *Saints-Pierre-et-Paul*. Son capitaine avait accepté de servir la cause des exilés. Outre la rétribution qu'il attendait de sa trahison, il avait obtenu l'assurance de pouvoir embarquer une femme qui vivait à Bolcheretsk et qui était sa maîtresse.

Bien des points demeuraient incertains. L'embarquement des conjurés ne manquerait pas d'attirer l'attention. Si le gouverneur envoyait ses troupes pour s'interposer, les insurgés risquaient fort d'être en grande infériorité et incapables de se défendre.

À ces difficultés s'ajoutaient les risques croissants de dénonciation. Plusieurs alertes sévères avaient donné lieu à des réponses vigoureuses de la part des chefs du complot, allant, on le sait, jusqu'à la mise à mort des suspects. C'était un miracle que ces indiscrétions ne fussent pas parvenues jusqu'aux oreilles du gouvernement. En vérité, le gouverneur craignait plus des indigènes que des exilés. Il ne cessait d'imaginer que les naturels fomentaient des troubles. Il réprimait ces supposés soulèvements par d'effroyables cruautés. Il lui arrivait d'ordonner l'exécution de villages entiers. Sa police usait des tortures les plus abominables pour arracher des aveux à des innocents, ce qui entraînait d'autres supplices.

À l'égard des exilés, peut-être parce qu'il se piquait de les traiter avec noblesse et qu'il attendait d'eux le respect des bonnes manières, le gouverneur semblait ne rien redouter. Cette confiance était habilement entretenue par

Auguste, qui avait réussi, sinon à s'en faire aimer, du moins à remplir le rôle un peu forcé de bon fils.

Si le gouverneur ignorait tout, son chancelier, lui, avait depuis longtemps conçu des soupçons. Auguste avait plus de mal à jouer avec lui l'ingénu et l'innocent car le chancelier l'avait vu à l'œuvre aux échecs. Il connaissait les trésors de ruse et de dissimulation dont il était capable. De plus, il était en contact avec divers personnages, comme son cousin Izmaïlov, qui étaient attachés à la perte d'Auguste, soit par jalousie, soit pour l'appât du gain ou même par simple goût de courtisan. La fréquentation des émigrés leur faisait entendre des bruits et pressentir des manœuvres dont ils rapportaient les indices au chancelier.

La dernière de ces alertes eut lieu peu après mon entrée dans la conjuration. J'en vis se dérouler les étapes sous mes yeux, dans les salons du fort.

Convoqué par mon père, à qui on avait rapporté des soupçons, Auguste repoussa les accusations avec une grande habileté en les traitant de fables. Jusqu'au dernier instant, je craignis de le voir trébucher. Mais il sut convaincre le gouverneur que ces racontars étaient les conséquences d'une jalousie. Il révéla que son accusateur avait pour maîtresse la même femme qui partageait ses faveurs avec un de ses compagnons. Ce subtil mélange de vérité (le gouverneur fit comparaître la femme, qui avoua) et de mensonge parvint à repousser l'évidence. Mais pour combien de temps encore ? Il y avait eu trop d'alarmes, trop de soupçons, trop de rumeurs pour que mon père ne fût pas tôt ou tard gagné à son tour par le doute.

Auguste comprit, après ce dernier incident, que l'affrontement serait inévitable et que l'issue en serait très incertaine. Il fallait se préparer à une épreuve de force. Auguste se fit attribuer les pleins pouvoirs, de façon à jouer le rôle d'un général en chef. Il prit des mesures militaires conformément à son premier métier. Il forma des groupes, nomma des commandants à leur tête. Oleg Wynbladth était ainsi le chef de son aile droite cependant que Khrouchtchev prenait la tête de l'aile gauche. Les conjurés avaient depuis longtemps réuni des armes, qu'ils devaient embarquer avec eux pour se garder des périls du voyage. Auguste les fit distribuer à tous ceux qui entraient dans la conspiration. Il fit détruire un petit pont qui enjambait un ruisseau séparant le camp des cosaques du village des exilés. Une planche étroite sur laquelle ne pouvait passer qu'un seul homme à la fois le remplaça. Il organisa des tours de garde, avec l'obligation pour tous de dormir armé.

Au terme de sa dernière visite pour répondre aux accusations du chancelier, Auguste avait eu le temps de venir m'embrasser dans ma chambre. Nous avions écourté les effusions pour mieux nous consacrer à notre nouveau rôle, celui de complices. Placée au cœur du pouvoir puisque je vivais dans le fort, j'avais la responsabilité de déceler les moindres changements d'attitude du gouverneur. Il me fallait guetter le moment où il serait enfin convaincu de la culpabilité d'Auguste. Au cas où il prendrait des dispositions pour le faire arrêter, je devais lui envoyer ma femme de chambre qui lui porterait un ruban rouge.

Nous n'eûmes pas à attendre longtemps. Dès le lendemain, après un long conciliabule avec le chancelier, mon père donna l'ordre à l'hermine d'aller se saisir d'Auguste. Je lui fis passer le ruban et j'attendis.

Ce fut une attente insupportablement longue. J'étais incapable de rien faire. J'entendais fulminer mon père dans les salons. Un peu plus tard, je le croisai dans un couloir : il avait revêtu son grand uniforme et portait son sabre à la main.

— Vous allez à une parade, mon père ?

Il me répondit en crachant une insulte. Il était clair qu'il m'englobait désormais dans la même détestation qu'il ressentait à présent pour Auguste. S'il conservait malgré tout avec moi une relative modération de gestes, il était à craindre que sa fureur ne s'abattît sur Auguste de la façon la plus brutale et la plus cruelle. Je tremblais en rentrant dans ma chambre.

Le secrétaire de mon père vint me commander de sa part d'écrire une lettre à Auguste pour lui proposer de venir me rejoindre au fort. J'en déduisis que les moyens officiels avaient échoué et que l'on essayait maintenant la ruse.

Je demandai au secrétaire de me laisser un instant pendant que je cherchais l'inspiration pour rédiger le courrier. Je mis ce temps à profit pour retirer quelques fils à un ruban rouge et les dissimuler au fond de l'enveloppe. Puis j'appelai le secrétaire, lui fis lire le texte, pliai la feuille et la glissai dans le pli que je cachetai. J'espérais qu'Auguste aurait l'esprit de secouer l'enveloppe. Il aurait été particulièrement affreux que je fusse l'instrument de sa capture.

L'attente reprit. Ma mère me rendit visite et nous étions ensemble quand retentirent des bruits de fusillade du côté du village des exilés. Nul doute que les cosaques étaient en train de donner l'assaut. S'y ajoutèrent bientôt des éclats de canonnade.

Imaginez mon état. À cette phase de l'amour où l'on est naturellement conduit à trembler pour l'être aimé quand bien même il est en sûreté, je devais affronter sans rien révéler de mon angoisse la pire incertitude quant à sa sécurité et même sa vie.

Ma mère, quoique ignorant mon ralliement à la conjuration, comprenait mon désarroi d'amoureuse. Elle me prit dans ses bras et me serra contre elle. Sa tendresse me fit du bien mais je n'étais plus d'humeur passive. Il me tardait d'agir. J'évitai de frotter mon oreille contre le taffetas crissant de sa robe afin de ne rien perdre des bruits assourdis qui nous parvenaient de la bataille.

À un moment, il me sembla qu'ils se rapprochaient. Je n'osai pas en conclure ce qui pourtant était la seule interprétation logique : les exilés avaient le dessus et portaient l'attaque en direction du fort. Bientôt, le doute ne fut plus possible : on se battait dans la cour.

Je brûlais d'envie de rejoindre les assaillants, de leur ouvrir les portes, de prendre les armes à leurs côtés. Mais j'avais donné ma parole à Auguste de ne rien révéler de notre accord. Faute d'en savoir assez sur la situation, je ne laissai rien paraître et fis croire à ma mère que je partageais sa terreur. Elle se jeta à la fenêtre et cria aux assaillants d'épargner notre famille. Nous parlions rarement entre nous des terribles massacres qui s'étaient déroulés en Sibérie et sur ces côtes au cours de rébellions d'indigènes et de prisonniers. Chacun de nous gardait cependant en mémoire des histoires tragiques.

— Ils montent, cria ma mère.

Et, sur ces mots, elle s'engouffra dans l'escalier pour chercher mon frère à l'étage. J'en profitai pour quitter ma chambre et avancer prudemment dans les couloirs. J'arrivai jusqu'au salon. Par la porte entrouverte, je vis un saisissant spectacle. Le gouverneur en grand uniforme, le képi à plumet sur la tête, vidait une bouteille de vodka au goulot. Il possédait une petite cave d'alcools fins venus du continent et en réservait la consommation aux après-dîners des grandes réceptions. Je remarquai que la plupart de ces bouteilles étaient vides et jetées à terre. Il avait l'œil vitreux, le visage déformé par un mélange effrayant de peur et de haine.

Soudain, la porte à l'autre bout du salon s'ouvrit à deux battants sous la pression d'un groupe d'exilés en nage qui brandissaient des pistolets et des sabres. À leur tête marchait Auguste.

À la vue du gouverneur, les assaillants se figèrent. Il y eut un instant d'hésitation puis Auguste s'avança.

— Jetez vos armes, monsieur le Gouverneur. Nous sommes victorieux de vos troupes.

Mon père restait immobile. Il s'était redressé mais l'alcool le rendait incapable de se tenir debout sans osciller.

— Si vous n'opposez pas de résistance, poursuivit Auguste, il ne vous sera fait aucun mal.

Il s'avança lentement, abaissa son pistolet et tendit sa main libre.

— Rendez-moi votre sabre.

Tout se passa alors en un court instant. Le gouverneur, rassemblant des forces décuplées par la rage et l'alcool, bondit vers Auguste, passa son bras autour de son cou puis serra. De surprise, Auguste lâcha son arme. Le gouverneur, qui tenait un pistolet caché dans son autre main, le posa sur la tempe de son adversaire qui étouffait.

Du groupe des exilés, quelqu'un tira. La balle atteignit les corps emmêlés du gouverneur et d'Auguste. Malheureusement, c'est celui-ci qui se trouvait en avant. La balle lui entra dans le bras. Il poussa un cri. J'étais pétrifiée de terreur par ce spectacle derrière ma porte, incapable de prendre la moindre résolution.

Enhardi par son succès, le gouverneur hurla aux assaillants de reculer sur les paliers et de refermer la porte. En murmurant, ils décidèrent de battre en retraite et quittèrent le salon. Une fois les deux battants fermés, le gouverneur relâcha son étreinte sur Auguste, qui tomba à terre en gémissant de douleur. Mon père le tenait en joue. Il fixait sur lui des yeux exorbités par la rage.

— Tu as séduit ma fille, souillé ma maison, trahi ma confiance. Tu n'es qu'un serpent, un monstre indigne de vivre.

Je comprenais qu'il n'attendait rien de son avantage. Il était trop hors de lui pour faire un usage raisonné de son otage. Il aurait pu utiliser sa capture comme un moyen pour laisser du temps à ses troupes de se reconstituer, pour négocier une trêve avec les assaillants ou seulement les conditions d'une reddition honorable. Hélas, il n'était habité que par une pure envie de vengeance et de meurtre. Je délibérai dans la plus grande confusion afin de déterminer quel parti prendre. Pénétrer dans la pièce risquait de faire de moi la cible d'un coup maladroit, tant la conscience de cet alcoolique était altérée. À cet instant, ma mère qui tenait mon frère serré contre elle m'appela de loin dans le couloir. Je me retournai vers elle.

Une détonation retentit dans le salon. Le temps de faire volte-face, je découvris de ma cachette une scène effrayante. Un des compagnons d'Auguste avait ouvert d'un coup violent la grande porte et lâché en direction du gouverneur la charge de deux pistolets.

M. de Nilov, sous le choc des balles reçues en pleine tête, s'abattit à la renverse. Aussitôt cinq hommes se précipitèrent autour de lui pour l'achever.

Suivit un moment de grande confusion. Ma mère, que les coups de feu avaient alarmée, se précipita dans le salon, croyant pouvoir encore se porter au secours de son mari. Je m'engageai derrière elle, folle d'inquiétude pour Auguste.

Cependant, de l'autre côté de la pièce, les exilés, voyant la porte s'ouvrir, crurent à une résistance armée et dirigèrent leurs armes vers nous. Ils nous crièrent de rester sur place. Tandis que deux d'entre eux s'assuraient que le gouverneur était bien mort, les autres saisirent Auguste et le sortirent du salon, en nous tenant toujours en respect.

Nous nous retrouvâmes bientôt dans une pièce désertée où ne demeurait plus qu'un cadavre méconnaissable. Je dus soutenir ma mère. Sa bonté la faisait encore pleurer cet homme, par la cruauté duquel, pourtant, elle avait enduré tant de souffrances.

*

Ces moments terribles passés, le fort retrouva son calme. La garde revint ainsi que le personnel. Mais quelque chose avait changé : la victoire des insurgés était totale. Les conjurés, sous le commandement d'Auguste, avaient pris le dessus sur les cosaques qui ne s'attendaient pas à une telle résistance. Ils les avaient désarmés, s'emparant de leurs armes et jusqu'aux canons. Cette première victoire aurait pu être anéantie car les troupes restantes se préparaient à une contre-offensive. Mais elles attendaient un ordre et la mort du gouverneur avait mis un terme à ces velléités de résistance. De surcroît, les exilés étaient rentrés dans leur camp en emmenant des otages.

Qu'allait-il se passer ? La rumeur, autour de moi, disait que les rebelles étaient en train de charger un bateau dans le port et je reconnus là l'exécution du plan qu'Auguste m'avait exposé. Des exilés en armes vinrent se saisir de vivres et de munitions dans les réserves du fort. D'autres se firent ouvrir les armoires de sûreté du gouverneur et entassèrent avec soin ses archives dans des malles qu'ils emportèrent sur des charrettes.

J'attendais. Le succès de la conjuration me remplissait d'un bonheur que je m'employais à cacher de tous, et singulièrement de ma pauvre mère. En interrogeant certains des révoltés qui étaient venus prendre livraison des archives, je sus qu'Auguste était vivant. Mais il m'était interdit, comme à tous les proches de l'ancien pouvoir, de quitter l'enceinte du fort. Je devais attendre un signe. J'espérais qu'Auguste lui-

169

même ou un de ses envoyés viendrait me chercher. À mesure que se prolongeait cette attente,
le risque augmentait que la corvette *Saints-Pierre-
et-Paul* fût prête et démarrât…

Sans attendre davantage, j'arrêtai ma décision.
La veille, ma femme de chambre m'avait fait ses
adieux et avait suivi son fiancé pour embarquer.
En préparation de ce que je projetais d'accomplir, je lui avais demandé de me monter de l'office une des tenues d'hommes qu'on venait d'y
laver. Au soir, je fermai ma chambre au loquet,
j'ôtai ma robe et enfilai une chemise et des
culottes. Je retins mes cheveux que j'avais encore
longs et les cachai sous un bonnet. Ainsi vêtue,
j'ouvris la fenêtre et gagnai la cour.

La nuit de ce début de mai était encore très
fraîche et j'étais peu couverte. Je me glissai en
grelottant de mur en fossé, jusqu'au village
des exilés. Comme je passais la planche qui
enjambait le ruisseau, je me sentis plaquée au
sol par un insurgé. Il me tint par les poignets et
m'amena sans ménagement jusqu'à une cabane
où se tenait un conseil. Quand il me poussa
vers les bougies, j'entendis un des hommes
s'écrier :

— Aphanasie !

C'était Oleg, l'ami d'Auguste. J'avouai tout
mais sentis que les hommes présents concevaient
encore des doutes sur mon récit.

— Amenez-moi à Auguste, si vous voulez
savoir la vérité.

Ils le firent. Je le trouvai très affaibli et gagné

par la fièvre. Il avait eu un transport dans l'après-midi. Heureusement, une saignée lui avait permis de reprendre ses sens.

Il sourit quand il me vit et je me jetai dans ses bras. Il m'assura que j'avais bien fait de m'enfuir. Je fis sortir tous les exilés de la cabane et déclarai qu'à compter de ce moment, c'est moi et moi seule qui prendrais soin de lui, le jour comme la nuit, jusqu'à ce qu'il se rétablît.

Auguste était extrêmement heureux de ce dénouement. Il me dit mille choses tendres auxquelles je répondis en pleurant de bonheur. Ainsi nous décidâmes de ne plus nous quitter. Et, voyez-vous, monsieur Franklin, puisque nous nous tenons aujourd'hui devant vous, c'est que nous l'avons fait. Ou presque. Mais c'est une autre histoire.

*

Aphanasie avait prononcé ces derniers mots à voix presque basse car Benjamin Franklin, après avoir donné longtemps tous les signes de la plus grande excitation, avait fini par s'assoupir.

Appelé par le secrétaire du grand homme, son médecin était entré discrètement et avait suivi la fin du récit. Il s'approcha d'Aphanasie et se pencha vers elle. C'était un grand diable vêtu de pantalons trop courts et d'une redingote élimée. Il portait un collier de barbe sans moustache qui allongeait encore sa figure sinistre.

— Vous ne devez plus l'animer, susurra-t-il.

M. Franklin a déjà fait une attaque et tout échauffement peut avoir raison de...

— Quoi ! cria Franklin, en se redressant d'un bond. Mais que racontez-vous là, Giddeon ? Et qui vous a appelé, d'abord ? Je ne suis pas malade et l'histoire que madame me conte m'a fait plus de bien que tous vos affreux juleps.

— Je ne dis que la vérité, contre-attaqua le médecin. Et si vous ne m'écoutez pas...

— Non ! glapit Franklin. Je ne vous écoute pas. C'est eux, figurez-vous, que j'écoute. Et si l'on m'avait servi d'aussi passionnants récits au lieu des plaintes que j'entends à longueur de journée, j'irais mieux.

Le médecin se releva de toute sa hauteur et prit un air indigné.

— Si c'est ainsi...

— Oui, c'est ainsi.

Franklin avait saisi sa canne qui était tombée par terre à côté de son fauteuil. Il avait l'air si furieux que le docteur, par crainte qu'il ne lui en administrât un coup, recula d'un pas.

— Continuez, madame, s'il vous plaît.

Aphanasie et Auguste échangèrent un regard inquiet.

— C'est que, monsieur Franklin... nous voulons bien. Mais il est très tard.

Les réverbères avaient été allumés dans la rue et c'est leur pâle lueur, entrant par la croisée, qui permettait encore d'y voir dans la pièce. Auguste monta en ligne.

— Je vais prendre le relais d'Aphanasie, dit-il.

La suite de l'histoire réserve beaucoup de surprises, vous le verrez. Dès lors que nous quitterons Bolcheretsk, c'est le monde entier, et ses dangers, qui s'ouvrira à nous.

— Je le sens bien et c'est pourquoi je veux l'entendre tout de suite.

— Cependant, lorsque nous commencerons cette nouvelle partie du récit, il ne nous sera plus possible de nous interrompre avant longtemps. Sinon les interruptions vous seront encore plus insupportables.

Franklin secoua la tête. Il était un peu ébranlé par ces arguments.

— Aussi, poursuivit Auguste, je vous propose de prendre un peu de repos. Demain, dès le lever du jour, nous reviendrons et vous entendrez tout jusqu'à notre arrivée au-delà des mers.

Le vieillard grogna, sortit un mouchoir et prit tout son temps pour y fourrer le nez. Il le plia d'un air bourru et, tandis qu'il le remettait dans sa poche, il conclut :

— D'accord. Demain. Mais à la première heure ! Je compte sur vous.

Son secrétaire le soutint et il quitta la pièce en marchant voûté. Le médecin poussa un méchant soupir, fusilla les intrus du regard et s'en fut sans les saluer.

AUGUSTE

I

C'était le douzième jour du mois de mai.

Je n'avais pas trente ans.

La corvette *Saints-Pierre-et-Paul* descendait lentement la rivière, gagnait le chenal du port et se dirigeait vers la mer.

Le soleil, en ce début de matinée, avait paru, ouvrant une des premières belles journées de l'année. C'est un instant que je ne devais jamais oublier. Après ces semaines de secret, de trahison, d'angoisse et enfin de combat, nous étions libres.

Tout l'équipage et les passagers du bateau étaient penchés sur les plats-bords. Les hommes, les femmes, silencieux et graves, regardaient défiler lentement la rive bleutée du bassin que nous traversions pour gagner la passe puis la haute mer.

L'eau bougeait à peine et des armées de roseaux prolongeaient la côte, formaient comme une ligne serrée d'épingles qui attachaient l'eau à la côte. Un vol d'échassiers qui remontaient vers le nord forma une croix avec le sillage du bateau et cela nous parut de bon augure. D'ordinaire, ceux qui s'embarquent pour un long voyage agitent les mains, lancent des cris, font des adieux émus à leurs proches qui restent sur le rivage. Ici, nous ne quittions rien sinon l'exil et le malheur. Nous nous attendions à ressentir de la joie. Au lieu de quoi, c'était une infinie tristesse qui étreignait les cœurs.

Au moment de les quitter, la profondeur de notre dénuement, l'éloignement extrême de notre exil, notre cruelle solitude nous apparaissaient dans toute leur cruauté. Comme un prisonnier qui revient, des années plus tard, sur le lieu de sa détention et qui s'apitoie sur un sort dont il n'avait pas sur-le-champ mesuré la dureté, nous nous sentions submergés par une pitié qui nous prenait nous-mêmes pour objet.

En voyant défiler l'interminable étendue de landes désertes et de steppes arides qui nous avaient emprisonnés, nous n'avions plus aucun doute sur la nécessité de fuir un tel destin. Et, en même temps, cette fuite entreprise, nous prenions conscience de l'infini dans lequel nous plongions.

D'un côté, nous ressentions un soulagement immense et, quand le *Te Deum* retentit, il n'est pas un seul d'entre nous qui ne versât des larmes sincères. De l'autre, pour cruel qu'il eût été, notre séjour au Kamtchatka nous assurait une sécurité et un confort que nous venions de perdre pour longtemps. L'espace qui s'ouvrait devant nous était plein d'inconnu, de dangers, de malédictions peut-être.

Lorsque, enfin, nous arrivâmes à la passe qui permet de franchir le cordon des dunes et d'entrer dans la mer ouverte, une houle secoua le bateau, comme pour nous avertir que, désormais, nous étions et pour toujours dans la main de l'océan. À bord, tout le monde recula d'un pas et même les moins portés à invoquer Dieu se signèrent.

Curieusement, tandis que nous gagnions à petite vitesse le large, le ciel se couvrit de nuages noirs. Il se mit à pleuvoir puis, bientôt, la pluie devint silencieuse et douce, l'air troublé de flocons : il neigeait.

Un brouillard épais nous environna comme pour nous montrer que non seulement nous allions devoir nous mouvoir dans des immensités désertes, mais que de surcroît nous avancerions à l'aveugle.

Mes connaissances nautiques m'avaient désigné comme capitaine. Depuis le démarrage, je me tenais debout sur la dunette, surplombant le grand pont et la foule qui s'y massait. Sitôt les premières lames arrivées qui nous prirent de trois quarts et firent rouler le navire, un frisson d'horreur parcourut la troupe que formaient l'équipage et les passagers. Ils regardaient vers l'horizon, incapables de distinguer une côte et pour cause, puisqu'il n'y en avait aucune. Alors, toutes ensemble et sans que quiconque se fût concerté, des dizaines de têtes se tournèrent vers moi. Je compris à cet instant qu'il existait au sein de ce groupe autant de courage que de trahison, d'espoir de liberté comme de résignation à la servitude. Et que j'allais devoir répondre à tout, sans savoir de quel côté viendraient les coups.

Au total, nous étions quatre-vingt-seize à nous être embarqués sur ce vaisseau. On trouvait dans ce nombre tous mes camarades d'exil, ceux qui étaient partis de Kazan avec moi et même Oleg Wynbladth bien sûr, qui venait de plus loin encore. Il y avait aussi la plupart des exilés qui nous avaient accueillis, Khrouchtchev le fidèle, un habile médecin dont le talent nous serait précieux et tant d'autres. Quelques chasseurs s'étaient joints à nous ainsi que des Kamtcha-dales. Nous avions décidé de les accepter parce qu'ils en avaient exprimé le désir et sans trop nous interroger sur ce qui les avait conduits à le faire. C'était une erreur, bien sûr, et nous n'allions pas tarder à nous en apercevoir. Mais nous n'avions pas envie que l'euphorie du départ fût troublée par des soupçons, des arrière-pensées funestes.

Nous avions même étendu notre miséricorde à des hommes qui nous avaient mis en danger et parfois même trahis. C'est ainsi que Stepanov, malgré toutes les raisons que nous aurions pu avoir de nous en défier, fut pardonné et accueilli à bord. Après sa tentative de dénonciation, et comme le gouverneur avait remis son sort entre nos mains, nous lui avions fait très peur. Réunis en tribunal, un groupe d'exilés l'avait persuadé qu'il était condamné à mort. Il avait dû boire un breuvage amer qu'il avait pris pour du poison mais qui n'était qu'une saumure inoffensive. Il avait été si ébranlé qu'il avait été plongé trois jours dans le délire et dans la fièvre. Il semblait qu'il avait été assez puni et je vins personnellement lui dire qu'il était pardonné. C'était décidément un personnage étonnant : il montrait autant d'aveuglement dans ses repentances que dans ses trahisons. J'eus toutes les peines du monde à me soustraire à ses embrassements. J'en conclus bien à tort qu'il me serait désormais fidèle.

Dans le nombre des passagers du bateau se comptaient aussi neuf femmes. Nous aurions pu en embarquer davantage et il avait fallu faire preuve de fermeté pour que les hommes en partance renoncent à emmener leurs douces amies. Nous avions toléré quelques exceptions : celles qui avaient été l'objet d'une promesse formelle à l'occasion d'un service rendu avaient pu monter à bord. C'était le cas par exemple pour la femme de chambre d'Aphanasie.

Quant à Aphanasie elle-même, il était évident que je n'allais pas l'abandonner. Elle m'avait soigné jour et nuit après son évasion du fort. Mes sentiments à son égard n'avaient pas changé, cependant tout entre nous était différent, du fait de sa persuasion et de sa lucidité. Je ne m'étais pas rendu compte tout de suite de la force de mon attachement pour elle. J'avais cru pouvoir me servir de sa passion pour parvenir à la réalisation de mes plans d'évasion. Mais avec un regard plus pénétrant que le mien, elle avait lu en moi et discerné l'amour quand je m'illusionnais à croire qu'il m'était possible de l'ignorer. Il est vrai que les projets d'établissement que ses parents et elle-même avaient formés pour nous au Kamtchatka étaient si contraires à mon désir de liberté qu'ils avaient fait écran au sentiment que je pouvais éprouver pour elle.

Les événements tragiques que nous venions de vivre avaient tout changé. La manière dont elle avait accepté la mort du gouverneur, la destruction du cadre stable de sa vie et l'inconnu d'une nouvelle existence d'errance et de danger me la rendait admirable. Il serait faux de dire que je tombai amoureux d'elle car au fond je l'étais déjà depuis longtemps. Simplement, je ne mis plus d'obstacles à cet amour. Il m'emplit tout entier et, pendant que j'étais convalescent, il me procurait, du seul fait qu'elle était près de moi, une volupté que je n'avais encore jamais connue.

Aphanasie s'était enfuie du fort en habit d'homme. Quand elle embarqua sur le *Saints-Pierre-et-Paul*, elle décida de rester dans ce costume. Elle m'expliqua pourquoi il lui plaisait. Les femmes du bord se dédiaient à des tâches domestiques. Elles ne prenaient aucune part aux délibérations dans lesquelles étaient arrêtées les grandes décisions. Par sa tenue, Aphanasie montrait qu'elle ne voulait à aucun prix accepter cette condition. Elle avait été active dans la conspiration ; elle entendait l'être toujours pendant le voyage. Elle me dit aussi que si c'était nécessaire, elle se battrait et elle me demanda de lui donner des leçons pour manier les armes.

Il faut reconnaître d'ailleurs que ces vêtements de garçon lui allaient très bien. Ils lui donnaient une aisance, un naturel, une grâce qui ne faisait qu'accroître le désir que je ressentais pour elle. Quand elle passait la journée à courir sur les ponts ou à grimper dans les vergues, c'étaient de bien troublantes délices pour moi d'ôter le soir ses habits de matelot pour rejoindre la plus gracieuse et la plus passionnée des femmes.

Sitôt le bateau lancé dans l'inconnu de la haute mer, le petit monde qui était assemblé à son bord et que le *Te Deum* avait un instant soudé se mit à révéler ses faiblesses et ses forces, ses divisions et ses menaces. Les rôles se précisèrent. Celui d'Aphanasie ne souffrit aucune contestation : elle était, pour moitié avec moi, le chef de cette expédition. Et, à cet égard, sans avoir eu à recevoir les onctions d'un mariage, nous étions déjà unis pour le meilleur et pour le pire.

Après la mort du gouverneur, il avait fallu du temps pour préparer le bateau. Nous avions chargé à bord quantité de vivres, de bois, d'eau et transféré les archives complètes que nous avions découvertes dans le fort. Pendant que s'accomplissaient ces préparatifs, nous nous étions gardés d'une contre-offensive des cosaques en prenant des otages parmi les officiers.

Au moment de partir, il avait fallu les relâcher et rien n'empêchait plus désormais les forces du gouvernement d'armer des bateaux pour se lancer à notre poursuite.

Tandis que nous avancions dans le brouillard avec des voiles réduites et en sondant sans cesse, notre crainte était de nous échouer et de nous retrouver pris au piège. Nous apercevions le halo du soleil à travers le plafond de brume mais il ne nous réchauffait pas. Les bruits assourdis, la vue bouchée, les vapeurs glacées qui rampaient sur la mer couleur de plomb saisirent tous les passagers d'une angoisse soudaine. Je l'éprouvais aussi, tout en essayant de ne pas la laisser paraître.

Nous rencontrâmes des îles qui s'annonçaient par les fonds de sable épais et de coquillages roses que remontait la sonde. Elles étaient trop proches et trop petites pour que nous nous y arrêtions. Finalement, sans voir surgir de navire hostile comme nous l'avions redouté, nous arrivâmes à l'île Béring. C'est là que trente ans plus tôt était mort le capitaine Bering qui a exploré ces parages jusqu'en Amérique, au service de la couronne de Russie.

L'île nous parut inhabitée mais une reconnaissance plus méthodique nous découvrit une présence humaine. Bientôt nous apparut qu'elle était le lieu de résidence et de commandement d'un personnage fabuleux nommé Okhotyne. Cet homme pratiquait la piraterie dans la zone et la crainte qu'il suscitait jointe au mystère de ses origines était le sujet de maints récits que j'avais entendus au Kamtchatka.

Quand il apprit notre arrivée, Okhotyne chercha à me rencontrer. Nous prîmes des précautions pour ne pas tomber dans un piège mais en définitive l'entrevue eut lieu sans incident. Je nouai même avec cet homme des liens personnels de sympathie et il donna la preuve par la suite qu'ils étaient réciproques. Quand il vit Aphanasie vêtue en garçon, il crut d'abord que je partageais les mêmes goûts que lui avant de se rendre compte de son erreur et d'en rire. Son histoire était singulière et non sans rapport avec la mienne puisqu'il était gentilhomme saxon, prisonnier de guerre des Russes et déporté comme moi en Sibérie. Engagé sur un bateau en mer d'Okhotsk, volontaire pour la chasse au castor, il s'était rendu maître du bâtiment. Depuis lors, il avait rassemblé autour de lui plusieurs centaines d'hommes en rupture de ban et il écumait les côtes de la région. Son établissement était fortifié et confortable. Il régnait sur un petit empire d'îles et de bras de mer avec le projet de s'emparer un jour du Kamtchatka. Il me proposa de joindre nos forces aux siennes à cette fin.

Cette rencontre et cette proposition firent beaucoup pour conforter ma résolution de ne pas m'attarder dans ces parages. La vie d'Okhotyne était libre, certes. Mais cette liberté était bornée à ces parages désolés, à ces îles désertes. Il régnait, mais sur des hommes dont aucun ne lui pouvait offrir de conversation. Les rares parmi eux qui montraient le vernis d'une culture lui faisaient mesurer combien il était privé de tout art et de toute beauté. En un mot, Okhotyne était ce que je ne voulais pas devenir. Et Aphanasie partageait totalement ces vues.

Bachelet avait bien raison de recommander au philosophe l'usage du monde. Jamais je n'aurais pu soupçonner que la liberté eût tant de visages, dont celui que je découvrais avec Okhotyne et qui ressemblait si fort à la captivité.

Je déclinai son offre et lui expliquai que ses projets ne pourraient trouver un début de réalisation que s'il s'appuyait sur une puissance étrangère capable de le soutenir face aux Russes. Je promis de l'aider à nouer une telle alliance dès que j'aurais rejoint l'Europe. En attendant, il nous fallait poursuivre notre route. Je persuadai mes compagnons que nous devions repartir au plus vite. Ils acceptèrent cette décision mais exigèrent de débattre pour déterminer la direction que nous prendrions.

Ma proposition était de mettre cap au sud et de rallier la Chine. De là, les grandes routes maritimes nous seraient ouvertes et nous mèneraient où nous voulions dans le monde entier. La force de ce plan était grande et plusieurs parmi les exilés s'y rallièrent volontiers. Cependant sa faiblesse était double : d'abord, aucun navigateur parti du Kamtchatka n'avait jamais effectué un tel périple. J'avais dressé la liste des explorations maritimes de la région quand feu le gouverneur m'avait chargé d'établir des cartes dans ces parages.

Surtout, mon projet n'avait de sens que pour ceux d'entre nous qui avaient envie de découvrir le monde. Or il apparut très vite que la majorité avait de tout autres aspirations. Les Kamtchadales voulaient rester dans leur région. Les chasseurs ne voyaient pas la vie autrement qu'aux trousses des martres et des zibelines. Enfin, nombre de Russes auraient subi comme un autre exil de quitter les domaines du tsar. S'ils avaient souhaité sortir du Kamtchatka, c'était dans l'espoir de reprendre pied sur le continent et non de se trouver plongés dans l'inconnu. Pour toutes ces raisons et contre ma volonté, nous partîmes vers le nord.

II

Notre expédition vers les latitudes septentrionales tourna vite au cauchemar. Malgré la saison, l'air devint de plus en plus froid et les nuits sans nuages, criblées d'étoiles, étaient glaciales.

Aphanasie, trop légèrement vêtue, tomba malade. Je l'enfermai dans ma cajoute et la laissai enfouie sous plusieurs couches de fourrures.

La glace était partout. Elle apparut d'abord à la surface de la mer, accrochée aux morceaux de bois flottants. Bientôt, elle forma de véritables masses qui nous barraient la route. Je dus faire parfois tirer au canon pour dégager un passage. La glace serrait les flancs du navire et les heurtait avec des bruits violents. Une voie d'eau se créa, contraignant à faire tourner les pompes jour et nuit.

À bord aussi, les cordages gelaient. Le gouvernail se bloqua dangereusement et il fallut briser les glaçons à coups de marteau pour le libérer. Je dus faire entretenir des feux au pied des mâts pour éviter que les voiles ne fussent raidies par la glace.

Même les indigènes et les chasseurs, pourtant habitués au froid, semblaient gagnés par une douloureuse hébétude. C'est qu'ils n'avaient plus la ressource de la marche pour se réchauffer. Ils restaient assis dans les entreponts, le visage défiguré par leurs sécrétions gelées, les mains glissées sous les aisselles. Le jour, à cette époque de l'année, ne laissait jamais place à la nuit. Une épuisante clarté nous empêchait de trouver le sommeil.

Quand nous atteignîmes le 60ᵉ parallèle nord, la mer était couverte de glaçons. Une légende voulait qu'existât un passage maritime septentrional vers l'Atlantique. C'était un des arguments qu'avait fait valoir l'équipage pour m'imposer cette route. D'autres, notamment un Anglais nommé James Cook qui explora ces parages peu après, se lancèrent à la recherche d'un hypothétique passage. Dans ces eaux qui à l'approche du solstice de juin restaient quasiment couvertes par les glaces, j'acquis la conviction qu'un tel passage ne pouvait exister.

Cette navigation était du temps perdu. Il était évident qu'il nous faudrait rebrousser chemin. Tant que nous y étions, je tâchai de rendre ce séjour utile en consignant nombre d'informations sur ces côtes que peu de navigateurs avaient encore approchées. Enfin, un jour, en délégation, les passagers vinrent me demander solennellement de changer de cap.

Je le leur accordai volontiers, sans laisser paraître ma satisfaction. Au contraire, je saisis l'occasion pour exiger d'eux à l'avenir une complète obéissance. Il nous restait bien des obstacles à franchir et je savais qu'une autorité absolue serait nécessaire mais peut-être pas suffisante. Si les habiletés de Bachelet m'avaient été un exemple utile au Kamtchatka, nous étions rendus sur ce navire à un combat plus direct, presque un corps-à-corps avec les hommes entassés jusqu'à ma porte. Les leçons de mon père, une fois encore, ne seraient pas superflues.

Nous mîmes aussitôt la barre à l'est. Sur les cartes dont je disposais, je savais que nous allions traverser l'étendue de mer qui sépare la Russie de l'Amérique. Une fois touchées les côtes de ce continent, je fis redescendre le bateau vers le sud jusqu'à buter sur l'Alaska. Sur ce trajet, la glace disparut petit à petit mais nous rencontrâmes de violents orages qui menacèrent de nous jeter à la côte. Nous mouillâmes dans la baie de l'île d'Unimak. Les hommes que j'envoyai à terre découvrirent que cette île était encore un des domaines d'Okhotyne. Un vieux taïone, c'est-à-dire un chef kamtchadale, nous reçut, entouré de ses fils. Il était fort savant sur l'Europe, la Russie et quantité de sujets. Il finit par me dire qu'il ne craignait plus les cosaques car sa fille en avait épousé un, qui le protégeait. Un peu plus tard, je tombai sur deux Russes qui déclarèrent faire partie de la troupe d'Okhotyne. Je compris que c'était l'un d'eux que la fille du chef avait épousé. Okhotyne m'avait parlé des mariages que ses hommes avaient contractés dans les îles qu'il contrôlait et qui lui servaient à s'assurer les faveurs des populations locales. Grâce à la lettre que le pirate m'avait confiée, ils nous apportèrent l'assistance désirée. Il fallut reconstituer les réserves d'eau et nous en profitâmes pour embarquer des barriques de poissons séchés et de gibier salé. Ayant trouvé un endroit favorable pour faire donner de la bande au navire, le pilote le visita et entreprit avec les charpentiers de colmater la voie d'eau qu'un glaçon avait causée.

Surtout, nous pûmes constater à quel point ces îles étaient riches en fourrures. Les animaux qu'une chasse trop intensive en Sibérie et au Kamtchatka avait raréfiés pullulaient sur ces terres désertes. En nous promenant un peu à l'écart des habitations, nous rencontrions toutes sortes de bêtes au pelage soyeux qui ne semblaient même pas effarouchées par notre présence. Aphanasie aimait entre toutes la zibeline blanche. Elle était parvenue à en apprivoiser une et elle la caressait des journées durant. Je ne me lassais pas de regarder ses longs doigts fins fourrager l'épaisse fourrure blonde. La zibeline est un petit animal qui semble fragile et qui pourtant survit à des climats extrêmes. Sa toison d'une douceur et d'une pureté incomparables la protège de tout. Hélas, c'est précisément à cause d'elle que les humains la chassent et la déciment. Aphanasie s'en désolait quand elle voyait les énormes quantités de peaux qui étaient apportées dans le village par les chasseurs.

Les hommes d'Okhotyne nous firent présent d'un important lot de fourrures et nous leur en achetâmes d'autres. Plusieurs Kamtchadales que nous avions embarqués dans notre fuite demandèrent à rester sur place. Jamais ils n'avaient imaginé découvrir de telles richesses à profusion.

Malheureusement, il existait dans ces îles une coutume qui devait se révéler lourde de fâcheuses conséquences. L'usage voulait en effet que les indigènes offrissent des femmes aux visiteurs qu'ils voulaient honorer. Aussi eus-je vite à déplorer la plus complète débauche au sein de l'équipage. Et lorsque je fis battre le rappel pour rembarquer, je notai que les hommes semblaient pleins de rancune à mon égard.

Nous reprîmes la mer. Dès le lendemain, des membres de l'équipage qui m'étaient fidèles et que j'avais délégués à la surveillance des autres m'informèrent que plusieurs femmes indigènes avaient été embarquées secrètement. Je les fis chercher dans les soutes. Les pauvres étaient au nombre de vingt et une. Fort opportunément, nous voguions le long d'un chapelet d'îles. Je fis mouiller le bateau en vue de la première. Les filles furent conduites à terre en deux voyages de la chaloupe.

Leurs bons amis avaient tenté de s'interposer pour empêcher ce débarquement. Je les fis mettre en joue par mes fidèles. Ils nous jetèrent des regards de haine et murmurèrent des malédictions que je fis mine de ne pas entendre.

Ce ressentiment ne demandait qu'à éclater. Il croissait à mesure que nous gagnions des latitudes plus clémentes. Le danger semblait s'éloigner, l'oisiveté de la traversée encourageait les conversations amères et donnait tous les courages à ceux qui, dans les vraies épreuves, en avaient si évidemment manqué.

Aphanasie s'était rétablie. Nous parvenions à voler, dans l'obscurité des nuits, des moments de calme et de tendresse. Mais nous ne pouvions espérer jouir d'une intimité à la mesure de nos désirs. À peine né, notre amour avait été contrarié. Par ma blessure d'abord, puis par ce nouvel enfermement dans les entrailles grinçantes d'un bâtiment où, à travers les jours qui perçaient les cloisons, on pouvait tout entendre et tout voir. De surcroît, mon rôle de capitaine m'imposait une vigilance permanente. Et je devais affecter une dureté qu'il m'était impossible d'oublier tout à fait, même quand j'étais étendu au côté d'Aphanasie.

J'eus d'ailleurs bientôt l'occasion de vérifier combien cette vigilance était nécessaire. Nous avions quitté depuis quelques jours la grande terre d'Alaska quand éclata un incident qui aurait pu entraîner notre perte.

Aphanasie m'avait mis en garde les jours précédents à propos du même Stepanov. Lorsqu'il avait découvert qu'elle était à bord et que j'avais obtenu son amour, le pauvre fou s'était de nouveau enflammé. Il avait tenté de me diffamer auprès d'Aphanasie qu'il avait arrêtée un soir quand elle traversait le pont. Il l'avait obligée à entendre ses calomnies. Selon lui, j'étais marié en Europe, je faisais usage d'elle et l'avais déshonorée mais sans avoir la moindre intention de l'épouser jamais, etc. Elle l'avait contredit et il avait fini par se fâcher contre elle. Il alla jusqu'à lui lancer qu'elle était aussi mauvaise que moi et qu'il n'était pas surpris que nous ayons décidé de former ce couple monstrueux, de toute évidence voué au malheur. Tout cela nous avait fait un peu rire. Mais Aphanasie était convaincue que Stepanov n'en resterait pas là. Elle avait raison.

Nous avions mis le cap au sud-ouest. Selon les cartes très incomplètes que j'avais emportées de Bolcheretsk, il s'agissait pour nous de quitter le parage des îles Aléoutiennes qui prolongent la terre d'Alaska et de rejoindre celles qui s'alignent au sud du Kamtchatka et jusqu'au nord du Japon.

Durant cette longue traversée, nous ne devions compter que sur nos réserves en eau douce et en nourriture. À la dernière escale, nous avions cuit du pain et transformé la farine avariée en biscuits. Nous avions chargé dix-huit barriques d'eau mais je redoutais que la chaleur dans les régions vers lesquelles nous nous dirigions ne rompe leur cerclage et n'en coule plusieurs. Pour éviter toute pénurie, je donnai l'ordre de rationner la boisson et les vivres. Nous n'avions pas navigué deux jours que les passagers s'assemblaient en foule devant moi. Sorti de leurs rangs, Stepanov, au comble de l'excitation, s'avança et m'apostropha.

— Nous avons faim ! brailla-t-il, déclenchant un grondement menaçant derrière lui. Et quand nous avons mangé ces poissons trop salés et ces biscuits qui nous étouffent, nous avons soif.

Je le connaissais bien. D'ordinaire, il pouvait être doux, presque apathique. Mais dès qu'il était emporté par sa folie, dès qu'il sentait autour de lui une foule qui le soutenait, il ne se connaissait plus. Il oubliait sa petite taille et sa constitution fluette, il enflait sous l'effet de la puissance qu'il pensait trouver dans la multitude. Et rien ne pouvait plus l'arrêter.

Dans l'affaire qui nous occupait, il avait déchaîné des forces qu'il était incapable de maîtriser. Loin de s'en inquiéter, il excitait encore les troubles. Ainsi, pendant qu'il m'interpellait, des coups sourds se firent entendre dans les cales : des hommes échauffés par le discours de Stepanov n'avaient pas attendu ma réponse et avaient mis une barrique d'eau en perce. D'autres, plus audacieux encore, avaient découvert les tonneaux d'eau-de-vie et commençaient à s'en enivrer. Stepanov riait au milieu d'eux comme un possédé. Sa folie débordait toute prudence. Je recommandai à ceux qui m'étaient fidèles de laisser la bacchanale se poursuivre. Dès que l'ivresse fut générale, Oleg et ses hommes se saisirent de Stepanov et refermèrent les panneaux du pont. On entendit l'orgie se poursuivre dans les fonds. Je fis ligoter le meneur au pied du mât d'artimon. Il fallut attendre le milieu de la nuit pour que les bruits se calment sous nos pieds. Au petit matin, nous pûmes rouvrir la cale. Les hommes abrutis par la boisson étaient couchés sur le plancher inondé. Hélas, la folie qui les avait saisis n'avait pas épargné les réserves d'eau. Il ne restait que deux barriques intactes. Je fis monter ces misérables sur le pont. L'air frais les éveilla et ils parurent seulement se rendre compte de ce qu'ils avaient fait. Je savais ce que signifiait ce gâchis. On devait en attendre de grandes souffrances et peut-être la mort. Je le leur dis.

En entendant ces paroles, ils regardèrent la mer qui moutonnait autour du bateau sous un vent frais. Aucun oiseau, aucune algue flottante, aucune ombre à l'horizon ne laissait espérer une terre. Ils me crurent quand je leur annonçai qu'il nous faudrait peut-être naviguer des jours, voire des semaines, avant d'en rencontrer une.

Ils se mirent alors à pleurer avec des mimiques d'ivrogne. Puis ils cherchèrent un sacrifice à offrir au ciel pour implorer sa clémence et ils me demandèrent de mettre à mort Stepanov, qui était selon eux la cause de tout.

Je ne pouvais me résoudre à tuer cet homme avec lequel j'avais traversé tant d'épreuves et que je regardais comme la première victime de ses propres faiblesses. Je déclarai en guise de jugement qu'il serait banni de notre société et servirait aux plus basses besognes de la cuisine.

Nous allions payer très cher ces enfantillages ridicules. Pendant plus de deux semaines, nous naviguâmes sur une mer difficile. Les rares fois où nous fûmes en vue d'îles, le vent en tempête nous interdit d'en approcher. Pour autant, il ne pleuvait pas et nous ne pouvions recueillir d'eau du ciel. Nous épuisâmes nos réserves de nourriture et l'eau douce devint si rare que les passagers désespérés buvaient l'eau de mer et tombaient malades.

Les derniers jours, j'ordonnai de bouillir des peaux de castor qui apportèrent leur graisse aux affamés. Puis ce fut le tour des semelles. Pas une ne résista : elles furent jetées dans l'eau bouillante et mangées. Il n'y avait presque aucun espoir qu'une île apparût et nous sauvât. Cependant, un matin, un jeune indigène américain que nous avions embarqué sur une des îles de l'Alaska cria en montrant l'horizon. Nous ne voyions rien. Il fallut naviguer douze heures encore pour apercevoir enfin la terre dont il avait pressenti la présence.

L'île où nous abordâmes était vaste et déserte. Elle nous apporta à profusion de l'eau douce, des fruits sauvages et du gibier. Les hommes et les femmes y reconstituèrent leurs forces. Ils montèrent des tentes en toile de voile et se prélassèrent au doux soleil. Certains, qui étaient partis à la découverte de l'intérieur, rapportèrent des gemmes et certaine roche très pesante, d'un jaune métallique. Ils prirent les premières pour des diamants et la seconde pour de l'or. J'eus beau leur représenter qu'il s'agissait de cristal de roche sans valeur et de pyrites banales, ils ne voulurent rien entendre.

J'ai déjà constaté maintes fois que sur ces bateaux où ils doivent s'en remettre aveuglément à un capitaine, les hommes redeviennent tout à fait des enfants. Avec des airs capricieux et boudeurs, ils vinrent en délégation m'annoncer qu'ils ne repartiraient plus. Je les laissai dire, espérant qu'ils se lasseraient bientôt eux-mêmes de ce séjour.

Au vrai, je n'étais pas mécontent que nous puissions faire relâche quelque temps en ce lieu. Pour des raisons pratiques d'abord : je fis sortir et sécher au soleil toutes les peaux que nous transportions car elles avaient été en partie corrompues par l'eau de mer au cours des tempêtes. Surtout, j'étais préoccupé par l'état d'Aphanasie, que ces épreuves avaient affectée. Déjà, au début de la navigation, le mal de mer et la promiscuité lui avaient ôté l'appétit. La famine qui s'était installée à bord l'avait trouvée très amaigrie et sans résistance. Je partageais tout avec elle, augmentant sa ration de la moitié de la mienne, mais elle était souvent trop faible pour l'absorber. Sur l'île, elle reprit rapidement des couleurs et des forces. Mes compagnons m'avaient aidé à construire pour elle une hutte confortable, en haut d'une colline. Bientôt, nous pûmes nous promener dans l'île et en découvrir les charmes. Elle était pleine de plantes des tropiques, ananas sauvages et bananiers, ses vallons frais recelaient sur leur sol quantité de cinabre et de ces cristaux que nos malheureux passagers prenaient pour du diamant.

Aphanasie, au calme de ce séjour, ne se remettait pas seulement au physique. Elle évacuait au moral toute la douleur et toute l'horreur que les événements lui avaient fait subir. Je m'étonnais de ne pas la voir plus affectée par la mort du gouverneur et craignais qu'à tout moment elle ne m'en accusât. Mais elle me révéla le secret de sa naissance, comme elle l'a fait hier devant vous, et je compris qu'elle n'avait pas perdu un père mais un tyran. Le sort de sa mère, en revanche, la tourmentait beaucoup. La pauvre femme avait choisi de rejoindre la Sibérie en traîneau par le nord du Kamtchatka. Elle avait l'intention de se fixer à Guijiga, où son mari avait servi et où elle comptait encore des amis. Aphanasie s'inquiétait aussi pour son petit frère, qui avait suivi sa mère dans son exil.

Je me rendis compte à quel point elle était seule au monde. Dans la triste condition où nous nous trouvions, je ne pouvais lui consacrer beaucoup de temps ni lui exprimer mon amour autrement qu'en trop rares caresses. Il me pressait d'arriver en Europe et de lui offrir une vie digne. Elle qui était influencée par les descriptions lues dans les romans désirait certainement séjourner dans les cours princières, être une femme élégante et respectée, tenir un salon et s'adonner à cette invention suprême de la civilisation qu'est la conversation. C'est du moins ce que j'imaginais.

Elle m'assurait qu'il n'en était rien, qu'elle était heureuse avec moi, même dans ces épreuves. Je ne le croyais pas. Faute de la comprendre, je remettais à plus tard le temps du bonheur, pensant bien à tort qu'il viendrait par surcroît quand notre condition serait améliorée. Ce recours au futur me faisait négliger le présent. Elle en souffrait et je ne l'entendais pas.

J'écourtai notre séjour, afin de hâter le moment où nous serions enfin délivrés des dangers et de l'inconfort.

Une autre raison me poussait à rembarquer sans trop tarder : l'île où nous nous trouvions nous semblait lointaine parce que nous l'avions abordée au terme d'un long détour par le nord et jusqu'à la côte américaine. En vérité, elle était, en droite ligne, fort proche du Kamtchatka. Si des vaisseaux étaient à nos trousses, ils ne mettraient pas longtemps à nous y rejoindre. J'annonçai donc à mes troupes que nous allions charger le navire en eau et en vivres et monter à bord pour repartir.

Cette fois, ils refusèrent catégoriquement et proférèrent des menaces si je m'opiniâtrais. Ils me firent part de leur ferme décision de s'établir en ce séjour merveilleux et d'y poursuivre la collecte de minéraux qui, certainement, les rendrait riches. J'avais laissé des gens sûrs dans le bateau au mouillage, aussi je crus pouvoir me lancer dans une épreuve de force. Les mutins m'en dissuadèrent en m'apprenant qu'ils s'étaient rendus maîtres secrètement du *Saints-Pierre-et-Paul*.

Stepanov, toujours lui, était le meneur de cette nouvelle rébellion. Je demandai une nuit pour arrêter ma décision. Ils me l'accordèrent.

Le lendemain, je fis aux conjurés le plaisir d'accepter leur proposition de nous établir durablement sur cette île. Toutefois, je leur représentai une difficulté à laquelle ils n'avaient pas encore pensé mais qu'ils admirent rapidement. Je soulignai le fait qu'ils ne disposaient en tout que de huit femmes, si l'on excluait la mienne que je n'avais nulle intention de partager. Passé les premiers temps du séjour tout occupés à l'installation et à la chasse au trésor, ils ne sauraient concevoir un établissement durable sans que des compagnes en nombre suffisant leur permissent d'assouvir leurs besoins de plaisir et de reproduction. En conséquence, j'avançai la proposition suivante : nous rembarquerions jusqu'à atteindre une terre peuplée dans laquelle, de gré ou de force, nous embarquerions des femmes. Ensuite, nous reviendrions nous fixer sur cette terre où j'étais avide, autant qu'eux, de demeurer.

Ils acclamèrent cette proposition. Je les fis courir au bateau débarquer Stepanov avant que ce fou ne fût saisi par l'idée d'y mettre le feu.

Une fois de plus, se voyant en mon pouvoir, il fit assaut de repentance et me demanda de subir une exemplaire punition. Maintenant que je connaissais le personnage, je savais que ses rébellions n'avaient d'autre but que de lui permettre à nouveau d'éprouver, avec mon pardon, la réalité de mon affection. Je le considérais de plus en plus comme un enfant et avais de moins en moins le cœur de le réprimander. Après tout, en le surveillant, nous disposions du meilleur témoin de l'état de nos troupes, puisqu'il n'y avait aucune rébellion à laquelle il ne prît part.

Toutefois, en repartant de l'île heureuse qui nous avait redonné la vie, je ne laissai pas d'être préoccupé. L'équipage avait si bien mordu à l'appât que je lui avais tendu qu'à la prochaine île habitée que nous rencontrerions, il me forcerait à accoster. Ce qu'ils ignoraient mais que les cartes, pour imprécises qu'elles fussent, me disaient sans erreur possible, c'était que la prochaine île serait le Japon.

Or, depuis plus d'un siècle, seuls les Hollandais avaient le droit d'y toucher terre, dans leur comptoir de Nagasaki. Tout autre chrétien qui y débarquait était immédiatement mis à mort.

III

Nous nous approchâmes de l'archipel du Japon avec une grande prudence. S'il n'avait tenu qu'à moi, sachant le sort qui nous attendait, j'aurais agi comme les autres navigateurs et j'aurais passé mon chemin. Hélas, la promesse que j'avais faite à mes passagers ne me donnait pas d'autre choix que d'aborder à ces rivages que les chrétiens savaient mortels. Aucune explication ne parvint à calmer les hommes à bord. Ils scrutaient l'horizon pour y distinguer la première terre venue. Et cela dans un seul but : s'y procurer des femmes et rentrer.

Le premier îlot rencontré était inhabité. Il servait d'abri temporaire pour les pêcheurs japonais. Nous poussâmes plus loin. Je fis mouiller le bateau dans une baie. Une forêt de mâts se balançait autour de nous : des barques de pêche. Personne ne semblait nous prêter attention. Nous étions au mois de juillet. L'air était immobile et brûlant. J'attendais une visite, des sommations, un abordage. Il ne se produisit rien.

La côte plantée de pins maritimes était toute proche. J'envoyai le canot et restai à bord. Il accosta à un endroit que je ne pouvais voir. J'étais fou d'inquiétude pendant son absence. Curieusement, malgré leur désir de capturer des femmes, les hommes d'équipage partageaient mon angoisse. Ce rivage cultivé, ces pêcheurs placides dans leurs barques laquées, ces voiles à lattes si raffinées leur faisaient mesurer toute la folie de leur entreprise. S'ils pouvaient espérer se conduire en chasseurs de femmes avec les tribus primitives, il leur aurait paru déplacé de se livrer à un tel acte dans une contrée aussi civilisée. En un mot, ils avaient peur.

Le canot revint au soir. Son équipage avait reçu le meilleur accueil. Escortés par deux cents cavaliers, nos hommes s'étaient rendus au palais voisin et s'en retournaient avec des vivres. Un pilote japonais les accompagnait ; il fit remorquer notre corvette dans une vaste baie. Le lendemain, nous fûmes invités à rencontrer le grand seigneur de la région, moyennant la détention de deux jeunes otages qui étaient de sa famille.

Ce souverain me reçut au cœur de son palais d'un luxe extrême. Il était assis sur un coussin jaune, attribut du pouvoir dans ces contrées. Je pris place sur un sofa rouge. Le monarque, un petit homme encore jeune, encombré de graisses, avait les pommettes saillantes et un visage carré. Il était vêtu d'une sorte de chasuble en soie bleue serrée à la taille par une ceinture couleur émeraude. Il n'entendait pas le russe.

Nous avions emmené comme interprète un exilé qui avait vécu un long moment à Irkoutsk avec un Japonais égaré par là. Cependant, malgré sa bonne volonté, ce truchement disposait de peu de mots pour se faire comprendre et le souverain fit venir un peintre afin d'illustrer ses propos de dessins plus explicites. Un peu plus tard, un bonze japonais qui avait séjourné à Nagasaki nous rejoignit et traduisit la conversation en un hollandais correct auquel je répondais en allemand. Grâce à ces moyens réunis, nous parvînmes à saisir que ce grand seigneur était roi de sa province, très proche de l'empereur auquel il était apparenté par alliance. L'homme était savant en son pays ou croyait l'être. Pour savoir d'où nous venions, il nous montra une carte fort bien faite de la région. On y voyait la Chine, les Philippines, le pays des Toungouses. Mais l'Europe n'y figurait que très sommairement, comme une sorte de tache blanche aux confins du monde. Cette ignorance lettrée me fit faire en moi-même maintes réflexions : je pensais à Bachelet qui insistait sur la relativité de notre savoir et la nécessité, pour parler du monde, de le connaître. Ce roi si assuré sans doute dans ses jugements ne commettait-il pas les mêmes erreurs que nombre de nos philosophes qui dissertent sur le monde sans avoir vu autre chose que leur voisinage ? La vie m'a chargé d'épreuves mais c'est en même temps un unique privilège que de pouvoir découvrir tant de contrées diverses. Durant notre séjour au

Japon, je notai mille traits particuliers regardant les lois, les croyances et les mœurs.

Le roi fit notre connaissance avec la même curiosité. Il m'enjoignit d'amener à sa cour quatre de nos compagnons pour évaluer différents types physiques de notre race. Il jugea ces quatre hommes si démesurément grands qu'il fit prendre leur portrait par le peintre, ainsi que la mesure de leur taille. Puis il nous invita à séjourner chez lui et nous donna des chambres d'une grande propreté. Rassuré sur ses intentions et voyant qu'il n'avait nulle intention de nous mettre à mort, je lui demandai la faveur de laisser notre équipage visiter le pays par petits groupes. J'espérai que ces mâles affamés seraient assez raisonnables pour ne pas entreprendre dans ce lieu policé une chasse aux femmes qui nous aurait valu les pires châtiments. Ils s'en rendirent compte d'eux-mêmes et se comportèrent avec décence.

J'indiquai aussi au roi que j'avais une compagne et il ordonna de la quérir. Aphanasie parut dans ses habits d'homme et fort gênée. Le souverain exprima sa stupéfaction. Je lui expliquai que nous étions partis en hâte et qu'Aphanasie avait eu ses vêtements déchirés. Il la confia incontinent à ses femmes et elle revint vêtue d'une ravissante robe de soie rouge et d'une ceinture large d'un beau blanc moiré, les pieds tenus dans des sortes de mules à semelles en bois.

À cette vue, je ressentis un trouble extrême

et le soir, couchés sur un tapis de paille, nous découvrîmes en nous une forme nouvelle de désir. Nous n'avions connu jusque-là que des échanges sans confort, clandestins d'abord puis, au cours de notre navigation et de nos escales sauvages, proches de l'accouplement des bêtes, sans artifice ni poésie. En ce Japon mystérieux et redouté, la douceur des soieries, les parfums de fleurs qui s'étaient attachés pendant le bain à nos corps et à nos cheveux, la subtilité des lumières que l'interminable crépuscule d'été laissait filtrer à travers les cloisons de papier, tout concourait à ralentir nos gestes, à faire vibrer nos désirs, à nous livrer, en même temps que nous éprouvions des plaisirs nouveaux, à leur contemplation ravie.

Les journées, dans ce palais, nous semblaient pleines de douceurs. Des repas incroyablement variés dispensaient pour nous des saveurs inouïes. Le roi nous conviait au jardin l'après-midi pour de longs échanges autour de thé et de fruits. Il voulait tout connaître de notre histoire et de nos pays. Il m'interrogea aussi sur ma foi. Retenant les leçons de Bachelet sur la religion naturelle, je me bornai à répondre que nos dieux étaient les mêmes puisqu'ils avaient créé toutes choses, qu'ils nous inclinaient à faire le bien et assureraient à la fin des temps le jugement de nos vies. C'était l'argumentation des jésuites mais, à la différence de ces pères, je ne m'en servais pas pour persuader à ce Japonais que son dieu était le mien et lui faire avouer que sans le savoir il croyait en Jésus-Christ. Au contraire, mon but était de lui montrer que, quelles que fussent les formes de notre dévotion, nous étions à notre insu, nous étrangers, les adorateurs du dieu des Japonais. Il parut s'en satisfaire.

Quand je lui demandai quelle religion pratiquaient les Hollandais afin de comprendre comment cette nation avait pu se soustraire à la condamnation générale qui frappait les chrétiens, il me répondit que leur religion était celle du commerce. « Les marchands, me dit-il, n'ont pas d'autre dieu que l'argent. » Je jugeai cette réponse fort pertinente. J'en profitai aussitôt pour me ranger dans cette catégorie et lui déclarer que mon intention était d'établir avec le Japon une voie de commerce. Il convoqua les grands seigneurs de sa région, qui étaient en somme ses vassaux, pour délibérer ma proposition. À ma grande surprise, ils l'agréèrent. Je déclarai mon intention de revenir dans un délai d'un ou deux ans. J'apporterais un navire chargé des biens qui pourraient leur être agréables aux fins de les échanger avec des soieries et des porcelaines. Ils en acceptèrent l'idée et le roi me remit une lettre patente qui me permettrait de me faire reconnaître à mon retour. La seule condition était que nous nous abstiendrions formellement de tout propos sur la religion et que nous ne tenterions par aucun moyen de proposer à des Japonais de partager notre foi.

Cette cour était de loin le lieu le plus délicieux où il nous ait été donné de vivre depuis notre libération. Cependant, il n'était pas question d'y demeurer. Nous n'étions tolérés que pour une brève période et nos déplacements restaient strictement surveillés.

L'escale japonaise avait eu un effet favorable : le séjour des îles désertes que nous avions abordées parut désormais à tous bien peu désirable car manquant de ces raffinements que seule peut apporter la vie en société. Ce fut donc sans aucune difficulté que mes compagnons acceptèrent de ne point retourner vers les îles fortunées où ils avaient d'abord voulu s'installer et de mettre le cap au sud, vers la Chine.

Le bateau fut chargé par les Japonais de vivres en abondance et de mille présents délicats. Nous fîmes à nos hôtes cadeau de peaux de castor, de zibeline et de martre qu'ils parurent apprécier. Et dans la chaleur du mois d'août, nous eûmes le bonheur de reprendre la mer reposés, nourris et heureux.

*

Le temps était de plus en plus chaud. Sans autre ombre que celle des toiles tendues au pied des mâts, nous étions frappés pendant ces longues journées de mer par un soleil qui ardait du lever au coucher. Aphanasie avait serré ses habits japonais dans une malle et repris ses vêtements d'homme. Si légers qu'ils fussent, ils étaient encore trop chauds et elle passait le plus clair de son temps nue dans la cajoute, à lire ou à rêver, accoudée au rebord des fenêtres ouvertes. Le vent nous portait bien ; la mer, d'un beau turquoise, était étale ou presque. Des cormorans nous suivaient car dans ces parages nous allions d'île en île et la terre n'était jamais loin.

Je me méfiais désormais des escales, ne sachant jamais si mes compagnons voudraient en repartir. Cependant, la découverte du Japon avait produit un effet durable : eux qui se montraient avides naguère de se fixer sur des îles désertes et sauvages avaient soudain senti naître un appétit de civilisation qu'un séjour trop frugal n'aurait pas contenté. Ils rêvaient maintenant de la Chine, des Indes, de l'Europe. Nous fîmes escale sur une île pour renouveler nos réserves d'eau. Le climat y était doux et je fus presque tenté d'y relâcher longtemps, car Aphanasie et moi appréciions beaucoup la paix qui y régnait. Chose inattendue, ce furent mes compagnons, Oleg au premier rang, qui m'exhortèrent à rembarquer sans nous attarder.

Selon mes cartes, nous n'allions pas tarder à rencontrer la grande terre de Formose. Je la croyais peuplée de Chinois et, en tant que telle, hospitalière pour les navigateurs quelle que fût leur origine.

C'est avec confiance que nous mouillâmes sur la première côte aperçue, qui était le rivage oriental de cette île. Nous n'y distinguions pas de cultures mais seulement d'épaisses forêts. J'envoyai un canot à la découverte. Hélas, il tomba dans une cruelle embuscade. Plusieurs de nos camarades, percés de flèches, furent ramenés morts. Enragés par cette attaque, les hommes voulaient exercer leur vengeance sur les assaillants. Ceux que j'avais envoyés au secours du canot se livrèrent à un carnage parmi les indigènes. J'ordonnai une retraite rapide et nous reprîmes la mer. Il était évident que cette partie de l'île n'était habitée que par des tribus hostiles et primitives. En longeant la côte vers le nord, nous pûmes contourner Formose par son cap septentrional. À cet endroit, le rivage se révélait plus accueillant. On y distinguait des champs cultivés, des villages, et la nuit, une multitude de feux indiquait la présence d'une grande quantité d'habitants. Nous nous y arrêtâmes et je déléguai en reconnaissance un fort détachement d'hommes bien armés.

Ces précautions furent inutiles car nous fûmes accueillis dans cette baie par un personnage d'une grande bienveillance qui nous offrit une hospitalité sincère. C'était un Espagnol né aux Philippines. Ce don Hieronimo Pacheco avait pris la fuite après avoir tué sa femme qu'il avait découverte au lit avec un dominicain. Par malheur, il avait occis le moine en même temps. Ainsi au crime passionnel, qui aurait été facilement pardonné, s'ajoutait le meurtre d'un ecclésiastique, qu'il était impossible de voir absous. Arrivé à Formose, l'Espagnol y avait acquis une grande autorité sur les naturels. Son ambition, qu'il nous livra sans vergogne, était de réunir assez d'armes pour chasser les Chinois qui occupaient la partie ouest de l'île et s'en faire déclarer roi. Il nous présenta aux chefs des indigènes qui étaient, dans cette partie centrale de l'île, bien plus civilisés que ceux qui peuplaient le rivage de l'est et qui nous avaient accueillis si cruellement.

Ces insulaires nous déclarèrent qu'ils ne souhaitaient rien tant que le départ des Chinois. Si nous les aidions à les combattre, grâce à notre artillerie et à nos mousquets, ils prenaient l'engagement de nous autoriser à fonder une colonie dans l'île. Cette perspective paraissait séduisante car cette vaste terre était d'une richesse naturelle incomparable. On en tirait toutes sortes de métaux et de bois rares. Les cultures y venaient facilement. L'air y était sain, malgré la chaleur.

Je ne saurais expliquer la folie qui saisit tout notre groupe, au point de nous faire épouser une querelle dont nous n'étions pas partie et de nous faire combattre contre une nation avec laquelle nous n'avions aucun contentieux. Car, de fil en aiguille, les esprits s'échauffant, nous en étions en effet venus à prendre les armes aux côtés d'insulaires inconnus et d'un aventurier espagnol, pour affronter les troupes chinoises nombreuses qui occupaient la moitié d'une île dont nous ne connaissions même pas l'existence quelques jours plus tôt.

L'affaire est trop embrouillée pour que je vous en expose le détail, et d'ailleurs il serait inutile. Disons pour faire bref qu'un autre seigneur indigène soutenu par les Chinois avait cherché querelle à celui sur les terres duquel nous avions débarqué, que l'on nommait le Huapo, et qui était l'ami de don Hieronimo.

La plus élémentaire prudence nous commandait de rester à distance de ces rivalités insulaires. Aphanasie se méfiait de don Hieronimo et le jugeait un homme hâbleur, impulsif et dangereux. Elle m'avait recommandé de ne pas suivre ses intentions belliqueuses. Au stade où nous en étions de nos relations, ces conseils ne pouvaient avoir beaucoup d'effets. Aphanasie était encore trop désireuse de me prouver qu'elle ne serait jamais un obstacle à ma liberté ; elle ne contraria pas trop fermement mes caprices.

Le fait est que, sans bien savoir comment ni pourquoi, nous nous retrouvâmes en guerre. C'était en vérité une guerre étrange et presque comique. Elle mettait aux prises, d'un côté, nos Russes en guenilles accompagnés de Kamtchadales encore vêtus de peaux de gibier sibérien et, de l'autre, des troupes d'indigènes armés de lances et coiffés de chapeaux de paille pointus qui assistaient des cavaliers chinois luisants de sueur sous leur cuirasse matelassée.

Nous étions peu nombreux mais nous disposions de mousquets, de canons et de pierriers dont le simple bruit suffisait à terrifier des ennemis accoutumés à une guerre au sabre et à l'arc. Sur les collines verdoyantes de Formose, dans une chaleur d'étuve, se déroula pendant plusieurs heures un ballet de détachements bariolés qui montraient autant de dignité guerrière à s'avancer en ligne que de bruyante terreur à se débander en grand désordre au premier éclat de notre artillerie. Je dirigeais ces évolutions depuis un mamelon rocheux et je pensais aux guerres miniatures que mon père faisait jouer à ses manants. C'était le même divertissement de grand enfant, joyeux et gratuit, bien éloigné du carnage triste des vraies batailles auxquelles je pris part dans la suite. Tout cela ressemblait plus à une partie de chasse dans laquelle le gibier courant eût été ces paysans pieds nus, droit sortis de leurs rizières et qui ne pouvaient espérer du combat qu'un surcroît de servitude. Au soir, vint l'heure des trophées car la victoire fut complète. Le souverain contre lequel nous combattions fut fait prisonnier, sa ville prise et la province qu'il avait livrée aux Chinois réunie aux terres de notre allié, le Huapo. Don Hieronimo avait gagné à ce combat le titre de général de cavalerie. On pouvait compter sur cet hidalgo pour faire retentir cette gloire dans les siècles.

Inondés de sueur, dans la chaleur moite de cette île verdoyante, nous festoyâmes tard dans la nuit. Nos camarades étaient comblés par le butin qu'ils avaient fait sur l'ennemi. Nos alliés nous gratifièrent de présents somptueux, parmi lesquels un grand nombre de perles de gros calibre. Aurions-nous été battus et s'il avait fallu déplorer dans notre troupe des blessés et des morts, nous nous serions sans doute interrogés sur la nécessité de prendre part à cette guerre.

Mais comme nous en sortions indemnes et victorieux, nous pûmes demeurer dans l'illusion que nous avions eu raison de l'entreprendre.

C'est plus tard, quand le vaisseau chargé de vivres et de mille douceurs dont nous avions fait provision sur l'île reprit la mer, que nous fûmes saisis par l'étrange mélancolie qui suit les grandes ivresses. Ce passage à Formose reste encore aujourd'hui pour moi l'épisode le plus mystérieux et le plus incompréhensible de notre périple.

À tout le moins avions-nous gagné par ces faits d'armes l'engagement du Huapo de nous concéder une colonie. Ainsi, des contrées inhabitées et froides où Okhotyne régnait sur des loups de mer et des ours aux îles fortunées de ces chauds océans, où s'étaient échoués des jésuites portugais ou des jaloux espagnols, nous ne manquions pas d'endroits qui nous offraient l'occasion de revenir un jour fonder des royaumes. C'est pleins de ces précieux renseignements que nous voguions vers les côtes de la Chine, en espérant atteindre au plus vite Macao.

IV

Le ciel était sombre, et sans arrêt, du matin au soir et du soir au matin, il pleuvait. Les orages se bousculaient dans le ciel. Outre que nous devions lutter contre de puissants courants du nord vers le sud, nous risquions à tout moment d'être couchés par des lames. Le mât de misaine se brisa. Ces épreuves nous trouvèrent presque sans force tant les escales précédentes nous avaient intérieurement convaincus que les plus grands périls étaient derrière nous.

La seule idée qui pût encore nous donner du courage et le ressort de nous battre contre les éléments était de savoir que nous étions sur le point d'atteindre la Chine, notre destination. Nul n'avait jamais accompli un tel voyage et, en l'entreprenant, je suis bien convaincu qu'aucun de nous ne croyait sérieusement y parvenir. Pourtant, en ce 15 septembre, le vent mollit, la pluie chaude prit un train régulier et nous approchâmes des premières îles de la côte chinoise. La coque du bateau était entourée de serpents noirs. La sonde indiqua trente brasses de fond et remonta du sable et des coquillages pourris. Des pêcheurs en grand nombre nous entourèrent et vinrent nous vendre des poissons. Ils connaissaient des mots de portugais et, en usant de cette langue, nous parvînmes à trouver parmi eux un pilote pour nous guider jusqu'à Macao.

En continuant notre route, nous eûmes toujours à subir la pluie et un vent fort mais grâce aux indications du pilote, nous ne craignions plus de nous échouer. S'ensuivirent des heures étranges. Au loin, sur bâbord, défilait le relief obscur de la Chine. Nous naviguions aux basses voiles et le gréement consolidé ne menaçait plus de se briser davantage. Toute la compagnie se tenait debout, les femmes dans les hardes délavées qu'elles n'avaient pas quittées depuis la Sibérie ; les hommes torse nu, ruisselants de pluie tiède, le corps hâlé par des journées de soleil et le visage toujours tanné par l'air glacé des confins polaires. Aphanasie et moi, sur la dunette, enlacés et les larmes aux yeux, remerciant la Providence qui nous faisait le cadeau merveilleux d'un destin que nul sur cette terre n'avait jamais partagé.

Même l'homme de quart qui barrait le navire en suivant les indications du pilote gardait les yeux fixés sur ce liseré noir qui se déroulait sans grâce du côté de l'ouest. Pouvoir des noms : à ce rien, à cette ligne tracée entre les eaux du ciel et celles de la mer, le simple mot de « Chine » venait donner sa puissance et sa poésie. C'était le rebord d'immensités de steppes et de montagnes mais surtout le lieu où nous allions retrouver le monde entier. Non plus seulement le monde minéral et liquide dans l'infinité duquel nous avions erré mais le monde des hommes, celui des capitales et des villages, des routes et des ports. Celui où s'écrivent des livres et où se joue de la musique. Celui dont nous avions été bannis mais auquel nous appartenions toujours.

Enfin, le pilote nous fit prendre un cap vers la terre et nous mouillâmes dans la baie de Tamasoa, au fond de laquelle est bâtie la ville de Canton. Une forteresse dominait la côte. Nous la saluâmes de trois coups de canon qu'elle nous rendit. Le pilote se fit débarquer et revint avec le mandarin qui tenait le fort. Il était accompagné d'un interprète qui savait le latin.

À la demande du seigneur chinois, je contai mon histoire. À mesure que je déroulais pour lui la suite si longue de nos épreuves, je me sentais près de pleurer. Mais il me fallut bientôt prendre conscience d'une situation inattendue : notre aventure était pleine de souffrances et de pittoresque pour nous, puisque nous l'avions vécue. Cependant, pour les autres, elle était difficile, voire impossible à croire. Ce mandarin, pourtant aimable et bien disposé, fut le premier auditeur d'une interminable série à opposer à notre récit un front plissé par le doute et des regards soupçonneux. Il finit par hocher la tête. Puis il s'écria que décidément l'arrivée de Hongrois en Chine par les mers froides du septentrion et les côtes de l'Alaska lui semblait l'histoire la plus invraisemblable qu'une vie passée auprès de toutes sortes de marins lui ait donné d'entendre.

D'un coup, je compris que le principal péril dont nous aurions désormais à triompher serait le soupçon, le doute et la calomnie.

Pour l'heure, le scepticisme du Chinois n'eut pas de conséquences. Il lui importait assez peu de savoir qui nous étions réellement, pourvu que nous puissions payer les marchandises qui nous étaient nécessaires et lui vendre ce qui restait de précieux dans notre cargaison. Nous découvrîmes vite qu'en arrivant dans ces parages où la navigation est intense et amène des équipages du monde entier, nous n'aurions plus à affronter les questions de religion ou de nation qui occupaient tant les îles plus au nord où n'aborde personne. En Chine, seule comptait la religion de l'argent, comme l'aurait dit le roi japonais. Nos roubles, changés à leur poids de métal fin, nous faisaient riches en piastres et c'était tout ce qui comptait. Des bateaux s'assemblèrent autour de nous pour proposer toutes sortes de victuailles et d'objets. Sur certaines embarcations, nos compagnons découvrirent même des cabanes où leur étaient offertes moyennant finances quantité de femmes et de filles de tous les âges.

Pour les convaincre de repartir, je leur représentais que Macao, vers laquelle nous allions faire route, était pourvue de ces plaisirs en abondance et des plus raffinés, sans compter les ressources du jeu qui leur permettraient d'accroître encore leur richesse et de se livrer à de plus complètes débauches. Il ne nous fallut que quatre jours pour atteindre Macao. Cependant, au cours de ces journées nous passâmes bien près d'une nouvelle catastrophe et, pour l'évoquer, je me dois de donner quelques nouvelles du sieur Stepanov, toujours lui, que j'avais cru bien à tort gagné par la sagesse.

Stepanov avait été déporté en Sibérie pour avoir trempé dans un complot contre la tsarine. Sa nature profonde était la conspiration. Reste qu'il était d'abord un officier ; quand il se montrait loyal, il faisait preuve de qualités militaires exceptionnelles.

Ce fut le cas à Formose lors de la guerre éclair que nous menâmes contre les Chinois. Je le félicitai chaudement et crus que ce fait d'armes l'avait fait revenir sans arrière-pensées au sein de notre communauté. Hélas, un incident survint peu après et gâcha tout. Stepanov, au moment de rembarquer, déclara qu'il entendait s'établir à Formose. J'étais partagé entre le soulagement de m'en débarrasser et la crainte qu'en restant dans l'île il ne ruinât tout à fait nos chances de revenir y fonder une colonie. Je fis délibérer l'équipage et il fut décidé de le garder à bord. Stepanov fut pris d'un tel accès de rage que je n'eus d'autre solution que de le mettre aux fers. Je le libérai sitôt le navire en mer mais le mal était fait. La folie de la persécution avait de nouveau gagné ce malheureux et il était de nouveau mon ennemi. En temps ordinaire, cette animosité ne me causait pas trop de trouble. Hélas, sitôt à bord et dans la permanente humidité de notre navigation, je tombai malade d'une forte fièvre. Aphanasie me supplia de demeurer couché. Le pilote me recommanda de manger une orange cuite dans son jus avec force sucre et gingembre. Ce remède me sauva mais je sortis de là très affaibli.

Stepanov profita de mon absence pour fomenter une nouvelle révolte. Dès que j'eus repris conscience, je donnai de nouveau l'ordre d'arrêter ce misérable. Cette alerte fut de courte durée et sans préjudice. Reste que nous entrâmes à Macao en abritant de nouveau en notre sein un personnage bien décidé à provoquer ma perte. Si, dans le bateau, il était assez facile de le neutraliser, à Macao je dus le laisser libre. Il disparut dans la ville et je ne sus ce qu'il était devenu qu'au moment d'être de nouveau la victime de ses machinations.

Macao est la ville où toutes les compagnies de commerce des grandes puissances d'Europe ont des succursales. Elles étalent leur luxe et, sous couvert de coopérer entre elles, se livrent à une concurrence féroce pour la conquête de nouvelles sources de profit.

Après m'être présenté au gouverneur, je laissai le vaisseau à sa garde et louai deux maisons pour y loger tous nos camarades. Dans cette ville très chère et faute de moyens propres, je dus imposer à Aphanasie de nous loger sous le même toit que l'équipage. Ainsi, à la promiscuité du vaisseau succéda celle de ces maisons aux couloirs étroits et aux plafonds bas, traversées par le va-et-vient incessant, de jour comme de nuit, de nos marins livrés à la corruption de cette cité infernale.

Le seul confort que je nous autorisai, grâce à la vente de nos dernières peaux, fut de faire confectionner un vêtement complet pour chacun. Aux hommes, je fis tailler un uniforme rouge et blanc, couleurs de la Pologne. Il les rendait présentables, permettait de les reconnaître et de garder un œil sur eux.

Pour les femmes, je fis coudre une tenue simple : une robe ample sur des jupons de batiste et un corsage à lacets, pourvu de manches bouffantes. Par souci d'égalité, je persuadai Aphanasie de se vêtir de même. Elle ne fit aucune objection, n'ayant jamais porté autre chose à Bolcheretsk que des vêtements de jeune fille.

Notre arrivée à Macao n'avait pas manqué de susciter un grand intérêt. Le récit de notre périple fut mis en doute par certains mais les autres préféraient considérer qu'ils ne pouvaient négliger les informations dont nous étions détenteurs.

Le gouverneur de la ville m'avait recommandé à un Français. Cet homme était vivement intéressé par les perspectives de colonies que je lui laissai entrevoir dans les différentes îles où nous avions fait escale. Il me recommanda au directeur de la Compagnie française des Indes orientales qui résidait à Canton. Mais avant même que les Français ne fussent à même de me proposer quoi que ce fût, je reçus des offres alléchantes des Hollandais et des Anglais. Ils souhaitaient tous que je leur remette mes manuscrits, cartes et journaux de bord, et que j'entre à leur service. L'idée de créer des colonies au-delà de la Chine était dans tous les esprits mais personne ne possédait la moindre lumière sur la manière de s'y prendre. Par ailleurs, les fabuleuses richesses que constituaient les animaux à fourrure attisaient les convoitises. Nous détenions un secret qui pouvait receler d'immenses opportunités pour des chasseurs audacieux : nous savions en effet que les territoires contrôlés par les Russes au Kamtchatka étaient désormais pauvres en fourrures, la chasse intensive étant venue à bout des espèces sauvages. C'était dans les îles situées plus à l'est, vers l'Alaska, que se pouvaient découvrir d'incomparables gisements de ces fourrures précieuses. Or ces îles, pour le moment, n'étaient la propriété de personne, si ce n'est d'un aventurier saxon qui y survivait sans grand espoir de jamais réaliser ses rêves. Mes papiers de bord étaient pleins d'observations de ce type. Je possédais aussi de nombreux documents stratégiques russes, dérobés lors de notre fuite. Pour ne pas risquer de me faire ravir ces précieuses archives, je les déposai secrètement à la garde de Mgr Le Bon, un Français qui exerçait les fonctions d'archevêque du diocèse oriental dit « de Mitelopolis ».

Hélas, l'accueil à Macao ne fut pas seulement celui des compagnies et de leurs représentants. Des miasmes couraient dans la ville et la maladie nous attendait. Une fièvre foudroyante vint à bout successivement d'une vingtaine de nos camarades. J'y résistai par miracle. Aphanasie me donna des alarmes mais finit par vaincre le mal.

Cette hécatombe nous décida à hâter notre départ. Je ne me voyais pas rembarquer sur notre vaisseau déjà éprouvé pour accomplir le périple jusqu'en Europe. Le mieux était de nous en remettre à une puissance étrangère et de nous placer sous sa protection.

Ma résolution était prise, en plein accord avec Aphanasie. Nous voulions aller en France. La langue française, que je lui avais enseignée, était devenue notre langue privée, celle qui nous permettait de ne nous faire entendre de personne tandis que nous vivions dans la promiscuité indiscrète de ces mois de mer. Je ne connaissais pas la France et pourtant c'était le pays familier de toute mon enfance, celui de Bachelet et des philosophes. Pour Aphanasie, c'était la terre de Saint-Preux et d'Héloïse. Depuis longtemps, elle associait la beauté aux paysages de ce pays, décrits avant d'être vus. J'opposai donc un refus catégorique aux Anglais comme aux Hollandais et attendis la proposition française. Elle nous parvint bientôt. Deux navires de la Compagnie française des Indes orientales, le *Dauphin* et le *Laverdy*, étaient prêts à embarquer tout mon

monde pour Lorient. J'acceptai avec reconnaissance.

Que la décision fût prise ne me mettait pas
à l'abri des intrigues, bien au contraire. Les
Anglais ne comptaient pas laisser échapper la
chance que je leur offrais d'étendre leurs activités en direction de l'Amérique. Ne parvenant
pas à leurs fins par des moyens loyaux, ils recou-
rurent à la trahison. Et, bien entendu, Stepanov s'offrit à être leur instrument. Moyennant
cinq mille livres sterling, il promit de dérober
mes papiers et de les leur remettre, ainsi que
de convaincre l'équipage de s'engager pour la
compagnie anglaise.

Instruit de ces manœuvres par une indiscrétion, je fis chercher tout le monde de par la ville
et réunis dans la salle basse d'une de nos maisons
une assemblée générale de nos compagnons. Je
leur exposai mes choix et mes craintes de voir
certains d'entre eux prendre un parti contraire
pour des raisons trop évidemment financières.
Stepanov se sentait assez assuré de ses soutiens
pour se lever et me couvrir d'invectives. Parlant
au nom de l'invisible et puissant parti qu'il avait
constitué dans l'assistance, il me fit le reproche
de conserver par-devers moi tous les profits
de notre expédition. Je lui opposai la preuve
écrite de sa corruption, que je m'étais procurée.
S'ensuivirent tumulte et confusion. Stepanov,
à la tête d'une douzaine d'hommes, s'opposa
par la violence à ceux qui lui reprochaient sa
nouvelle trahison. Dans la mêlée, il parvint à

monter à l'étage et pénétra dans ma chambre pour s'emparer de mes papiers par la force. On sait qu'heureusement ils n'y étaient plus. Je fis enfoncer la porte et surpris Stepanov en train de s'attaquer aux ferrures de mon coffre. Armé de pistolets, il fit feu sur moi et par bonheur me manqua. Deux compagnons se saisirent de lui.

L'échauffourée continuait en bas et je redescendis. Ce que je découvris me remplit d'une grande tristesse : Oleg, mon cher ami Wynbladth, qui ne m'avait pas quitté depuis Kazan, qui s'était montré loyal à travers toutes ces épreuves et avait si souvent exposé sa vie pour épargner la mienne, Oleg lui-même s'était rangé cette fois au côté de Stepanov. J'appris plus tard qu'il avait contracté des dettes au jeu et préféré se vendre aux Anglais que m'avouer ses turpitudes. Je le fis mettre aux arrêts en compagnie de Stepanov mais ne me consolai pas de cette trahison.

C'était à mes yeux la preuve que cette cité de lucre pouvait souiller les âmes les plus pures. Il nous fallait la quitter au plus vite. Nous eûmes encore à surmonter quelques ultimes complications avec les autorités chinoises. Je reçus convocation par le vice-roi de la province de me rendre à Canton puis à Pékin. Malgré l'intérêt que j'aurais trouvé à pénétrer dans les profondeurs de la Chine, je décidai de ne pas différer davantage notre retour en Europe et je refusai.

J'appris ensuite que le même seigneur chinois, ayant connaissance de notre évasion de Russie, avait dans l'idée de nous renvoyer dans ce pays, pour gage des bonnes relations de la Chine avec le gouvernement de la tsarine.

Je m'en remis une fois de plus à la protection de M. Le Bon, l'archevêque français. Il nous recommanda d'attendre sur place le passage de vaisseaux de la Compagnie en provenance de Canton et de n'embarquer à leur bord que dans le port de Macao. Pendant ce temps et peut-être pour prix de sa protection, nous eûmes à résister poliment aux assauts de quantité de prêtres, bien décidés à nous faire quitter la foi orthodoxe. Je pris bien soin de leur indiquer que j'étais catholique et me gardai de faire état devant eux du scepticisme que m'avait enseigné Bachelet.

À vrai dire, à travers toutes ces épreuves et en approfondissant les réflexions que la découverte du monde avait fait naître en moi, je penchais pour un déisme anticlérical plus proche de celui de Voltaire que de Hume. J'avais eu maintes occasions de constater à quel point les dogmes et les croyances varient, servis par des prêtres qui, malgré les différences de leurs liturgies, contribuent tous à entraver la liberté des hommes et à faire naître entre eux des haines inutiles.

Pas plus que Bachelet, je ne croyais en une Providence divine à laquelle nous aurions dû sacrifier notre raison et notre volonté. Cependant, en suivant pendant tant de nuits les étoiles aveuglantes dans le ciel noir, il me semblait qu'était tracé pour nous quelque part un destin singulier. Quoi que nous fassions, nous étions condamnés à le rejoindre et à le subir. Le mien était inouï et, certains soirs, j'en avais les larmes aux yeux.

Tel fut le cas en cette première nuit de janvier quand nous quittâmes de conserve le port de Macao sur les puissants vaisseaux français. Rendez-vous compte, monsieur Franklin, deux ans plus tôt, j'étais captif en Sibérie et nous grelottions dans la neige. Tandis qu'à l'instant présent, serrant Aphanasie contre moi, délivré des responsabilités du chef, libéré de toute servitude, je frissonnais délicieusement dans le vent tiède. Toutes les voiles étaient dehors et la pointe du beaupré dirigée vers l'équateur. Nous n'avions plus d'autre espoir que le bonheur.

*

Les récits d'Auguste enflammaient moins Benjamin Franklin, même s'ils l'intéressaient tout autant. La voix égale du conteur, son souci d'objectivité et sa prudence sur les sujets ayant trait aux sentiments rendaient ses propos plus froids. Franklin les écoutait sans rien en perdre mais en gardant son calme.

Quand le médecin passa, en fin d'après-midi, il trouva le vieillard serein et en fut rasséréné.

La description esquissée par Auguste des rivalités européennes à l'ouest de l'Amérique, sur ces îles à fourrures et le long des côtes de l'Alaska qui étaient peuplées de Russes, plongea le vieux philosophe dans de ténébreuses réflexions. Il avait vu en Angleterre combien cette nation, depuis sa victoire sur la France, comptait régner sans exclusive sur l'Amérique. Et il savait que les Anglais ne s'étaient pas résolus à l'Indépendance américaine. Aussi mesurait-il l'intérêt pour eux de s'établir sur la rive orientale du continent, après avoir été chassés par les insurgents de sa rive occidentale.

— Je comprends mieux pourquoi ils ont envoyé Cook dans ces parages... Pensez-vous qu'il avait connaissance de votre voyage et de vos observations ?

— Au moment de quitter Macao, répondit Auguste, j'ai dû fixer le sort de ceux des nôtres qui avaient accepté de se vendre à l'Angleterre. Oleg Wynbladth a fait amende honorable et je lui ai pardonné, même si nos relations devaient en pâtir à jamais. Mais Stepanov n'était pas récupérable. Je l'ai fait libérer et pour lui témoigner mon affection jusqu'au bout, espérant bien à tort qu'il en serait reconnaissant, je lui ai même fait don de quatre mille piastres. Il est parti pour Batavia puis s'est mis au service de l'Angleterre. Je suis presque sûr qu'il a livré aux Anglais tout ce qu'il savait. Il était loin de détenir tous nos secrets mais il a dû leur être néanmoins d'une grande utilité.

Franklin bâillait et montrait des signes de fatigue que la tombée du soir expliquait assez. Auguste se leva pour se retirer.

— Demain, dit-il, c'est Aphanasie qui vous contera notre arrivée en France.

Elle s'était mise debout aussi et il la tenait par la main. Cependant, en prononçant ces mots, il se troubla. Franklin comprit qu'Auguste redoutait cette partie du récit et il ne fut que plus impatient de l'entendre. Il évita de trop regarder Aphanasie afin de ne pas s'échauffer. Il tenait à être alerte et bien éveillé le lendemain matin, quand elle reprendrait la parole.

APHANASIE

I

Auguste vous a raconté notre périple et je ne veux pas y revenir.

Permettez-moi toutefois de vous dire, et je suppose que vous l'avez pressenti, que j'ai vécu ces aventures d'une manière bien différente.

Imaginez-vous ce que peut représenter, pour une jeune fille de dix-sept ans, ces douze mois de voyage. Que dis-je, voyage ? De fuite, de peur, de froid extrême et de chaleurs étouffantes, de promiscuité, de faim, de maladie.

Soyons clairs : tout le monde a souffert. Il y avait parmi nous des personnes plus éprouvées que moi : des hommes âgés, des blessés, une femme enceinte qui a d'ailleurs accouché peu avant notre arrivée à Formose. On voit bien qu'Auguste est un homme : il n'a pas fait mention de cet épisode. Je ne saurais vous dire à quel point pourtant il m'a marquée. J'ai tenu la main de cette pauvre femme jusqu'à la délivrance. À la nausée que lui provoquait la grossesse s'ajoutait l'inconfort du bateau qui la rendait doublement malade. Croyez-moi, pour une enfant protégée qui n'avait rien vu de la vie, ce furent des jours d'une rare intensité.

J'étais libre d'aller et venir sur le bateau dans mes habits de mousse ; ils faisaient de moi une créature transparente, ni homme ni femme et cependant respectée car on savait que je partageais la vie du chef des insurgés. De jour comme de nuit, je me glissais partout silencieusement. On me laissait tout observer et tout entendre, sauf ce qui pouvait compromettre un complot quand il s'en ourdissait un. Ainsi j'ai vu des hommes se voler, se battre, faire l'amour, mourir. Je me nourrissais de ces scènes, consciente que la vie me faisait le redoutable cadeau de m'initier à ses secrets alors que certains passent toute leur existence sans même les soupçonner.

Auguste aussi observait. Chaque jour, il écrivait sur de grandes feuilles. À chacune de nos étapes, il notait le nom des plantes, des animaux, des arbres. Il faisait des dessins des côtes et recueillait des renseignements sur les mœurs des peuples que nous rencontrions. J'avais le plus grand respect pour ces travaux. Ils avaient pour moi le parfum particulier de la science. Chaque fois que nous avions reçu chez nous au Kamtchatka des savants, j'avais remarqué chez eux la même capacité à regarder, à entendre, à interroger. Auguste m'avait beaucoup parlé de son maître français de qui il tenait cet usage passionné des sens. Cependant j'étais étonnée de voir ce que ces dispositions produisaient en lui et en moi. Il montrait dans ces exercices un froid détachement et donnait l'impression de ne s'intéresser qu'aux choses de la nature. Les hommes n'étaient pas l'objet de son observation, sauf les primitifs qu'il considérait en somme comme des bêtes. Moi, au contraire, je laissais paraître assez peu d'intérêt pour les phénomènes naturels. Je m'en faisais d'ailleurs le reproche. En revanche, j'avais une curiosité insatiable pour l'abîme de l'esprit humain. Je restais de longues heures, assise au pied d'un mât ou dans un coin de l'entrepont, à entendre les confessions oisives de nos compagnons de voyage. Et, de cela aussi, je me faisais le reproche.

À vrai dire, j'avais tous les travers et tous les bonheurs d'une femme amoureuse et même d'une très jeune fille. Par un effet naturel de cet amour, j'étais portée à admirer tout ce que faisait Auguste et à me reprocher de ne pas suivre en tout son exemple. Il me semblait qu'il avait raison de séparer le monde en deux, de consacrer aux phénomènes naturels la paisible et sûre méthode de la science, et de réserver aux hommes la rudesse militaire qu'il m'avait dit avoir héritée de son père.

J'admirais en lui son sens de la décision, son autorité, sa capacité à imposer ses vues qui étaient en général les plus clairvoyantes. Il savait punir sans trembler mais également se montrer juste et clément. Son courage n'était plus à prouver. Sur cet esquif perdu dans l'infini de l'océan, chacun encourait les mêmes périls mais sans doute y avait-il plus de grandeur à se charger comme lui de toutes les responsabilités. Je lui donnais toujours raison, même quand la connaissance que j'avais acquise de l'équipage me permettait de comprendre le point de vue de ceux qui, parfois, s'affrontaient à lui. J'entrepris discrètement de calmer ce pauvre Stepanov qui se dressait à chaque instant contre l'autorité d'Auguste. J'avais bien noté que ses rébellions étaient reliées, quoique de fort loin quelquefois, au sentiment qu'il avait toujours pour moi. Sa première mutinerie à bord avait par exemple eu lieu quand il s'était avisé que j'avais embarqué et que je partageais la cajoute d'Auguste. Stepanov éconduit était consumé au fond par le même amour que moi, si ce n'est que le sien n'était pas heureux tandis que le mien pouvait profiter tout à loisir de la présence désirée. Je le pris en pitié d'abord, puis en amitié. Auguste, quand il s'en avisa, m'en fit grief et me demanda de ne plus avoir d'entretien en particulier avec ce traître. J'y consentis, même si je me doutais que cette absence cruelle allait être à l'origine de nouvelles conjurations.

Ainsi passa cette année dont je garde un souvenir merveilleux.

C'est seulement plus tard, à partir de notre arrivée à Macao et pendant toute la traversée vers la France, que s'installa en moi un malaise, et des désirs contraires. À Macao, auprès des autorités portugaises et avec les Français qui nous prêtèrent assistance, je découvris la nullité de ma position. Qui étais-je pour eux ? Auguste ne me l'expliqua jamais.

Au début, je ne l'accompagnais pas dans ses sorties. Mon travestissement ne surprenait plus personne quand nous étions à bord mais, dans une grande ville, il rendait mes déplacements impossibles. Auguste vous l'a dit, il avait fait coudre par un tailleur des uniformes pour les hommes et une robe pour chaque femme. Par souci d'égalité, il avait décidé que je serais habillée comme les autres. Cette volonté pouvait se concevoir dans le climat tendu du moment, où beaucoup le soupçonnaient, sans fondement, de s'être enrichi à leurs dépens au cours de ce voyage. Pourtant, il est difficile de dire à quel point ce détail m'offensa. Je ne saurais expliquer exactement pourquoi. Il s'y mêlait plusieurs causes. J'étais vexée qu'il eût pris sans me consulter une décision qui me concernait si intimement. À cela s'ajoutait sans doute le déplaisir de ne pas être distinguée des autres femmes. Surtout, lui qui ne cessait de m'entretenir des fastes de la France et de l'intention qu'il avait de m'y arranger une vie digne de moi, ne me donnait pas la moindre possibilité de prétendre à une expérience mondaine dans cette ville qui, quoique toujours orientale, était déjà européenne.

Il finit par remarquer mon déplaisir et m'interrogea. Je lui exposai cette dernière raison. Il redoubla de tendresse et se montra confus. Il m'expliqua de façon convaincante que nous ne pouvions espérer être reçus dans de grandes maisons pour le moment car nous étions encore des fugitifs sans fortune ni statut. Il prétendait qu'en France nous nous marierions et que la négociation de nos secrets nous procurerait une aisance qui nous permettrait de prendre place dans la meilleure société. Je me calmai et l'incident n'eut pas de suite apparente. Si ce n'est que pendant les cinq mois de ce voyage, dans l'oisiveté de ce grand vaisseau confortable, j'eus l'occasion de tourner et retourner ces réponses dans ma tête et d'analyser le trouble qui me gagnait.

Pour résumer, j'avais le sentiment d'un malentendu. C'était Auguste, maintenant, qui parlait de mariage. En le suivant, il paraissait clair que j'avais brisé le destin que mes parents avaient dessiné pour moi et qui portait ce nom. J'avais décidé de suivre Auguste parce que je voulais vivre avec lui sous le signe de la liberté. Dans l'aveuglement de l'amour et l'inconfort du voyage sur le *Saints-Pierre-et-Paul*, je n'avais pas perçu le décalage. Mais à bord du bateau français, une fois Auguste déchargé de tout commandement, aucun péril ne nous menaçant, tout m'apparut autrement. Il ne m'avait pas emmenée avec lui pour faire de moi le compagnon de ses aventures. Il entendait me protéger et, ce faisant, me réduire au rôle passif d'une épouse aimante et soumise. Aimante, je l'étais, et oserai-je vous avouer que je le suis toujours ? Mais soumise, il n'en était pas question.

Rien ne servait d'en parler de manière abstraite. Et, de toute façon, il y a quelque contradiction à solliciter la liberté. Dès notre arrivée en France, il me faudrait tout simplement la prendre.

*

Après six mois d'une navigation mélancolique et douce, notre bateau fut en vue des côtes de France. Nous mouillâmes sous l'île de Groix et l'on nous conduisit à Port-Louis pour y débarquer.

Le retour à la terre ferme me provoqua des nausées et une langueur inattendue. On était en plein mois de juillet. Le soleil donnait des tons somptueux au rivage. Les landes éclataient de verdure et, sous un ciel embrasé de bleu, les maisons de granit au toit d'ardoises, ornées d'hortensias roses et de tamaris, étaient délicieusement accueillantes. Auguste avait les yeux embués par des larmes de joie. J'aurais voulu participer à son allégresse mais une sombre humeur peignait tout pour moi aux couleurs de l'hiver sibérien. Je frissonnais malgré la chaleur de l'air et le doux soleil. Toute la tension du voyage remontait à l'instant où elle aurait dû disparaître à jamais. J'étais très amaigrie et faible à cause du peu d'appétit que j'avais montré pendant la traversée et bien que le capitaine du *Dauphin* nous eût constamment traités dans son carré privé. Je me sentais seule. Nous nous installâmes pour quelques jours dans des appartements mis à disposition par le lieutenant du roi à Port-Louis. Fort heureusement, il avait obtenu assez de logements pour que nous ne fussions pas obligés une fois de plus de cohabiter avec la troupe. Auguste prenait grand soin de me procurer tout ce dont je pouvais avoir besoin. Il avait recruté une femme de chambre bretonne pour m'assister. Il se tenait auprès de moi le soir, la croisée grande ouverte sur un mail planté de tilleuls. Il m'embrassait, me prenait la main, se désolait de me voir manquer d'allant. Sans doute mettait-il ces incommodités sur le compte de certaines dispositions féminines qu'il ignorait. Je le sentais impatient de nous établir quelque part et de m'y offrir une vie d'épouse. En réalité, il n'avait pas compris la profondeur du fossé que j'avais franchi sans espoir de retour en trahissant mon prétendu père et en quittant le fort pour suivre les mutins dans leur fuite. Il continuait d'affecter avec moi des manières protectrices. Quand je posais des questions sur les négociations qui allaient s'ouvrir avec les Français ou sur nos prochaines étapes, il me répondait que je ne devais penser qu'à mon repos. Et en pratique, il conservait ces informations pour lui. Très malheureuse et en grand désarroi, j'étais cependant plus que jamais amoureuse d'Auguste et désespérée de m'en faire comprendre.

Je n'avais personne auprès de qui solliciter conseil et appui. Et pour compliquer encore la situation, nous étions entrés dans un monde entièrement nouveau, cette Europe dont je ne connaissais rien. Je manquais de points de comparaison. Hormis le couple de mes parents, je n'en avais pas connu d'autre. Je devais tout apprendre, à commencer par me vêtir. Si je sentais bien que ma robe de souillon ne pouvait convenir dans les villes où nous allions séjourner, je ne savais pas par quoi la remplacer. À Bolcheretsk j'étais encore vêtue comme une enfant et je n'avais quitté les volants et les rubans que pour la culotte d'un garçon de mer.

Il me fallait d'abord acquérir tout cela avant de pouvoir exposer à Auguste ce que je voulais, et peut-être de le concevoir moi-même.

Notre chemin vers la capitale nous fit séjourner à Rennes. Je restais cachée au fond de la chambre mais j'observais tout. J'aperçus des toilettes de femmes et je fus gagnée par un double sentiment d'admiration et d'épouvante. Leur beauté ne me paraissait pas réelle. En Sibérie, les gouverneurs avaient à cœur d'organiser des fêtes brillantes au cours desquelles leurs épouses rivalisaient d'élégance. Les bougies illuminaient les miroirs et les dorures ; dans cet écrin les robes paraissaient luxueuses. Quelle différence cependant avec cette élégance pure que je découvrais en France ! Elle permettait à une dame sortant en plein jour presque sans apprêt et traversant un trottoir boueux pour monter dans sa voiture de faire éclater une grâce, une séduction, un brio qui ne devaient rien au décor et tout à son art. Et je me désespérais de jamais pouvoir acquérir un tel talent en m'y prenant si tard et sans être guidée par quiconque.

Auguste me rapporta d'une de ses sorties une robe de taffetas beige, un corsage et d'amples jupons, qu'il s'était procurés en ville, probablement une commande refusée qu'un tailleur avait conservée sans trouver pour elle d'autre acquéreur. C'était néanmoins un progrès puisque Auguste avait choisi ce vêtement pour moi seule et je le remerciai de cette attention. Moyennant quelques retouches, la robe était à mes mesures. Je l'enfilai puis m'approchai prudemment du miroir dans ces atours. Quand, enfin, j'osai lever les yeux sur mon reflet, je vis d'abord tout ce qui me manquait pour atteindre une véritable élégance. Ni ma coiffure, ni mon maquillage, ni mes souliers, ni surtout mon attitude n'étaient comparables à ce que j'avais aperçu chez les belles femmes que nous avions croisées.

De surcroît, en regardant cette robe avec sincérité, je me dis que si Auguste m'avait consultée, je n'aurais choisi ni ces couleurs ni cette coupe. Pourtant, elle me fit changer d'humeur. Elle me rendit joyeuse non parce qu'elle m'apportait le bonheur mais parce qu'elle me donnait l'énergie de me mettre en quête de l'acquérir.

Ce vêtement lourd, soyeux et brillant, s'il révélait mes manques et mes défauts, soulignait aussi la grâce de mes formes, la finesse de mes membres. Je fis le compte de ces armes. Avec une allégresse qui enchanta Auguste quoiqu'il ne la comprît pas, j'attendis le moment d'en faire usage.

II

Nous arrivâmes à Paris au cœur du mois d'août. Une chaleur étouffante et sèche régnait sur la ville depuis plusieurs jours. Elle faisait remonter dans les rues des odeurs pestilentielles. Je trouvai la capitale très sale mais sa beauté n'en était que plus remarquable. Ces palais, ces jardins, ces somptueuses façades blanches semblaient autant de champignons poussés sur le fumier des rues.

Je n'avais jamais vu de cité mêlant de façon si harmonieuse la pierre et la boue, la majesté et l'ordure. Comme Auguste l'avait prévu, notre situation changea du tout au tout. Le duc d'Aiguillon, ministre des Affaires étrangères qu'il avait brièvement rencontré lors de notre passage à Compiègne, avait mesuré tout l'intérêt des informations dont il était le détenteur. Il lui avait offert de prendre la tête d'un régiment d'infanterie, manière habile de l'attacher à la France. Cette charge, ajoutée aux fonds que nous avait rapportés la vente de notre cargaison à Macao, nous permit de louer une aile dans une vaste demeure à peine finie de bâtir, sur la colline Sainte-Geneviève, non loin de l'église construite par Soufflot. Nous avions la disposition d'un grand jardin qui venait d'être planté et où les arbres, hélas, ne faisaient pas encore d'ombre.

Nous n'avions pas eu de nouvelles de la France depuis bien longtemps. Elles avaient trait à la guerre funeste que ce pays avait menée pendant sept ans contre l'Angleterre et la Prusse. Nous savions que, selon les clauses du traité imposé par les vainqueurs, la France avait perdu ses colonies américaines.

J'avais entendu Auguste s'en inquiéter. Il craignait que les Français ne trouvent plus d'intérêt aux affaires d'outre-mer, depuis que leur empire leur avait été ravi. Il fallut peu de temps pour se rendre compte que c'était tout le contraire. La mode, plus que jamais, était aux explorations, aux comptoirs, à la création de colonies nouvelles. Nous arrivâmes quand M. de Bougainville, qui était récemment rentré d'une circumnavigation, venait de publier le récit de son tour du monde. Les Parisiens, qui aiment à communier dans des passions éphémères, n'avaient à la bouche que le mot de Taïti et les hommes au café se traitaient mutuellement de Patagons.

Cet engouement servit nos intérêts. Si les renseignements tirés de nos observations devaient rester secrets, notre voyage, lui, fut rapidement connu de tous. Il nous valut quantité d'invitations dans les meilleures maisons. Auguste crut devoir me rassurer sur la question du mariage en me disant que l'esprit en France était très ouvert. Nous pouvions donc être reçus ensemble, et cela sans attendre des cérémonies qu'il me promettait fastueuses. J'en pris note sans faire d'objection.

La réalité devait cependant s'avérer moins souriante. Nos premières sorties eurent lieu à l'invitation de grandes familles. La toute première, je m'en souviens trop bien, nous amena dans l'hôtel du duc de V*, qui exerçait la charge de premier valet de chambre du roi. Sitôt entrée dans le grand vestibule qui ouvrait sur la cour par trois marches, je sus que la soirée serait horrible. Auguste me tenait la main. Un valet nous accompagna jusqu'à une enfilade de salons encore baignés du dernier soleil. Nous devions saluer le gentilhomme et son épouse. Auguste, qui s'était avancé fièrement, se sentit embarrassé au moment de me présenter. Finalement, il se troubla et dit « Mademoiselle de Nilov, mon épouse ».

Cette annonce paradoxale fut accueillie avec indifférence par le duc qui se montra surtout vivement intéressé par ma gorge. En revanche, je compris dans l'instant que cette présentation maladroite m'avait perdue dans l'esprit de sa femme. Elle me jeta, sans cesser de sourire aimablement, un regard glacial. Deux autres invitées non loin d'elle et qui avaient tout entendu se cachèrent derrière leurs éventails et pouffèrent. Elles se passèrent certainement le mot et partout où nous avancions, je voyais les femmes me considérer avec insolence de haut en bas. Mal coiffée, mal chaussée et, somme toute, mal vêtue, je me sentais aussi humiliée que l'aurait été une pauvre femme de pêcheur au Kamtchatka si le gouverneur avait commis l'erreur de l'inviter à un bal officiel.

Auguste donnait l'impression de ne rien remarquer. Il est vrai qu'il brillait, répondait aux mille curiosités des convives. À table, son hôte lui demanda même de prononcer un discours, ce dont il s'acquitta avec talent. Si les femmes de l'assistance ne me comptaient pas leur mépris, elles tournaient vers lui des regards pleins d'appétit.

J'avais toujours trouvé qu'Auguste était beau. Il l'était pour moi dans tous les moments de sa vie, même les plus durs. Je me souvenais de son arrivée, encore marqué par les chaînes qu'il avait portées, il était beau. Je l'avais vu livide et malade, décharné par les privations sur le bateau, il était encore beau. Je l'avais vu blessé et couvert de sang après l'assaut donné au fort de Bolcheretsk, il était toujours beau. Ces femmes couvertes de fard et qu'incommodait le moindre courant d'air auraient-elles su reconnaître sa beauté dans de telles conditions ? Ce soir-là, c'était un autre visage que donnait à voir Auguste : celui d'un homme rasé de frais, vêtu d'un habit de velours rouge, un homme élégant, éloquent, qui mettait dans ses intonations un accent pittoresque qui lui donnait un charme particulier. Et soudain, voyant ces femmes qui le mangeaient des yeux avec une expression si passionnée, si conquise, je me sentis glacée et gagnée par les larmes. Pour ne pas y céder, je bus les verres que les laquais emplissaient. Et j'y puisai la force de résister toute une longue soirée. Je m'endormis dans la voiture qui nous ramena.

Cependant, si les invitations dans ce monde devaient me réserver quantité de rebuffades et de blessures, il était heureusement d'autres lieux où existaient vraiment cette tolérance et cette humanité qu'Auguste avait cru rencontrer partout à Paris.

J'avais perdu tout espoir d'être à l'aise dans le monde après une série de dîners éprouvants et j'étais bien près de demander à Auguste de ne plus me les imposer. En même temps, j'étais hantée par l'image de ces femmes qui lui réservaient leurs sourires. Si je ne parvenais pas à surmonter ces obstacles et si je renonçais à sortir, mon destin auprès d'Auguste serait au mieux celui d'une épouse trompée, au pire celui d'une fille abandonnée. Mais je luttais seule car je n'avais encore trouvé personne pour m'aider sur ce chemin semé d'embûches. C'est alors qu'un jour de septembre nous parvint une invitation d'un certain baron d'Holbach. Auguste la considéra avec perplexité. D'un côté, il était ému à l'idée de rencontrer un homme dont Bachelet son précepteur lui avait parlé avec enthousiasme dans sa jeunesse. De l'autre, il appréhendait d'être vu chez ce personnage qui avait été depuis si longtemps le compagnon des philosophes et qui en était devenu un lui-même de la pire manière. Son ouvrage *Le système de la nature*, paru deux ans plus tôt, continuait de faire polémique dans les dîners à cause de son impiété absolue et de son parti pris pour l'égalité. La situation des philosophes était paradoxale : introduits auprès des rois, exerçant leur influence sur toute la société, ils restaient vulnérables et soumis périodiquement aux lourdes condamnations que leur infligeaient les parlements. Le roi naviguait entre ces différents obstacles en essayant de ne pas y fracasser le vaisseau de la monarchie. Il venait d'expulser les jésuites pour se débarrasser ensuite de l'artisan de leur disgrâce, le duc de Choiseul. Il acceptait la répression des philosophes qui défendaient des thèses si contraires à la religion et à l'absolutisme, mais il ne voulait à aucun prix que les parlements puissent retirer de ce combat un surcroît de puissance qui les amènerait à défier son pouvoir. Et il avait parfois recours aux philosophes pour les attaquer.

Dans cet imbroglio, Auguste craignait de perdre le crédit qu'il s'était acquis auprès du gouvernement et les avantages qu'il comptait en retirer. Il était donc tenté de garder ses distances avec les querelles philosophiques et religieuses. Cependant, une curiosité le poussait à accepter l'invitation du baron : il comptait retrouver Bachelet et espérait recueillir des informations sur lui auprès de son ancien condisciple.

Cette raison l'emporta et nous allâmes chez

Holbach. Je redoutais d'y subir les habituelles avanies que me réservaient ces dîners. Or, dès notre entrée dans son hôtel de la rue Saint-Roch, je fus heureusement étonnée par le changement d'attitude à mon égard. Le baron lui-même vint nous accueillir à la descente de voiture. Il avait plu l'après-midi et le sol était encore humide. D'ordinaire, les gentilshommes auraient pris soin d'épargner leurs coûteux souliers. Ceux d'Holbach ne craignaient rien, ni le reste de sa tenue. Rentré la veille de son château de Hesse, il n'avait rien changé : il était chaussé des mêmes brodequins de cuir épais avec lesquels il arpentait les allées de campagne. Son habit était de toile grossière et il tenait le col de sa chemise ouvert. C'était un homme d'une cinquantaine d'années au visage aigu, sans grâce mais franc et rieur, avec cette bonhomie un peu rude des Allemands. Quand Auguste lui parla dans sa langue maternelle, il lui répondit en s'esclaffant et en le serrant dans ses bras. Il m'aida à descendre le marchepied en prenant le bout de mes doigts dans sa main calleuse de jardinier. Puis il me fit monter les marches du perron et me considéra avec admiration. Curieusement, je ne ressentais pas le vague dégoût que suscitaient en moi les regards pleins d'appétit de nos hôtes habituels. Je les prenais comme des insultes car ils manifestaient le peu de cas que faisaient ces barbons de mon honneur. Les yeux d'Holbach n'exprimaient rien de tel : plutôt une admira-tion sincère et désintéressée devant une œuvre de la nature. Il aurait pu regarder de même une fleur ou un cygne nageant sur l'eau pure d'un lac.

Auguste avait de nouveau bredouillé un mot de présentation. Le baron se redressa et lui fit face :

— Vous n'êtes pas mariés ? s'écria-t-il.

Je pris peur mais dès qu'Auguste, très gêné, eut répondu que non, Holbach se retourna vers moi.

— À la bonne heure ! dit-il avec un grand sourire. Gardez-vous-en bien. Ces forbans de prêtres vous feraient jurer je ne sais quels engagements absurdes. Vous n'avez qu'un devoir : être heureux. Profitez librement de ce que la nature vous a si bien dispensé pour le plaisir. Allons, venez.

Et, nous prenant l'un et l'autre par le bras, il nous fit pénétrer dans son salon.

Nous découvrîmes une dizaine de personnes. Les croisées étaient ouvertes sur le jardin et de petits groupes étaient assemblés devant elles. Certains étaient assis dans de grandes marquises tendues de velours, d'autres préféraient s'appuyer sur le rebord des fenêtres ou s'accoter à leurs encoignures. Je notai que les femmes étaient élégantes et vêtues avec recherche mais sans montrer l'affectation hautaine qu'elles me réservaient ailleurs. Il y avait en elles quelque chose sinon de négligé du moins de libre qui compensait le luxe et l'apprêt de leurs toilettes. Cela se voyait du reste à leur maintien. L'une d'elles était à califourchon sur l'accoudoir d'une bergère, une autre avait enjambé la fenêtre et se tenait assise face au parc, les pieds pendant à l'extérieur tandis qu'elle se tournait avec grâce vers les convives. Une autre, plus âgée, était penchée en avant et caressait un gros dogue bourguignon. Les pattes pleines de boue de l'animal avaient laissé de grosses traces sur le plancher, signe qu'il rentrait lui aussi de la campagne.

J'eus le sentiment d'être accueillie dans une famille et de retrouver l'atmosphère des soirées passées auprès de ma mère quand mes sœurs étaient encore avec nous, avant le Kamtchatka, des soirées de bavardages et d'indolence, pleines de rêves et de tendresse.

Le baron m'annonça par mon seul prénom et une exclamation de bienvenue salua mon entrée. Il expliqua ensuite qu'Auguste et moi-même arrivions de l'Extrême-Orient, d'où nous avions fui à bord d'un vaisseau dérobé. Des cris de joie retentirent ; on nous installa dans des fauteuils, une des femmes revint avec des coupes de champagne. On nous fit raconter notre voyage. Quand la nuit fut descendue sur le jardin, nous passâmes à table dans une petite salle à manger aux murs de laquelle étaient accrochés des bas-reliefs de plâtre représentant des scènes antiques. La conversation se poursuivit tard. Le plus remarquable ne fut pas cette curiosité. Partout où nous allions, l'appétit de connaître notre aventure était le même. La nouveauté tenait à ce qu'ici on nous interrogeait l'un et l'autre. D'ordinaire, Auguste racontait seul et les femmes qui buvaient ses paroles n'auraient pas eu l'idée de me demander quoi que ce fût. Je n'avais d'autre choix que de disparaître. Ici, au contraire, j'étais comme chez vous aujourd'hui, monsieur Franklin : une des voix du récit. Cette position était inhabituelle pour moi et ma maîtrise du français si imparfaite encore que je me troublai. Mais peu à peu je m'enhardis. L'assistance riait gentiment à mes fautes et me corrigeait. Les femmes étaient curieuses de savoir ce que j'avais ressenti. Auguste me regardait drôlement : je pense qu'il apprit ce soir-là des choses que je ne lui avais jamais dites...

Un peu plus tard, se sentant en familiarité, Auguste décida de demander des nouvelles de son précepteur.

— Bachelet ! s'exclama Holbach. Je l'avais oublié, celui-là ! Nous nous sommes souvent vus dans notre jeunesse pourtant. Il était sans cesse fourré avec ce petit abbé dont je me suis toujours méfié : Condillac et sa statue. Ainsi, vous avez connu Bachelet ?

Auguste expliqua le rôle qu'il avait joué dans son enfance et la fin ignominieuse de son séjour chez son père.

— Pauvre Bachelet. Il était un peu comme Jean-Jacques : raisonneur, tourmenté, trop castré par la religion pour songer à jouir de la vie.

— Savez-vous comment je pourrais le retrouver ? Ce serait un grand bonheur pour moi de le revoir.

— Comment ! s'exclama Holbach, en laissant

échapper un juron de patois germanique. Vous ne savez pas qu'il est mort ?

— Non. Je l'ignorais.

Auguste s'efforçait de faire bonne figure mais je voyais qu'il était bouleversé.

— Mort et bien mort, répéta sombrement le baron. Et de la façon la plus stupide, si tant est qu'il y en ait d'intelligente.

— Comment ?

— Il a péri de froid en traversant les Alpes. Ces sacripants de curés chassent un gibier facile dans ces parages gelés. Ils ont créé un hospice sur le col du Grand-Saint-Bernard. Le chemin est très fréquenté par ceux qui veulent se rendre en France, en venant d'Italie et de plus loin encore. À la mauvaise saison, quantité de malheureux se laissent prendre par les glaces et le vent en tempête. Les moines les secourent quand ils le peuvent, preuve qu'en cherchant bien on peut trouver une utilité à ces parasites…

Holbach rit de sa plaisanterie mais voyant qu'Auguste n'était pas d'humeur à s'égayer, il reprit son sérieux.

— Bien souvent, hélas, quand ils les découvrent, ces pauvres bougres sont déjà morts. Ce fut le cas de Bachelet.

— Comment l'avez-vous su ?

— Figurez-vous qu'en hiver la terre gelée est trop dure là-haut pour creuser des tombes. Les curés entreposent les corps dans un de ces hangars qu'ils s'obstinent à appeler des chapelles. Le froid conserve les effets des morts. Au printemps, ils les fouillent avant de les enterrer. C'est ainsi qu'ils ont découvert une lettre de moi dans le bissac de votre précepteur. Ils ignoraient sans doute quel mécréant j'étais et ils m'ont écrit. Ils ont bien fait. Je leur ai envoyé une belle somme pour inhumer dignement ce pauvre homme. À la condition qu'ils ne gâtent pas la cérémonie avec une messe !

Holbach lança un bon sourire à Auguste qu'il voyait ému et il lui serra le bras.

— Vous vous souvenez de la date de sa mort ?

— Pas précisément, mais cela remonte à plus de dix ans.

C'est par ces mots qu'Auguste comprit que son malheureux maître n'avait pas survécu à son expulsion du château. Il avait dû errer encore un peu en Europe centrale avant de tenter de revenir en France. Lui qui avait tant prêché la découverte du monde était mal armé pour l'affronter et il n'avait pas survécu à son exploration.

Cette dernière partie de la conversation avait jeté un froid parmi les convives. Le baron remit de la gaieté dans les cœurs en portant un dernier toast et en proposant d'aller boire le café dans les salons.

Les invités s'égaillèrent en petits groupes. Je me retrouvai en compagnie d'une jeune femme de mon âge, plus petite que moi, fine, brune, d'une élégance simple, sans bijoux et avec peu de fard, mais qui exaltait la richesse de ce qu'elle portait par une vivacité, une fraîcheur, une légè-

reté qui me parurent surnaturelles. Julie de T*
me raconta qu'elle était mariée à un militaire
de vingt-cinq ans son aîné, qui était sans cesse
en campagne loin de Paris. Je compris qu'il la
laissait libre comme il le restait lui-même. Elle
fréquentait le salon du baron depuis deux ans
par passion pour la philosophie et amour des
arts.

— On s'ennuie partout à Paris, sauf ici, me
dit-elle en riant.

Et elle me donna rendez-vous pour le lendemain dans un jardin pour aller boire un chocolat
et continuer notre conversation. J'étais arrivée
seule dans ce salon. J'en repartais avec une amie.

III

Auprès des autorités françaises, nous avions toutes les qualités des espions et tous leurs défauts. Nos qualités, c'était d'apporter des renseignements de première main sur la politique des Russes en Extrême-Orient. Auguste vous l'a dit : il avait pris soin d'embarquer les archives du gouvernorat en quittant le Kamtchatka. Elles contenaient quantité d'instructions et de cartes qui donnaient une vue assez exacte de la géographie encore inconnue de ces contrées et des positions qu'y occupaient les Russes.

Par ailleurs, nous étions les premiers à être montés jusqu'à des latitudes aussi septentrionales. Nous portions ainsi un coup sévère au mythe du passage entre Atlantique et Pacifique par le nord. En revanche, nous confirmions qu'il était possible de prendre pied sur le continent américain en traversant le détroit de Béring.

Cette approche par l'ouest de l'Amérique était devenue stratégique ces dernières années. Depuis le traité de Paris et l'abandon par la

France de ses possessions américaines, les Anglais régnaient en maîtres incontestés sur tout le nord du continent. Cependant, cette maîtrise ne valait que pour la côte Est. La grande question désormais était de savoir qui s'assurerait la possession de l'autre côte américaine, celle que baignait l'océan Pacifique. Les Russes y étaient implantés en de nombreux points. Les Anglais n'avaient pas renoncé à leur disputer cette suprématie. L'expédition de Cook avait entre autres cette ambition. Les Français, qui s'intéressaient aussi au Pacifique, s'étaient jusque-là illustrés dans sa partie méridionale. Le voyage de Bougainville avait exploré les mers du Sud. J'avais croisé à Macao un personnage d'une insupportable suffisance qui se nommait Kerguelen. Il prétendait avoir touché terre sur un grand continent austral mais je doutais que, malgré sa vanité, il eût découvert plus que des îles. Reste qu'il était en mission pour la France et avait le dessein de conquérir de nouvelles colonies à son profit.

Nos informations permettaient d'envisager très sérieusement la même expédition, vers le nord cette fois.

Auguste donnait corps à ces rêves d'expansion dans le Pacifique, en suggérant plusieurs possibilités. Il affirmait qu'un aventurier sans patrie nommé Okhotyne s'apprêtait à fonder un comptoir pour la France dans les îles à fourrures pourvu que le roi lui apportât son soutien dans ses projets vers la Sibérie. Il révélait aussi qu'un des rois du Japon était formellement disposé à permettre aux Français de mener des activités commerciales sur sa côte. Cela ouvrait d'immenses possibilités dans un pays coupé du monde, où seuls les Hollandais pouvaient aborder, dans leur comptoir de Nagasaki.

En vérité, c'était à propos de Formose qu'Auguste nourrissait les plus grands espoirs. Selon lui, et il avait rédigé un mémoire au ministre des Affaires étrangères en ce sens, les insulaires les plus civilisés étaient tout prêts à reconnaître la souveraineté de la France sur leur île, pourvu que les armées du roi vinssent à bout de la présence chinoise dans l'ouest. À la tête de quatre-vingts hommes mal équipés, il avait été possible de leur faire subir une lourde défaite. Auguste estimait que deux cents hommes suffiraient pour se rendre maître du territoire.

Une domination de la France sur Formose n'aurait, à ses yeux, que des avantages. Elle fournirait de nouveaux débouchés au commerce français. Elle ferait concurrence à Macao, tenue par les Portugais, et comme le climat y était plus sain, elle ne tarderait pas à attirer le siège des plus grandes compagnies. Elle permettrait de faire venir au meilleur prix les productions de l'île, perles, minerais et épices. Enfin, elle servirait d'appui pour une expansion vers la côte ouest de l'Amérique.

Auguste se proposait, compte tenu de son expérience et de ses relations sur place, de conduire cette opération.

Hélas, comme je l'ai exposé d'abord, les qualités qu'un espion peut faire valoir sont à mettre en balance avec les défauts qu'on lui suppose.

Si Auguste sut convaincre de l'intérêt de ses projets, il ne parvint pas à s'en faire confier la responsabilité.

Sa naissance à l'étranger, son ancienne condition de banni, son évasion violente, ses relations dans tant de contrées et de milieux le rendaient intéressant, certes, mais suspect. Ce n'est pas à un tel personnage que l'on pouvait conférer l'honneur de représenter la France dans des endroits où des intérêts essentiels étaient en jeu. Le gouvernement était alors dirigé par un triumvirat de ministres dont le moins que l'on puisse dire est qu'ils n'étaient pas des rebelles. Le chancelier Maupeou, digne magistrat, l'abbé Terray et le duc d'Aiguillon n'étaient pas hommes à s'enticher d'un personnage tel qu'Auguste. Ils l'utiliseraient pour autant que ses renseignements pouvaient servir, sans jamais lui confier rien d'important. S'ils devaient accepter un jour de lui offrir une mission, ce serait assurément plus pour l'éloigner que pour l'employer.

Telle était la perspective fâcheuse qui se dévoilait peu à peu à Auguste. Pour tenter de s'opposer à ce dénouement aussi tragique que prévisible, il se démenait du matin au soir. Il obtint des audiences auprès des trois ministres et jusqu'au roi Louis XV, qui le reçut à Versailles. Il se fit initier dans certains cercles que vous connaissez bien, monsieur Franklin. Il reconnut dans leurs rituels la même inspiration que ses idées philosophiques et il espérait y nouer des relations utiles. Tout cela prenait beaucoup de temps, exigeait beaucoup d'efforts. Auguste finissait ses journées plus épuisé que lorsqu'il commandait sa troupe d'exilés face aux cavaliers chinois.

Je l'encourageais tout en comprenant qu'il y avait peu d'espoir. Je tenais néanmoins à ce qu'il se batte, pour lui, pour nous, pour son projet. Plus secrètement, j'y tenais aussi pour qu'il me laissât le plus souvent possible seule, tout aux soins de ma nouvelle amie.

Julie était à peine plus âgée que moi. Elle avait tout juste dépassé la vingtaine. Son père était un petit noble du Berry qui avait épousé, grâce à une dispense épiscopale, sa propre cousine. Ils avaient eu six enfants, dont quatre étaient encore en vie. Julie était la dernière venue, dix ans après les autres, alors que le couple que formaient ses parents n'existait déjà plus. Cette incertitude sur son origine l'aida à comprendre mon histoire et j'osai lui révéler la part que j'avais prise dans la mort du gouverneur qui se disait mon père.

Cependant, Julie n'était pas de celles que troublent les mystères de leur génération. Elle avait décidé depuis toujours d'être gaie et de vivre heureuse. La lecture des philosophes l'avait convaincue que c'était le premier et peut-être le seul devoir des êtres humains. Tout ce qu'elle aurait pu voir comme des vices trouvait l'absolution dans les pages de Rousseau ou d'Helvétius.

Elle avait convaincu ses parents de l'envoyer à Paris auprès d'une de ses tantes pour parfaire son éducation et se présenter dans le monde. La tante, invalide, ne quittait pas sa chambre à l'étage d'un bel hôtel situé près du couvent de Saint-Germain-des-Prés. Julie n'occupait officiellement que deux petites pièces dans la cour. En réalité, elle disposait de tous les salons pour elle seule. Elle se mit à sortir et put recevoir qui elle voulait.

Sa condition de jeune fille limitait son accès au monde. Il lui apparut très vite qu'elle ne trouverait la parfaite liberté qu'en ayant l'air d'être engagée. Il lui fallait un mariage mais à ses conditions. Elle apportait une dot conséquente en échange de laquelle son futur conjoint devait lui promettre de la laisser vivre à sa guise. Elle trouva vite. Son militaire de mari, fort bel homme au demeurant, n'avait aucune intention de renoncer à sa propre vie. Ses noces avec Julie lui donnèrent surtout le grand bonheur de pouvoir rembourser ses dettes de jeu. Le mariage fut consommé, apportant à Julie la dernière connaissance qui lui manquait concernant les hommes. Puis l'époux repartit en campagne et elle resta seule à Paris. Elle jugea commode de demeurer chez sa tante. Depuis lors, elle sortait chaque soir. Elle était reçue aussi bien dans les cercles fermés de la cour que dans les salons philosophiques.

Grâce à elle, j'acquis rapidement les usages mondains. Elle prit en main ma toilette, ma coiffure et mon maintien. Elle m'emmena chez sa couturière, m'aida à choisir des tissus, des modèles et nous nous amusions beaucoup pendant les essayages.

Dans les salons de sa tante, les portes-fenêtres ouvertes sur le boulingrin, je m'exerçai à marcher, à m'asseoir, à me tenir coite et à parler comme il convenait. Julie m'enseignait tout et nous étions souvent prises de fous rires. Je ne sais pas d'où elle tirait sa science car la vie dans le château de son enfance n'avait guère été mondaine. Il y avait en elle quelque chose d'espiègle, la volonté de ne rien prendre au sérieux et surtout pas l'autorité, tout en paraissant s'y soumettre. Je n'ai jamais rencontré quelqu'un d'aussi sensible aux autres, saisissant d'un coup d'œil leurs travers et leurs faiblesses, leurs qualités et leur nature profonde, afin de s'en rendre la maîtresse.

Nous eûmes l'occasion de mettre en pratique ces leçons en nous rendant ensemble à quelques dîners brillants. Sur les conseils de Julie, je me forçai à pratiquer ce qui m'était jusque-là étranger : l'impudence et le mépris. Au succès de cette méthode, je compris vite combien la vie mondaine, en France, n'est au fond qu'un permanent combat où s'affrontent les deux ridicules que sont la vanité et l'insolence. Il faut à la fois prétendre être plus que l'on est et tenir les autres pour moins qu'ils ne sont. Porter les coups est assez facile à ce jeu, mais il importe avant tout de résister à ceux des autres. Pour cela, quoi qu'il arrive, il faut être conscient de sa propre valeur. Julie me persuada de ma beauté et les soins qu'elle apporta à mon apparence m'aidèrent à m'en convaincre. Lorsqu'on est tentée de ne pas se croire jolie, le luxe de la robe que vous portez, l'art de votre coiffure, la finesse de votre maquillage servent d'invincible armure à votre faiblesse et aucun regard méchant ne peut vous affecter profondément.

Chez les philosophes, Julie montrait un tout autre aspect de sa personnalité. Loin d'être écervelée comme elle feignait parfois de le paraître, elle avait consacré tout son temps de loisir depuis son enfance à la lecture et à l'apprentissage des sciences et des langues, en particulier l'anglais et l'allemand. Chose curieuse pour une fille de son âge, elle se passionnait pour les idées, aimait parler de métaphysique, de politique, de morale. Elle réservait ces conversations aux cénacles philosophiques. Elle était invitée le jeudi et le dimanche chez Holbach et fréquentait aussi le salon de Mme du Deffand et celui de Mme Geoffrin. Il lui arrivait souvent dans la journée de passer du temps dans les cafés au Procope ou au Palais-Royal. Et l'affaiblissement de sa tante lui permettait de recevoir également chez elle pour des soirées autour d'un récital de musique ou d'une lecture.

Julie avait un regret : elle aurait voulu vivre vingt ans plus tôt, quand l'aventure de l'*Encyclopédie* battait son plein, quand Rousseau et Diderot n'étaient pas brouillés, quand Voltaire séjournait encore à Paris. Elle jugeait l'atmosphère lourde et mauvaise en cette fin de règne. Julie, qui n'aimait rien tant que la légèreté, souffrait que l'époque fût si pesante.

Le seul homme qui, malgré son âge, eût conservé cet esprit vif et ennemi du sérieux qu'elle recherchait chez les philosophes était Diderot. Depuis le mariage de sa fille Angélique, il habitait seul rue de Richelieu et ne sortait plus. Il n'écrivait désormais que des pièces dialoguées comme ce magnifique *Neveu de Rameau* qu'il avait lu lui-même à haute voix devant Julie mais qu'il se refusait à publier. Elle m'emmena chez lui un après-midi. Le philosophe nous reçut en robe de chambre et en cheveux. Je crois bien qu'il avait un peu bu. Le logement où il vivait était en grand désordre, encombré de livres posés par terre et de papiers éparpillés. Il nous fit asseoir dans un salon qui sentait les cendres froides et le moisi. Malgré ce décor lamentable, nous passâmes en sa compagnie l'après-midi le plus drôle et le plus passionnant.

Il me fit évidemment raconter notre périple en bateau et écouta mon récit en l'interrompant de mille questions. Il était d'autant plus passionné qu'il écrivait alors un court dialogue philosophique inspiré par le voyage de Bougainville. Il nous en lut des passages et notamment le long monologue d'un vieillard indigène qui s'adresse aux navigateurs.

Ce texte fit sur moi une profonde impression. En compagnie d'Auguste, je n'avais jamais mis en doute les bienfaits que nous pouvions apporter à ces peuples sauvages. Auguste m'avait parlé de la thèse de Rousseau qui faisait de ces primitifs des hommes heureux et bons, ingénus et sans violence. Mais c'était pour la rejeter et prendre le parti de Hobbes ou de Voltaire qui voyaient ces naturels soumis à des guerres perpétuelles, à la misère et à l'ignorance. Si bien qu'il lui paraissait légitime de leur apporter notre civilisation.

Les péroraisons philosophiques d'Auguste m'avaient toujours paru abstraites et gratuites, je leur opposais l'expérience humaine et l'observation particulière.

Avec Diderot, les idées s'incarnaient. En les plaçant dans la bouche même d'un indigène, il donnait aux concepts une force concrète qui produisit en moi un ébranlement durable. Les certitudes qui m'avaient habitée pendant tout notre voyage se trouvaient remises en cause. Nous avions pensé représenter la morale, la civilisation et ses règles, le progrès, et voilà que Diderot bouleversait toutes ces notions.

Julie, qui avait déjà entendu des passages de ce « Supplément », tint à lui faire lire celui qui concernait un prêtre auquel était offerte une jeune fille pour la nuit. Le propre père de la jeune enfant morigénait le pauvre prêtre et raillait une religion qui interdisait les plaisirs les plus sains et condamnait ses serviteurs à la solitude et au malheur. Ce texte était plein d'une immoralité joyeuse, qui ravissait Julie. Il n'était que trop évident que sa philosophie du plaisir et son refus des contraintes sociales s'exprimaient d'une manière éclatante dans ces lignes.

J'en ressentis une certaine gêne. En même temps, il m'apparaissait clairement qu'il y avait là une question essentielle que j'avais jusqu'à présent refusé de me poser : quelle était la vraie nature de ma relation avec Auguste ? Fallait-il y voir une contrainte, comme celle que dénonçait le père de la Taïtienne ? Ou notre union, conçue dans la transgression de toutes les règles, était-elle le moyen d'éprouver ensemble le bonheur auquel la nature nous avait destinés ?

Nous quittâmes Diderot le soir tombé, après avoir encore parlé de plusieurs sujets. Il me fit entre autres raconter la Russie, où il devait partir sous peu.

Quand je me retrouvai dans la rue avec Julie, les questions qu'avait soulevées le philosophe résonnaient en moi. Je comprenais qu'après lui avoir demandé de m'enseigner le monde, j'allais devoir aborder avec mon amie un sujet plus intime et plus décisif. Nous rentrâmes souper chez elle et je lui parlai enfin d'Auguste.

IV

Les négociations d'Auguste avec le comte de Boynes, ministre de la Marine, tournaient en rond. Nous étions à l'automne et il me semblait évident que l'hypothèse d'une mission officielle à Formose ou en Asie était de moins en moins probable. Dès septembre, le ministre avait commencé à évoquer plutôt Madagascar. Auguste n'était pas enchanté car il ignorait tout de ce pays. Il restait néanmoins confiant car il ne voyait pas de différence essentielle entre cette île ou une autre en Asie. Je ne partageais pas son optimisme. Si on lui proposait cette mission plutôt que celles dont il avait l'expérience, cela signifiait sans doute qu'elle devait comporter quelque vice et de gros dangers : cela seul expliquait qu'on la confiât à un étranger dont nul n'était intéressé à ce qu'il réussisse.

La seule certitude était que nous allions quitter le séjour parisien auquel je prenais de plus en plus de plaisir pour nous plonger à nouveau dans une aventure incertaine. Je savais qu'elle

apporterait son lot de souffrances et de privations. Pourtant, mon amour pour Auguste était
tel que je ne souhaitais rien d'autre que de partager avec lui ces nouvelles épreuves. Je n'eus
pas le temps de le lui dire.

En décembre, coup de théâtre : il m'annonça
tout à la fois que la mission de Madagascar était
décidée et que je n'y prendrais pas part. Il me le
dit avec beaucoup de douceur et en me manifes-
tant sa tendresse mais j'en restai interdite.

Auguste avait élaboré un plan pour moi. Il
comportait une cérémonie de mariage avec
tous les fastes possibles. Il m'assura qu'au moins
quatre ministres avaient fait la promesse d'y
assister et, avec un air gourmand, il me laissa
entendre que Sa Majesté elle-même pourrait y
faire une apparition.

Ensuite, il m'établirait à Paris ou peut-être à
Versailles et me doterait d'un personnel à mes
soins. Puis il s'embarquerait. Il promettait de
me donner des nouvelles. Ensuite, soit la mission se déroulerait sans difficulté et il rentrerait
promptement en France, soit il jugerait possible
de s'établir dans la colonie qu'il aurait fondée
et je l'y rejoindrais.

Cette annonce confirmait toutes les craintes
que je concevais quant à notre relation. Le
malentendu que je pressentais depuis longtemps
éclatait dans ces paroles. L'écart entre mes désirs
et ce qu'Auguste imaginait qu'ils étaient ne pouvait être plus grand. Je ne sus répondre que par
des larmes, qu'il ne comprit pas.

Julie avait rencontré Auguste à quelques occasions depuis que nous avions fait sa connaissance chez Holbach. Elle avait eu tout loisir de nous observer ensemble et de se faire une idée sur le couple que nous formions.

En, en parlant avec elle, j'étais assez anxieuse de connaître son jugement à ce propos. Jamais personne ne m'avait dit quoi que ce soit sur ce sujet. À bord du *Saints-Pierre-et-Paul*, l'heure n'était pas à des conversations de ce genre et, dans la suite du voyage, je n'eus personne de qui recueillir des confidences ou des conseils.

J'aimais déjà trop Julie pour négliger son avis et ce n'est pas sans inquiétude que je le sollicitai. Elle me rassura d'entrée, en me livrant sur Auguste une opinion très favorable. Elle avait vu en lui les mêmes qualités qui me le faisaient aimer, son énergie, sa générosité, son esprit d'aventure. Je pourrais citer mille autres traits, mais comme Auguste est ici et qu'il nous entend, je me garderai de le faire rougir.

À ce constat rassurant Julie en ajouta, hélas, un autre : notre couple était fondé sur de mauvaises bases. Elle me fit raconter notre histoire dans ses moindres détails. Elle s'intéressait beaucoup à notre rencontre et aux premières étapes de notre liaison. Quand elle sut tout par le menu, elle me livra son jugement.

— Auguste vous aime certainement, me dit-elle, mais il n'a jamais eu l'occasion d'en prendre pleinement conscience.

Elle m'expliqua que, d'après ses observations, les hommes avaient pour aimer besoin de conquérir l'objet désiré. Si l'amour des femmes, selon elle, pouvait se déployer dans l'abstrait, celui des hommes était inséparable de la possession. En somme, leur amour était augmenté d'autant par les efforts de la conquête, les obstacles vaincus, les refus surmontés. Auguste n'avait rien connu de tel puisque j'avais accompli tous les efforts, vaincu tous les obstacles et que jamais je ne lui avais exprimé le moindre refus. Privé d'appui, son amour, pour profond qu'il pût être, lui apparaissait sans consistance ni réalité. Il n'en tenait tout simplement pas compte. Ainsi, quand au Kamtchatka il avait vu la perspective d'une évasion se profiler à l'horizon, il n'avait pas hésité à prendre la fuite. Et quand, rompant toutes mes attaches, je l'avais suivi, il avait interprété ce sacrifice comme la preuve de mon amour et non comme la révélation d'un attachement réciproque.

Et aujourd'hui, pour donner un statut officiel à une liaison qui s'était imposée de fait, il ne voyait d'autre moyen que le mariage. Il ne doutait pas que ce sacrement fût de nature à me combler, sans comprendre que la seule attente de mon amour était de rencontrer le sien et de partager sa vie.

— Et pendant qu'il vous propose ce rôle d'épouse, poursuivait Julie, pour récompenser, croit-il, votre sacrifice, il se dispose, lui, à connaître un jour l'amour ailleurs et autrement, en faisant usage de la liberté qu'il vous dénie et qu'il s'autorise.

— Je vous entends. Mais si je reconnais le mal, je n'aperçois pas le remède.

— Il est pourtant très simple.

— Conseillez-moi.

— Il faut le faire souffrir.

— Souffrir ! Mais pourquoi ?

— Pour que son amour s'alourdisse d'autant et pèse sur sa conscience. Pour qu'il se rende compte qu'il vous aime.

Mon amie riait de me voir prendre ces paroles au tragique. Elle considérait tout cela comme un jeu, auquel elle était experte. Je me forçai à rire avec elle et bientôt notre conversation prit un ton de conspiration. Il me semblait être revenue au temps de Bolcheretsk quand les conjurés parlaient à voix basse pour ne pas être entendus des cosaques.

— Il faut qu'il pense vous perdre. Il n'y a pas d'amour solide qui ne soit trempé dans l'eau d'un tel baptême. Les amours débutantes sont forgées à l'épreuve de l'attente, du doute, du désespoir. Le sien a été dispensé de ces épreuves. Il est temps de les lui faire subir.

Je résistais mais, au fond de moi, j'étais bien convaincue par le raisonnement de Julie. De surcroît, le fait que l'initiative vînt d'elle me retirait toute culpabilité et me donnait confiance. Le principe accepté, j'élevais cependant maintes objections de nature pratique. Je ne voyais pas comment il fallait s'y prendre. Julie sut me persuader qu'il n'y avait là aucune difficulté. Elle me laissa alors entrevoir tout un autre aspect de sa vie qui n'avait pour décor ni les dîners mondains ni les salons philosophiques.

— Paris est plein de lieux où il est possible de rencontrer du monde. Des gens que vous ne verrez pas dans les grandes maisons ou qui y seraient accompagnés et inaccessibles. Vous ne les croiserez pas non plus chez les philosophes car si les littérateurs parlent beaucoup du plaisir, ils ne s'y adonnent que peu. Tandis que les personnes dont je vous parle en ont fait leur religion et la grande affaire de leur vie.

— Mais où les trouvez-vous, dans ce cas ?

— N'avez-vous jamais entendu parler de l'opéra, du théâtre, des bals, des petits soupers ? Bien sûr, vous êtes ici depuis peu et je suppose que votre compagnon n'a pas le loisir de courir de tels lieux. Eh bien, pourvu que vous soyez libre, je vais vous y emmener, moi.

Nous étions en janvier. C'était mon premier hiver dans des régions tempérées. Je m'étonnais de ne voir ni neige ni ciel de glace, seulement de temps en temps des bourrasques qui apportaient une pluie à peine froide.

Auguste fut très occupé pendant ces premiers mois par les préparatifs de sa mission. Il lui fallait recruter les trois cents hommes armés qui formeraient le corps expéditionnaire, armer les vaisseaux, se procurer des cartes et établir, à destination du roi, un plan détaillé de la mission.

Ces activités le menaient dehors toute la journée, à courir les bureaux et les cabinets. Il se déplaçait souvent en province et à Versailles, où il logeait chez un de ses oncles qui avait quitté la Pologne depuis longtemps et qu'il avait retrouvé.

J'étais libre. Auguste ne me demandait aucun compte de cette liberté. Mon amour était si évident pour lui qu'il ne supposait pas un instant que je fusse disposée à le tromper. Il avait bien remarqué ma nouvelle apparence, mes toilettes, mon maquillage. Il en était heureux et fier car il pensait en recueillir seul le mérite et le profit. Mon assurance quand nous sortions dans le monde l'honorait et lui donnait la satisfaction d'exhiber une future épouse conforme à son rang et servant ses ambitions.

Julie me persuada de ne rien changer. Nous allions pouvoir cheminer à loisir dans cette pénombre. L'aveuglement d'un mari était selon elle la meilleure arme dont disposait une femme. Et puisqu'il s'agissait de lui ouvrir les yeux, mieux valait qu'il les tînt bien clos le plus possible, jusqu'à ce que tout fût prêt pour le frapper au cœur.

Jusque-là, je n'avais vu Julie que de temps à autre et j'ignorais à quoi elle occupait le reste de ses journées et de ses nuits. Désormais, nous passâmes chaque moment ensemble et, même quand Auguste disparaissait pour ses voyages, il m'arrivait de m'installer chez elle.

Son activité me stupéfiait. Elle était sans cesse en mouvement. Comme un joueur d'orgue qui passe d'un registre à un autre, elle évoluait avec autant d'aisance dans des milieux divers et qui ne se connaissaient pas. Le point commun entre tous ces mondes était les hommes. Elle en connaissait de toute sorte et nouait avec chacun des relations particulières. Certains étaient ou avaient été ses amants. Ils étaient rares. L'immense majorité des autres lui faisait la cour. Elle s'arrangeait pour qu'ils prennent autant de plaisir à la désirer qu'à la conquérir. Je comprenais qu'elle ne s'était donnée à quelques-uns que pour entretenir l'espoir de tous les autres, comme dans ces loteries où l'on exhibe des gagnants pour faire oublier aux acheteurs de billets qu'ils ont surtout des chances de perdre. Tout cela entretenait autour d'elle partout où elle allait une atmosphère de bonne humeur et d'excitation. Les hommes rivalisaient de charme et d'humour, et elle leur répondait en distribuant des traits d'esprit et des sourires prometteurs.

Quand je commençai à sortir en sa compagnie, les regards concupiscents se portèrent sur moi. À mes qualités physiques, s'il s'en trouvait, je joignais le mérite de la nouveauté et une moindre expérience pour éconduire ceux qui me fleuretaient. Heureusement, Julie était à mes côtés et m'éclairait sur les personnages que nous rencontrions. Elle me signala les libertins qui avaient parfois des allures débonnaires et qui pouvaient tromper. Elle me recommanda de m'en garder absolument. Il n'était pas question dans ma situation de me livrer à la débauche ni même de le laisser croire. L'effet produit eût été contraire à celui que nous recherchions. Loin de réveiller l'amour d'Auguste, une telle conduite eût été de nature à susciter à jamais en lui le dégoût et le mépris.

Nous prîmes part à quelques soupers où des roués nous firent une cour assidue et pressante. Malgré la liberté des propos et les privautés qu'autorisaient certaines femmes autour de nous, nous parvînmes à conserver notre honneur. Je calquai mon attitude sur celle de Julie et appris comme elle à me tenir avec volupté sur cette crête dangereuse de l'autre côté de laquelle s'ouvre l'abîme de la luxure. Elle tenait à ce que j'explore ces parages dangereux car leur fréquentation lui paraissait nécessaire pour acquérir une aisance tout à fait complète avec les hommes. Si l'on sait conduire sa barque dans ces rapides du désir où l'on doit éviter de chavirer dans le tumulte des sens, garder la tête froide dans les vapeurs du vin et contenir ses faveurs malgré l'indiscrétion des caresses, on ne risque plus rien nulle part.

Ce qu'on apprend à ces jeux peut être en revanche très utile dès lors qu'il s'agit, en toute volonté, d'éveiller les sens de celui qu'on convoite, de le mettre au comble de l'impatience et en définitive de suspendre l'assouvissement de ses désirs à la pleine satisfaction des nôtres.

Julie jugeait que je n'avais pas assez soumis Auguste à ma tyrannie. Le jour venu, il me faudrait savoir manier pour lui ces appas et ces refus, pour le mettre au comble de la frustration et pour qu'enfin l'amour qu'il me portait, tendu par les vapeurs brûlantes du désir, s'élevât dans les airs et se gonflât de toute sa toile. Mais nous n'en étions pas là et quand, au lendemain de ces soupers, je retrouvais Auguste de retour de quelque voyage délicat, je conservais avec lui les manières modestes qui jusque-là m'avaient été habituelles mais qui maintenant me faisaient sourire.

Julie me mit aussi en garde contre les assiduités de certains personnages dont les intentions risquaient d'être plus sérieuses. Paris comptait un grand nombre de ces hommes sur l'âge, veufs ou désireux de se ranger, qui me proposeraient de les épouser. C'est l'un d'entre eux qu'elle avait choisi pour assurer sa liberté. Elle savait que je n'étais nullement dans la même situation puisque j'étais habitée par l'amour et que mon seul désir était de lui donner sa pleine carrière.

Ces barbons n'étaient pas utiles dans ce dessein. Auguste, malgré son aveuglement, me connaissait assez pour ne pas me croire capable de me passionner pour de telles figures. Il était assez sûr de ses propres qualités pour mesurer à quel point elles étaient sans comparaison avec les restes de ces malheureux vieillards.

Nous en usâmes cependant, mais pour ce qu'ils pouvaient donner, sans rien recevoir en retour. C'est ainsi que nous fûmes invitées dans des loges à l'Opéra-Comique ou aux Italiens, placées au premier rang, traitées en déesses et permettant tout au plus à nos hôtes de humer nos parfums en se tenant derrière nous pendant que nous nous éventions sans leur adresser la parole.

Nous répondîmes de même à nombre d'invitations dans toutes sortes de salons qui n'étaient point philosophiques et où des maîtres de maison s'entremettaient pour présenter de jeunes beautés à de riches vieillards. Des concerts ou des ballets servaient souvent de prétexte à ces réunions. Parfois, c'était autour d'un grand homme que s'organisaient les festivités. Ainsi, un soir nous vous fûmes présentées, monsieur Franklin, à l'hôtel de Valentinois, chez votre amie Mme de Chaumont. Vous étiez assis dans une grande bergère à oreilles et vous sembliez un peu las. Vous vous êtes animé en nous voyant et vous nous avez invitées à nous asseoir près de vous. La conversation fut très gaie, quoique décousue, et notre hôtesse surveillait cela de loin avec satisfaction. Vous m'avez pris la main et vous l'avez baisée en remontant jusqu'au coude. Je me laissai faire en riant car Julie m'avait déjà appris à répondre à ces ouvertures avec la maîtrise d'un joueur d'échecs. Peu après, il y eut un mouvement dans les salons. On annonçait un grand seigneur qu'il fallait nous présenter. Nous prîmes la fuite en riant.

Nous ne nous sommes revus qu'ici même, en vous rendant visite. J'ai eu le grand bonheur de découvrir que cette brève rencontre ne s'était pas plus effacée de votre mémoire que de la mienne.

Je compris peu à peu au fil de ces sorties pour quel type d'homme Julie me réservait. Nous découvrîmes un soir cette perle rare, en nous rendant à un bal donné en l'hôtel d'Aumont par le résident de Venise.

La fête était organisée à la mode de cette République, avec ces masques que l'on appelle *bauta* et des capes brodées d'or. Julie était à l'aise dans ces travestissements qui permettaient toutes les audaces sans compromettre son honneur. Nous étions arrivées ensemble et, dès notre entrée, nous avions été abordées par deux masques. L'un des deux, par sa corpulence et la gravité de sa voix, semblait le plus âgé. Il était très volubile et nous divertissait en racontant mille anecdotes plaisantes sur la cour, avec un fort accent italien qui ajoutait à son charme. L'autre, plus silencieux, paraissait beaucoup plus jeune. Il était grand et mince, sans perruque, et ses cheveux étaient d'un noir aussi profond que ses yeux, qu'on apercevait à travers le masque. Son compagnon plus expérimenté avait jeté son dévolu sur Julie car elle avait su comme à son habitude lui laisser nourrir de promptes espérances. Je sus par la suite qu'elle avait évalué la situation dès le départ et choisi d'accaparer l'homme mûr pour mieux me laisser avec le plus jeune. À un moment donné, sous prétexte d'aller chercher des verres, Julie et son poursuivant nous laissèrent seuls. Nous étions assis bien raides sur un sofa, prétendant l'un et l'autre être à l'aise mais sans grande conviction. Sans doute pour dissiper la gêne que suscitait en nous cette situation bizarre, mon cavalier ôta son masque et, aussitôt, je fis de même. Il avait la plus jolie figure qui se puisse imaginer. Chacun de ses traits était viril, un nez aquilin, un menton saillant et de fortes mâchoires, le sourcil noir bien dessiné. Pourtant, l'ensemble était juvénile et presque enfantin. Avec ses cheveux bouclés, son long cou, il formait un modèle d'homme que je n'avais jamais rencontré. Entre les figures grossières, tannées par les épreuves et les souffrances qui avaient fait le quotidien de mon enfance et les faces poudrées, bouffies d'aisance, que j'avais côtoyées depuis mon arrivée à Paris, je n'avais guère observé de visage exprimant à ce point la grâce et la force, l'intelligence et la sensibilité.

— Je m'appelle Giacomo, me dit-il en s'inclinant avec respect.

Je lui rendis son salut et lui donnai mon nom. Nous restâmes un bon moment sans trouver quelque chose de plus à dire. L'attrait que nous ressentions l'un et l'autre avait comme effet pour lui et pour moi de nous figer dans une sorte d'attente respectueuse et craintive. Il parvint à exprimer une banalité dont je retins seulement l'intonation délicieuse, pimentée d'un accent d'Italie.

La musique venait du grand salon et nous apercevions, à travers la foule des convives, des couples de danseurs tourner en cadence. Giacomo me proposa de les rejoindre. Quoique peu habile à ces exercices, j'acceptai. Il me guida pendant trois danses consécutives. Sa main fine et soignée savait tenir la mienne avec la fermeté voulue et tout mon corps suivait ses impulsions. Nous étions observés alentour du salon et je me félicitai d'avoir remis mon masque avant de rejoindre le bal.

Étourdie de lumière et de musique, je suivis Giacomo jusqu'au boudoir où nous avions laissé Julie. J'allais me rasseoir mais elle insista pour que nous partions sur-le-champ, en jetant à nos compagnons un prétexte à peine vraisemblable pour leur signifier leur congé. Ils nous raccompagnèrent jusqu'au perron et nous montâmes en voiture sans qu'ils se décident à lâcher nos mains. Enfin, la portière refermée, les sabots des chevaux résonnant sur le pavé de la cour, nous nous retrouvâmes seules, et c'est alors seulement que nous pensâmes à ôter nos masques.

Je demandai à Julie pourquoi elle avait à ce point précipité notre départ.

— Vous ne teniez pas à les revoir ? demandai-je.

— Ne croyez pas cela, mon amie. C'est parce que nous allons les revoir et souvent que je n'ai pas voulu faire durer cette première rencontre. Croyez bien qu'à cette heure-ci ces messieurs sont fous de dépit. Nous n'attendrons pas longtemps de leurs nouvelles.

Et ce soir-là elle entreprit de m'expliquer à qui nous avions affaire. Car elle n'avait pas perdu son temps. En vérité, elle savait tout.

V

Le plus âgé de nos masques vénitiens était un personnage peu recommandable. Grand séducteur, joueur et tricheur, par ailleurs cultivé et lettré, le marquis de G* avait souvent dû fuir pour échapper à des poursuites auxquelles l'exposait sa conduite. Son compagnon au contraire, ce Giacomo qui m'avait si galamment traitée, était le rejeton d'une grande famille vénitienne. Composée d'armateurs et de banquiers, la lignée d'où était issu le jeune homme avait offert plusieurs doges à la République. Sa mère était morte en lui donnant naissance. Quant à son père, il avait été capturé l'année précédente au cours d'une traversée par des pirates barbaresques et n'avait pas survécu aux blessures et aux privations qu'ils lui avaient infligées. Giacomo se trouvait donc l'héritier d'une immense fortune car il n'avait ni frère ni sœur.

Comment ces deux hommes s'était-ils rencontrés ? Il est probable que le plus âgé s'était introduit par relation dans l'entourage de Giacomo, avait pris la mesure de sa faiblesse et de son ignorance et l'avait convaincu de le suivre dans un tour de l'Europe, afin de lui enseigner le monde et la vie.

Pour Julie, il n'y avait aucun doute, le jeune Vénitien était l'homme qui convenait dans la circonstance présente. Elle se chargea d'en convaincre le marquis. Pour cela, elle accepta avec lui une intimité qui ne lui était pas vraiment pénible : il la faisait rire et elle aimait être l'objet de sa cour. Elle ne craignait pas d'en être abandonnée un jour puisqu'elle ne recherchait auprès de lui que la satisfaction de l'instant.

Aussi s'installa grâce à elle dès notre deuxième rencontre une relation pleine de fraîcheur et de charme. Julie avait laissé au marquis suffisamment de renseignements pour qu'il pût la retrouver. Dès le lendemain, elle recevait une lettre à laquelle était jointe une autre pour moi de la part de Giacomo. Elle revit son Vénitien et connaissait assez Paris pour le conduire dans des endroits où elle pourrait satisfaire son désir de libertinage. Elle obtint de lui en échange l'assurance que son protégé se plierait aux règles de la bienséance avec moi et me témoignerait tous les égards dus à une jeune femme sérieuse. Il était essentiel de le diriger vers l'amour et non vers le divertissement.

Nous sortîmes seuls dans l'équipage qu'il entretenait à Paris, sans nous cacher ni paraître, c'est-à-dire en nous cantonnant à des lieux publics. Il m'emmena au théâtre et dans des salles de jeu, chez des marchands d'antiquités et au café. Nous fîmes de longues promenades au-delà des boulevards, poussant malgré le froid jusqu'aux moulins de Ménilmontant ou au village de Passy. Giacomo était toujours gai. Il observait tout et emportait dans nos marches quelques feuilles de papier et une plume pour dessiner. Il était à l'aise partout et sa seule vue engendrait la bonne humeur. Il avait appris auprès de bohémiens l'art du jonglage et des tours de magie.

Soit par instinct, soit, plus probablement, parce que le marquis l'avait sermonné, il ne se permettait aucune privauté avec moi. Tout au plus se laissait-il aller à des gestes de tendresse comme de me prendre la main ou de remettre en place mes mèches. Après la gêne des débuts, je me sentis vite en confiance avec lui. Il me semblait que nous vivions comme frère et sœur. Il était le compagnon dont je rêvais pour jouir de cette ville de beauté et de plaisirs.

Julie, quand je la retrouvais, me demandait des comptes sur l'état de notre relation. Au bout de plusieurs semaines de ces entrevues, je fus obligée de lui avouer que la frustration, cette fois, agissait de mon côté : le désir montait en moi. Je commençais à voir ce jeune homme comme une partie de ma vie dont je serais amputée s'il s'éloignait. Dans la perspective qui était à l'origine de me rapprocher d'Auguste, ce jeu se révélait dangereux. Julie riait et me disait de continuer.

Vint un moment où je lui confiai que j'allais tout dire à Auguste afin de précipiter l'issue d'une comédie qui risquait de tourner au tragique. Je ne pouvais regarder les lèvres de Giacomo sans avoir envie de les baiser. Et je sentais bien que les préventions du marquis finissaient par ne plus peser bien lourd pour Giacomo face aux impulsions de sa nature. Un soir de février, comme il s'était mis à tomber un peu de neige alors que nous nous trouvions encore bien loin des premières maisons de Paris, nous nous blottîmes sous l'auvent d'un four à pain. Pour me réchauffer, Giacomo me tenait serrée contre lui. Ma gorge pesait contre son sein et mon coude indiscrètement posé percevait les signes indiscutables de son excitation. Nos bouches étaient trop proches pour ne pas s'effleurer puis bientôt se prendre. Si le froid vif ne nous avait pas dissuadés de nous déshabiller, je gage que nous étions l'un à l'autre. Nous rentrâmes à la nuit, courant mal chaussés sur la neige mêlée de boue qui luisait sous la lune. J'appelai Julie et lui fis des reproches amers. Elle m'avait poussée jusqu'à mes limites et, comme je l'avais craint, j'étais si éprise désormais de Giacomo que je ne regrettais même pas de lui avoir cédé.

— C'est parfait, conclut-elle. Maintenant, il est temps d'agir avec Auguste. Tant que vous n'étiez pas vraiment amoureuse, vous n'auriez pas pu tenir le rôle qui va être le vôtre à présent.

J'avoue que ce soir-là, ne sachant à qui rêver et me sentant en grand danger, je la détestai.

*

La première étape du plan que nous avions mis au point laissait toutes les possibilités ouvertes : je devais annoncer à Auguste que je refusais le mariage.

Il était rentré dans la matinée de Lorient, où se préparaient les navires pour l'expédition de Madagascar. Je ne lui laissai pas le temps de se changer. Il était encore tout crotté dans ses habits de cheval quand je demandai à lui parler. Il accepta avec humeur et me reçut debout. J'avais le visage bouffi par l'insomnie et les larmes de la nuit.

— Eh bien ?

— Je voulais simplement te dire que… nous ne nous marierons pas.

Il haussa les épaules et se détourna. Au milieu des difficultés sérieuses qu'il avait à affronter, ces tracas de femme lui paraissaient aussi ridicules qu'intempestifs.

— Et peux-tu m'en révéler le motif ? lança-t-il en me faisant face.

Nous avions prévu la question comme la réponse mais je l'avais oubliée. Je faillis dire « parce que j'en aime un autre » mais je fondis en larmes et quittai la pièce la tête dans les mains.

Il n'y eut pas d'autre scène ce jour-là. Je restai prostrée dans ma chambre et Auguste, recru de fatigue, se coucha sans dîner. Le lendemain matin, l'un et l'autre reposés, nous nous retrouvâmes au déjeuner.

— Je mets ce que tu m'as raconté hier sur le compte de la nervosité, me dit-il. Mon départ approche. Je comprends ton inquiétude.

— Ce que je t'ai dit reste valable. La fatigue n'a rien à y voir.

Auguste prit une expression courroucée que je lui connaissais bien. C'était ce même air qu'il prenait pour mener un équipage ou une troupe. L'air qu'il avait hérité de son père.

— Tu entends par là que tu maintiens tes propos ?

— Je refuse le mariage, oui.

— As-tu réfléchi à ce que tu dis ?

— Parfaitement.

— Ne crois-tu pas qu'au regard de tous nous sommes déjà mariés ? On nous a reçus comme un couple parce que l'on savait que la cérémonie n'allait pas tarder. Te rends-tu compte de l'image que nous donnerons si nous persistons à vivre en dehors des conventions ?

— À quoi servent-elles donc, ces conventions, dis-je en me souvenant des propos de Diderot, puisque nous pouvons vivre sans elles comme la nature nous le recommande.

— La nature !

Auguste avait jeté sa fourchette sur l'assiette de porcelaine et le bruit m'avait fait sursauter. Il n'était pas d'humeur philosophique. Habitué à commander ces temps-ci, tout occupé à briser les obstacles qui se dressaient devant sa mission, il n'avait pas l'esprit à spéculer. Il me jeta un regard mauvais.

— Qui seras-tu ici, pendant que je navigue-rai ? Sais-tu comment on te considérera si tu n'es pas protégée par le mariage ?

— Protégée ! m'écriai-je en me levant d'un bloc. Je ne demande pas à être protégée. Et je ne veux pas de la vie que tu me destines.

Julie m'avait bien recommandé de ne pas entrer dans des discussions trop précises. Ma décision ne devait reposer sur aucun argument rationnel qu'Auguste se serait efforcé de démon-ter. Je devais instiller le doute et faire naître une inquiétude plus diffuse.

Je posai ma serviette sur la table et quittai la pièce. Puis j'enfilai un manteau et sortis. J'allai à pied jusqu'à un café où Julie était convenue de m'attendre. J'avais le vague espoir que Giacomo l'accompagnerait ou, à défaut, le marquis. Elle était seule.

Je lui racontai la scène de la veille et celle du matin. Elle parut très satisfaite.

— Où est Giacomo ? demandai-je. Pensez-vous que je puisse le voir aujourd'hui ?

Elle me prit la main et, en la serrant, la pla-qua contre la table, sans que ses yeux quittent les miens.

— Il est parti.

— Parti !

Je voulus me lever ; elle me retint.

— Oui, parti quelque temps. C'est moi qui lui ai recommandé de s'éloigner. Il est inutile de transformer tout cela en un combat de coqs. Auguste va être gagné par le doute, vous faire suivre. Il apprendra ce qui s'est passé ces dernières semaines mais il ne doit pas pouvoir transformer sa jalousie en combat. C'est entre vous deux que tout doit se jouer.

Je savais qu'elle avait raison. L'idée de ne plus voir Giacomo provoquait cependant en moi une douleur à laquelle je ne m'attendais pas. Je me sentais perdue, trahie par Julie et pourtant c'était d'elle seule que j'attendais encore un réconfort. Je me jetai dans ses bras en sanglotant. Elle me calma en me caressant les cheveux et en me parlant doucement à l'oreille.

— Vous allez venir habiter chez moi. Il faut éviter tout contact avec Auguste pour le moment. Laissez tout cela évoluer en lui.

J'étais sans volonté et je lui obéis. Nous rentrâmes chez elle en voiture. Elle m'installa dans le grand salon sur une bergère, une courtepointe sur les genoux. Je passai la journée et jusqu'au soir à regarder tomber une pluie fine sur les parterres.

Les jours suivants furent étranges. Tous mes souvenirs se mêlaient, remontaient à la surface depuis des profondeurs ténébreuses. Je revis ma mère et ses souffrances, mes sœurs dont la vie s'était éteinte du jour où elles avaient dû subir le joug du mariage, mon père le gouverneur, ses violences et ses faiblesses. Je m'apitoyais sur ces destins de douleurs et la vie tout entière me semblait comme une plaie qui sans cesse se rouvre. Sur ce fond sombre, toutefois, s'illuminaient des instants de joie intense qui rachetaient tout. Je revis Auguste arriver chez nous à l'arrivée de voyage atroce. Je me souvenais de son sourire et d'une allégresse inconnue qui montait dans mon cœur. Je vécus dans la suite toutes les étapes de notre amour. Son premier baiser, l'étreinte douloureuse et désirée dans la cabane aux fourrures, le froid mordant de la traversée puis les mers chaudes, les escales somptueuses, les nuits tropicales, le clapot des vagues sur l'étrave du vaisseau, les mutineries et les combats, les dîners dans la cajoute et les nuits d'amour à regarder le disque brillant de la mer qu'éclairait la lune.

En face de ces heures innombrables, les fugitifs moments passés avec Giacomo paraissaient bien peu de chose. Et en peu de temps, sans l'oublier tout à fait, je ne désirais plus autant le revoir.

Pour Auguste, bien sûr, il en allait tout autrement. Le fait principal, à ses yeux, était mon départ de la maison. À l'indignation du début avaient succédé une inquiétude vague, un sentiment d'incompréhension et peut-être de remords. Il commença à s'interroger, quitta la posture du chef et eut recours à cette autre partie de lui qu'avait éveillée jadis son précepteur Bachelet. Il se rendit compte qu'il avait négligé l'usage des sens que le philosophe mettait au principe de toute intelligence. Depuis des mois, travaillé par d'autres préoccupations, il ne me regardait pas, il ne m'écoutait pas et s'il me touchait c'était pour assouvir ses propres désirs, non pour prendre la mesure des miens. Pour ce qui était des années passées, il était trop tard. Mais s'agissant des mois écoulés et surtout des dernières semaines, il était encore temps de chercher à savoir.

Il mit des espions sur l'affaire, chercha à collecter très vite et dans tous les milieux des renseignements sur mes sorties, mes fréquentations, mes propos. Et, naturellement, il découvrit l'existence de Giacomo et du marquis.

Il demanda à voir Julie, obtint de la rencontrer dans un café du Palais-Royal. Elle fit merveille.

Elle commença par lui représenter que tout était perdu, que je ne voulais plus le voir, qu'après lui avoir si longtemps donné un amour qui n'était pas payé de retour, je m'étais lassée et retirée du jeu.

Il lui dit qu'il avait appris ma liaison avec un jeune Vénitien et tenta d'échapper à ses responsabilités en mettant l'accent sur cette trahison. Elle objecta que, bien au contraire, jamais je n'aurais regardé quelqu'un d'autre s'il m'avait traitée comme je l'espérais. Cette relation italienne sur laquelle elle prétendait ne rien savoir était à ses yeux une conséquence de l'attitude d'Auguste et non la cause de mon éloignement. Il repartit en montrant une grande perplexité.

Il revint la voir deux jours plus tard. Elle lui trouva une mine cadavéreuse et remarqua qu'il était agité de mouvements nerveux. Elle crut même, sans pouvoir l'affirmer, qu'il avait pleuré. Ses propos reflétaient en tout cas une profonde tristesse qui confinait au désespoir. Il s'accusait de mille fautes en ce qui me concernait. Sans prendre en considération le temps qui était pour lui d'ordinaire si précieux, il lui conta de nombreuses anecdotes de notre rencontre et de notre vie commune. À chaque fois, c'était pour mettre en scène des bontés de ma part qu'il n'avait pas su reconnaître, des sacrifices qu'il avait jugés naturels, des élans du cœur auxquels il n'avait pas répondu.

Julie se garda bien de le détromper. Elle refusa de lui donner des nouvelles encourageantes. La seule indication qu'elle livrât fut de lui jurer qu'elle allait tout tenter pour me fléchir et faire revenir des sentiments pour lui dans mon cœur. Il baisa ses mains et la remercia au-delà du raisonnable.

Elle me rapporta ces nouvelles mais refusa que je me manifeste encore. Trois jours se passèrent sans qu'Auguste nous fît parvenir de nouvelles. Julie finit par s'en alarmer. Avec le secours d'un de ses amis qui était proche du comte de Boynes, elle apprit que le ministre avait été informé que les préparatifs du bateau pour Madagascar étaient arrêtés. Auguste avait disparu depuis son retour de Lorient. Il ne répondait à aucune question, ne donnait plus aucun ordre, laissait tout son monde en plan.

Cette fois, ce fut Julie qui alla frapper chez lui. Elle le découvrit prostré, recroquevillé sur un fauteuil et ne cachant plus ses larmes. En la voyant, il s'épancha tout à fait, lui confia qu'il s'en voulait à mort de ne pas m'avoir témoigné plus de tendresse. Cette épreuve lui avait permis de mesurer, mais trop tard, la profondeur de son attachement pour moi et l'intensité de son amour.

Julie, alors, lui expliqua tout. Elle lui parla de mes désirs, de la liberté que je voulais partager avec lui, de l'égalité qu'il fallait respecter entre nous. Elle lui dit que je ne voulais rien tant que traverser avec lui toutes les épreuves et tous les bonheurs que la vie nous réservait. Elle lui révéla que le vrai mariage était pour moi cette union de destins et non un carcan de conventions et d'interdits qui m'éloigneraient de lui. Elle lui dit surtout qu'il fallait qu'il me parle comme il lui avait parlé, en ouvrant son cœur et en se montrant sincère et humble. Et pour être certaine qu'il ne refermerait pas avant de me voir la fenêtre qu'il avait ouverte en grand sur sa conscience, elle lui prit les mains et les tira pour qu'il se lève.

Tel qu'il était, en tenue d'intérieur, elle le fit sortir et monter dans sa voiture. Quand il franchit la porte du salon, nous mîmes un instant à nous reconnaître tant le chagrin, les tourments de l'âme et l'insomnie nous avaient peints aux couleurs du désespoir. Il avança timidement vers moi. Je me levai et restai d'abord immobile. Puis nous courûmes l'un vers l'autre pour nous embrasser.

Une semaine plus tard, nous embarquions pour Madagascar sur le *Marquise-de-Marbeuf*. Ensemble et pour toujours.

*

Animée par son récit, Aphanasie n'avait pas pris garde que, depuis plusieurs minutes, Benjamin Franklin pleurait. Il le faisait comme le vieillard qu'il était, silencieusement, sans bouger ni essuyer ses maigres larmes. De temps en temps, un spasme soulevait sa poitrine et c'est à cela qu'Auguste avait remarqué l'émotion du patriarche. Il fit un signe à Aphanasie et elle approcha.

— Monsieur Franklin, monsieur Franklin, dit-elle en posant un genou à terre. Qu'y a-t-il ?

— C'est votre récit, mon enfant. Cet amour, ces ruptures, ce dénouement. Ah ! Comme vous m'avez fait revivre des transports oubliés ! Sur le moment, quand on vit de telles passions, on s'en plaint. Mais à l'heure de quitter cette vie, croyez-moi, ces souvenirs-là sont les plus délicieux.

Quoique Franklin fût beaucoup sorti à Paris et très publiquement, nul ne connaissait le détail de son intimité. Le bruit courait cependant qu'il avait connu plusieurs liaisons tumultueuses avec de grandes dames. Il semblait à cet instant les revoir passer devant lui, à travers ses larmes.

Soudain, revenant à Aphanasie, il eut un sursaut et s'avança vers elle.

— Ça y est ! s'écria-t-il. Merci. Oui, vous m'avez rappelé notre première rencontre. Quand vous êtes entrée dans cette pièce l'autre jour, j'ai tout de suite eu l'impression de vous avoir déjà vue… Mais je ne parvenais pas à me ressouvenir. Et maintenant, c'est très clair.

D'un geste étonnamment vif, il saisit les mains d'Aphanasie et les tendit vers lui.

— C'était à l'hôtel de Valentinois en effet, à moins que ce ne fût à Auteuil, chez Mme Helvétius. Peu importe, en vérité. Je me souviens que vous êtes entrée et que tout s'est illuminé. J'ai saisi vos mains, comme ceci. J'ai approché vos doigts fins de ma bouche. Ah ! Qui remerciera assez les dieux d'avoir conçu des créatures telles que vous ?

Ce faisant, il avait porté les mains d'Aphanasie à ses lèvres et les couvrait de baisers avides. C'était une scène bien drôle que de voir ce vieillard retombé en enfance se gaver d'odeurs et de douceurs, avec la maladresse d'un petit faon qui cherche à téter sa mère. Aphanasie rit sans vraiment avoir le cœur de se dégager. Franklin, comme jadis, remontait déjà hardiment vers ses coudes quand retentit soudain dans la pièce une voix aiguë, déplaisante, mal posée.

— Cessez ces enfantillages, monsieur !

Franklin mit un instant à reconnaître cette voix puis, soudain, il se figea.

— Reprenez-vous, dis-je, poursuivit la voix, et vous, madame, retirez-vous, je vous prie.

Franklin se redressa et Aphanasie se leva d'un bond. Devant elle, à côté de la porte à double battant du bureau, se tenait une petite femme maigre, le visage entouré d'un fichu de tartan vert et rouge. Elle était vêtue d'une robe en gabardine d'une coupe austère.

— Ma fille Sally, gémit Franklin.

La femme s'avança. Derrière elle, les genoux fléchis pour essayer de ne pas se faire voir, venait le docteur Giddeon.

C'était lui, en désespoir de cause, qui avait appelé la fille de Franklin à la rescousse. Sans doute avait-il pensé que seule une femme pouvait interrompre ce monologue de femme.

Et, de fait, elle s'avança et fit face à Aphanasie.

— Il suffit, madame, prononça-t-elle plus bas, sans pouvoir modérer les sonorités menaçantes de sa voix coupante comme une ferraille rouillée. Mon père a besoin de repos et vos histoires le bouleversent. Son médecin vous a demandé de le laisser tranquille. Exécutez-vous. Il vaut mieux que vous ne reparaissiez pas à Market Street.

Ces derniers mots résonnaient comme une sentence lugubre.

Très impressionnée, Aphanasie s'abîma dans une révérence. Puis elle recula, tout en saluant.

Tout à coup, un énorme vacarme se fit entendre dans la pièce. C'était Franklin qui avait saisi une plante enracinée dans un grand vase Ming et l'avait jetée par terre. Sa fille tenta de retenir le pot mais ne put éviter qu'il se casse.

— Sally, sors d'ici ! hurla-t-il, et vous, Giddeon, je ne veux plus vous voir ! Jamais. Depuis tous ces mois, sous prétexte de prendre soin de moi, vous m'épiez et vous m'interdisez tout ce qui me fait plaisir. Eh bien, je vous le dis nettement : vous ne m'empêcherez pas d'entendre cette histoire jusqu'au bout. Vous pouvez convoquer qui vous voudrez, messieurs les médecins de tout poil.

Tendant successivement vers Aphanasie puis Auguste un index déformé par les rhumatismes, il ajouta :

— On se damnerait pour vous entendre l'un et l'autre. Cette mégère va nous quitter et vous pourrez continuer.

La femme posa les mains sur les hanches et soupira bruyamment. Puis elle se dirigea à petits pas vers la sortie, les mains croisées devant elle.

— Vous imaginez peut-être que nous ne réagirons pas, lança-t-elle à son père, en se retournant avant de quitter la pièce. Soyez tranquille : je connais quelqu'un qui saura obtenir gain de cause, croyez-moi. Et celui-là, je vais le quérir de ce pas.

Ayant proféré cette menace sans en dire plus, elle sortit et voulut faire claquer la porte. Elle se ravisa et la ferma sans bruit.

Franklin se retourna vers Aphanasie et chercha ses mains. Mais le charme était brisé.

— Nous reviendrons demain matin, souffla-t-elle. Et c'est Auguste qui vous contera la suite.

AUGUSTE

I

Depuis bientôt une semaine que nous venons vous voir chaque jour, monsieur Franklin, vous avez fini par nous connaître. Vous savez qu'Aphanasie est plus à l'aise que moi pour parler de sentiments. Pourtant, au stade où nous en sommes de ce récit, je ne peux pas commencer autrement qu'en livrant mes émotions.

Cette dernière semaine avant notre départ pour Madagascar fut si riche en événements, si intense à vivre que j'ai éprouvé pendant ces jours l'impression presque physique d'être métamorphosé.

D'abord, il y avait la révélation de cet amour qui était en moi et auquel je n'avais jamais laissé de place. Dans mon enfance, ni mon père, avec ses rudesses de soldat, ni mon précepteur, que la vie avait condamné à la solitude et au célibat, n'avaient été à même de me rendre accessible à mes émotions. L'attachement que je ressentais pour Aphanasie n'avait pas de nom et quand, grâce à elle, j'en mis un, ce fut un bouleversement complet, une véritable révélation. Je la découvris mais, plus encore, je me découvris moi-même. J'avais l'impression qu'une digue avait cédé et, pendant plusieurs jours, je fus submergé par un flot d'émotions et de larmes. En même temps, d'autres sollicitations m'interdisaient de me laisser aller tout à fait à cette épiphanie. Le vaisseau était prêt ; le corps des volontaires que nous avions recrutés attendait mes ordres. Pour ajouter à ces devoirs, le ministre de la Marine me convoqua pour une ultime entrevue.

J'y allai tout brûlant encore des baisers d'Aphanasie et avec la claire conscience que mon visage devait garder la trace des pleurs de joie que j'avais versés les jours précédents.

Vous connaissez l'art qu'ont les Français de mettre en scène le pouvoir. Vous imaginez la porte immense avec sa petite poignée de bronze placée à hauteur de tête, le bureau gigantesque plongé dans la pénombre et le silence. Le ministre était assis dans une encoignure près des croisées et, au lieu de paraître minuscule dans cette immensité, il en recueillait tout le prestige, enflait d'autant et, si petit qu'il fût, incarnait le pouvoir suprême, celui que l'on tire de la volonté divine.

Le ministre eut la bonté de me faire asseoir après m'avoir cependant fait attendre un ins-tant, très court certes, mais suffisant pour que je puisse mesurer la faveur qui m'était faite.

Il me regarda bien en face comme il savait le faire, c'est-à-dire en tenant les yeux au-dessus de ma tête, en sorte que les miens ne les trouvaient pas. Il m'annonça que le roi, la veille, avait bien voulu s'enquérir de ma mission et qu'il fondait sur elle de grands espoirs. Selon le comte de Boynes, Sa Majesté n'avait pas de plus cher désir que de voir enfin créé cet établissement français de Madagascar dont la perspective était sans cesse repoussée depuis plus d'un siècle.

Aux questions que j'osais formuler quant à l'appui qui me serait fourni dans mon entreprise, il répondit sans me donner aucun détail mais en me rassurant tout à fait. Je n'avais rien à redouter puisque le roi lui-même avait exprimé son désir et ne pouvait être désobéi. J'avais prévu de l'interroger sur des points plus précis car je craignais de partir sans avoir reçu les assurances nécessaires. Mais la solennité du moment et le ton du ministre étouffèrent ces objections dans ma gorge.

Lorsque enfin il se leva, prit ma main et me souhaita bonne chance, je fus étreint par un sanglot que j'eus de la peine à ne pas laisser paraître.

Il faut vous rendre compte de ce que représentait cet instant pour moi. Né au fond de la Hongrie, loin des capitales et oublié de l'Histoire, j'avais toujours considéré la France comme une sorte de patrie universelle, un mythe, un rêve inaccessible. Et voilà que son roi me choisissait personnellement, moi, Auguste Benjowski, sujet sans maître, bagnard évadé, pour être l'instrument d'un de ses desseins politiques. Il me jugeait digne de conduire un corps de volontaires, de donner des ordres à ses vaisseaux, de me faire obéir par ses représentants. Ce cadeau du destin m'emplissait d'orgueil et de joie. Oubliées, les leçons de Bachelet sur la tyrannie, les souffrances endurées du fait de l'arbitraire d'autres souverains ! J'étais tout entier envahi par cette autre passion qui se partage le cœur de l'homme avec l'amour de la liberté : le bonheur de servir.

Aphanasie, qui avait vu plus loin que moi et anticipait les difficultés que nous allions rencontrer, ne voulut pas amoindrir ma volupté si peu que ce fût. Nous n'avions jamais été si proches, si heureux. Elle ne dit rien qui pût nous éloigner et elle se fit une joie de partager mon enthousiasme et ma fierté. Il est des circonstances dans lesquelles celui qui voit trop loin doit baisser les yeux.

Nous quittâmes Lorient le jour du printemps. Sitôt en mer, le mouvement des flots, la fraîcheur du vent, l'espace limité du pont nous rappelèrent ce que nous avions souffert. Il y eut à bord un mouvement de silencieuse nostalgie pour le confort que nous quittions. Mais presque aussitôt, nous retirâmes nos vêtements de cour pour enfiler des tenues simples confectionnées dans des étoffes roides. Aphanasie, qui avait été si fière d'acquérir à Paris les secrets d'une élégance qu'elle avait intensément désirée, reprit avec délices ses habits d'homme. Elle pouvait bien se vêtir comme elle voulait, j'avais appris à la regarder non plus comme une enfant ou comme la sauvageonne qui s'était embarquée avec moi au Kamtchatka mais comme une femme dans la plénitude de sa beauté. Car, à Paris, elle n'avait pas seulement appris l'élégance. Elle s'était épanouie. Ses formes s'étaient affirmées et ses traits incertains de jeune fille avaient gagné en équilibre et en netteté, dessinant un visage plein de maturité et de charme.

Nos relations, à la faveur de cette crise, étaient devenues à la fois plus tendres et plus graves. Nous avions, au long de cette lente navigation, des conversations sérieuses nourries de lectures et de réflexion. Mais nous passions aussi beaucoup de temps à nous aimer sans qu'il y eût plus rien dans cet acte de ce qui avait pu le rendre auparavant maladroit et presque honteux.

Surtout, en éliminant la question du mariage, nous avions fait disparaître l'obstacle invisible qui bornait nos étreintes. L'idée de concevoir un enfant, non seulement ne nous effrayait plus, mais devint la conséquence désirée de nos embrasements. Passé l'équateur, Aphanasie m'annonça qu'elle était enceinte.

La traversée se fit sans encombre. Nous doublâmes le cap de Bonne-Espérance par un froid vif. La mer était striée d'écume. Le vent régulier et fort nous aida à traverser le croisement des houles. Nous touchâmes à l'île de France le premier jour de l'automne.

*

J'étais encore porté par l'enthousiasme de ma mission. En débarquant à l'île de France, je pensais rencontrer sinon la même passion, du moins une certaine compréhension. Au lieu de quoi, je tombai dans un épouvantable traquenard.

L'autorité dans cette île était entre les mains de deux hommes : le gouverneur, M. de Ternay, et l'intendant, un dénommé Maillart. Ces deux personnages allaient me faire subir dès mon arrivée et jusqu'à mon départ les pires humiliations et les plus sournoises attaques.

Ils commencèrent par tarder à me recevoir au motif que l'un d'eux était en voyage. Puis ils refusèrent de me voir ensemble, prétextant que leurs fonctions étaient différentes. Par le moyen de ces entretiens séparés, ils ne cessèrent ensuite de se renvoyer la balle et de faire porter à l'autre la responsabilité des refus qu'ils opposaient à toutes mes demandes.

Ils affirmèrent d'abord qu'ils n'avaient reçu aucun ordre du ministre concernant ma mission. Sans imaginer une telle mauvaise volonté, j'avais craint avant de partir de dépendre d'une autorité lointaine telle que la leur et j'avais demandé au comte de Boynes des engagements très fermes quant aux moyens qui seraient mis à ma disposition. Il m'avait pleinement rassuré et s'était porté garant du bon vouloir des autorités de l'île de France.

Était-ce aveuglement de sa part ? Je préférais le croire. Mais Aphanasie, sans oser me le dire tout de suite, avait conçu un doute plus profond. Son interprétation était que le ministre savait ce qui nous attendait. Il s'en remettait aux maîtres de l'île de France non pour nous assister mais pour se débarrasser de nous. Cette vision des choses était si pessimiste, si offensante pour moi qui m'étais cru honoré de la confiance royale qu'Aphanasie n'osa pas s'en ouvrir avant long-temps. Elle préféra me soutenir autant qu'elle le put dans mes efforts.

Car il était évident que je n'allais pas me laisser abattre au premier obstacle. Ce que les traîtres de l'île de France me refusaient, je l'achetai, quitte à le payer de mes deniers. J'insistai, je menaçai, je fis parvenir en France des courriers indignés.

Convaincus bientôt que je ne renoncerais pas à ma mission, Ternay et Maillart changèrent de tactique. Ils firent semblant de se ranger à mes vues. Ils me fournirent suffisamment de moyens pour me rendre à Madagascar et y prendre pied. Mais, par des ruses abominables, ils s'assurèrent que ces moyens ne fussent jamais suffisants, en sorte que notre expédition connaisse une fin tragique.

En somme, ils s'en remettaient aux naturels de Madagascar pour terminer le travail de des-truction qu'ils n'avaient pu tout à fait mener à bien. Pour dire les choses tout crûment, ils nous envoyaient à la mort.

Avant d'en arriver à cette fausse coopéra-tion, ils avaient d'ailleurs livré le fond de leur pensée, par la bouche du méprisable intendant Maillart.

Il s'était écrié un jour en ma présence que ma mission n'était pas seulement impossible à cause de l'hostilité que manifestaient depuis le siècle précédent les populations malgaches, mais qu'elle n'était pas souhaitable. Osant contrecarrer ouvertement les plans du ministre qui avaient pourtant reçu l'approbation du roi lui-même, il affirmait que ce projet absurde avait été conçu sans demander l'avis des autorités des îles de France et de Bourbon. Si tel avait été le cas, ces autorités n'auraient pas manqué de dire qu'il fallait laisser les choses en l'état. Des marchands particuliers faisaient avec Madagascar un commerce profitable, en rapportant du riz, du bétail et surtout des esclaves. Il était à ses yeux stupide d'exposer des vies pour soutenir mon établissement dans l'île qui n'apporterait que la ruine de ce commerce privé et qui inciterait les Malgaches à ne plus rien vendre aux Français.

Il était inutile de discuter cette opinion. J'avais des ordres et je devais les exécuter. En parlant avec Aphanasie, il apparut cependant qu'il y avait quelque chose à retenir tout de même de ces objections. L'opinion de Maillart se fondait sur les nombreux échecs essuyés dans le passé par tous ceux qui avaient tenté d'établir un comptoir à Madagascar. Le meilleur exemple était le poste de Fort-Dauphin où nous nous étions arrêtés en arrivant de Macao. Jamais les Français n'avaient pu s'y maintenir durablement à terre et la rade fréquentée par les bateaux européens était toujours contrôlée par un potentat malgache. De cet état de fait, nous parvînmes à la conclusion que, pour réussir, notre entreprise ne pouvait se borner à fonder un établissement sur la côte. Il nous faudrait pénétrer plus avant dans le pays et en prendre le contrôle, en fondant une véritable colonie. Il n'était certes pas question de nous en ouvrir à nos interlocuteurs de l'île de France, qui auraient traversé ce projet avec encore plus de vigueur.

Aphanasie et moi étions désormais associés pour toutes les décisions. C'était sa volonté et je goûtais fort d'avoir auprès de moi un conseiller bienveillant et de confiance à qui je pouvais livrer tous mes doutes. Ce qui n'empêchait pas nos points de vue de diverger souvent. Aphanasie, embarquée dans la même aventure que moi, se montrait loyale à notre entreprise. Reste qu'elle n'en partageait pas les principes et j'allais m'en rendre compte plus tard.

Si elle comprenait comme moi que la logique de notre mission nous conduirait inéluctablement à nous emparer de toute l'île et à en faire une colonie, elle était par principe hostile à un tel projet. Les idées de Diderot avaient profondément pénétré en elle.

J'étais quant à moi toujours marqué par les leçons de Bachelet qui faisaient écho à la philosophie de Voltaire. Je ne doutais pas qu'il y eût des degrés de civilisation et qu'il était de notre devoir de faire profiter de nos lumières des peuples qui végétaient encore à l'écart du progrès et de la science.

Cette divergence donnait lieu parfois à des discussions abstraites mais Aphanasie ne fit jamais de ses opinions un obstacle à notre entreprise. Nous étions à la fois délicieusement différents et, par l'amour, indéfectiblement solidaires.

Dans l'ambiance affreuse que faisaient régner les administrateurs de l'île de France, je pris la décision de forcer le destin et d'envoyer un premier détachement à Madagascar. Il y ferait des observations sur l'état d'esprit des naturels, le climat et les sites que nous pourrions investir. Je devais attendre l'arrivée du *Laverdy,* qui apportait la suite de notre corps expéditionnaire. Dès qu'il aurait débarqué, je rejoindrais à mon tour Madagascar. On était à la fin de l'année. Le temps était gris et des bourrasques froides donnaient au paysage des teintes d'Europe, soulignant encore plus ce qui nous en séparait.

Nous étions gagnés par une mélancolie qui est inévitable dans ces sortes de voyages mais qu'aggravaient encore les noires réflexions que nous faisions sur la nature humaine.

II

Tout notre monde réuni, je m'embarquai pour Madagascar. En vue des côtes, je fus envahi par un étrange sentiment de fierté et de terreur. C'était la terre offerte à ma conquête, le pays où le roi de France m'avait chargé d'aborder. J'avais habité bien des contrées sans jamais pouvoir m'y regarder comme chez moi ; cette fois, j'avais la troublante impression d'être enfin sur le point de toucher à l'ultime rivage, au lieu qui m'était destiné. En même temps, s'y joignait une émotion funeste, comme si cette nouvelle en eût dissimulé une autre, qui avait un rapport mystérieux mais étroit avec la mort.

La côte moutonnait de grands arbres qui atteignaient directement la mer. Elle était rectiligne mais ménageait de loin en loin de vastes baies. Nous passâmes d'abord devant une île dont le rivage était formé de falaises de marbre. Je la baptisai « l'île d'Aiguillon », en l'honneur du ministre. Puis nous rejoignîmes à la fin d'un après-midi pluvieux la rade où avait accosté le détachement que j'avais envoyé en éclaireur. Les hommes du *Postillon* attendaient sur la plage, les pieds dans l'eau, les vêtements trempés, maigres, apeurés, défigurés par un bonheur trop exalté pour ne pas faire suite à une période d'intense désespoir.

De fait, quand la chaloupe aborda, ils saisirent nos mains et nous étreignirent avec des spasmes de joie nerveuse. Ils nous dirent n'avoir pas cru recevoir un jour notre visite et s'être résolus à mourir dans ce lieu hostile. Depuis leur arrivée, les Noirs de l'île n'avaient jamais cessé de les harceler. Le peu de marchandises que Maillart avait bien voulu faire déposer dans les soutes du *Postillon* n'avait pas suffi à leur obtenir la bienveillance des naturels. À peine débarqués, les marins n'avaient connu que leur hostilité. Il leur avait fallu tout à la fois construire des abris, trouver leur nourriture et se protéger d'incessantes attaques. Leurs cahutes étaient sommaires, faute d'outils pour les construire et de matériaux venus de l'intérieur. Plusieurs membres de l'équipage étaient morts de blessures ou de maladie.

Notre arrivée changea tout. Nous étions désormais assez nombreux pour bâtir un véritable camp et le protéger. Je jugeai l'emplacement convenable pour établir un port. La baie était vaste, une large rivière s'y abouchait qui fournirait de l'eau douce. Une avancée de terre formant presqu'île pourrait être fortifiée. Je donnai solennellement à ce port le nom de Louisbourg.

C'était manifester qu'il avait vocation à devenir une ville.

Certains, parmi les Français, en doutaient encore, en regardant ce rivage livré à la nature sauvage et aussi éloigné qu'il est possible d'une cité humaine. Mais ceux qui m'avaient suivi depuis le Kamtchatka, mon ami Khrouchtchev par exemple, avaient confiance. Ils avaient traversé tant d'épreuves et vu se réaliser tant de projets inconcevables qu'ils ne doutaient plus de rien.

Nous avions pris soin d'embarquer des interprètes, dont un certain Christian Mayeur qui allait se révéler fort utile. Par son entremise, je fis porter aux chefs indigènes de la région la proposition de se réunir avec moi. Vingt-huit d'entre eux, accompagnés de deux mille guerriers, se rendirent à mon invitation. Ce fut un moment d'une particulière intensité. Jamais, depuis qu'un siècle et demi plus tôt les premiers Hollandais avaient abordé sur ces rivages, les naturels n'avaient laissé des étrangers s'y établir durablement. J'avais conscience de vivre une heure décisive, non tant à cause de ce que ces chefs prétendaient accepter – ils n'avaient cessé depuis les débuts de trahir leurs engagements – mais parce que ce premier contact me livrerait peut-être une clef sinon pour les convaincre, au moins pour les neutraliser.

Vous êtes en droit de me juger sévèrement : à ce stade, en effet, j'étais tout imprégné de l'idée qui prévalait à la cour de France et, je crois, chez tous les Européens. Je ne regardais ces peuples que comme des sauvages et ne doutais pas que ma mission d'homme civilisé consistait à leur apporter des lumières sans lesquelles ils demeureraient à jamais dans le malheur et la barbarie. Pour servir de si hauts desseins, tous les moyens étaient loisibles, y compris le mensonge et le crime. J'étais en quelque sorte un missionnaire. La foi dont j'étais porteur n'était pas celle d'une religion car il n'a jamais été dans mes vues de convertir ces peuples. Mais la foi dans la raison et le progrès me conduisait aux mêmes extrémités. C'est ainsi que la première rencontre officielle entre moi, parlant au nom du roi de France, et les indigènes décidés à défendre leurs terres contre toute intrusion étrangère se déroula comme une suite de faux-semblants. Par la bouche de Christian, l'interprète, j'offris aux Malgaches l'amitié et la protection de Sa Majesté Louis XV, leur promis de construire des magasins où ils viendraient se fournir en toiles, liqueurs, poudre, balles, pierre à fusil en échange de riz, bétail et métaux divers qu'ils pourraient extraire sur leur île. Pour prix de cette protection à venir, je leur demandai dans l'immédiat la leur. Je proposai un traité d'amitié et d'alliance qui me reconnaîtrait le droit de construire une ville à cet emplacement, d'acheter des terres à qui voudrait m'en vendre et de bâtir des magasins et des hôpitaux le long de la rivière.

Ils me répondirent avec enthousiasme qu'ils acceptaient ces propositions pourvu que nous ne construisions pas de forteresses et que nous ne cherchions pas à avoir des droits sur eux. Surtout, ils me dirent qu'ils se réjouissaient que nous ayons choisi leur région pour y aborder car ainsi nous allions les secourir contre leurs ennemis.

Cette dernière mention constitua en somme l'essentiel de cet entretien. Pour le reste, on devait constater bientôt que ni d'un côté ni de l'autre les engagements pris n'auraient la moindre réalité. Le harcèlement de nos troupes continua du fait des indigènes. Quant à l'amitié du roi de France, ils n'allaient pas tarder à éprouver ce qu'elle valait.

En revanche, l'insistance qu'ils mirent à souligner leur désir de nous voir prendre parti contre leurs ennemis m'apportait un renseignement capital : ces peuples étaient profondément divisés et en guerre perpétuelle. Je me souvenais des enseignements de Bachelet à propos de Hobbes. Il se faisait de l'état de nature une image terrifiante qu'il appelait la guerre de tous contre tous. Nul doute que nous entrions sur cette île primitive dans un monde gouverné par de telles passions. De là venait pour nous un espoir : en jouant les divisions de ces naturels, nous disposions du meilleur moyen de les affaiblir et de nous les attacher. Cette détestable politique fut celle que je menai avec succès pendant toute la première phase de notre établissement.

Je l'appliquai dans toute la région du Sud-

313

Ouest où nous avions abordé. La rivalité entre les tribus Saphirobay et Sambarives était l'une des plus ancestrales. En jouant des uns contre les autres, je parvins à m'en attacher certains et à affaiblir leurs adversaires. Je découvris bientôt qu'à l'intérieur de ces tribus existaient aussi des luttes de pouvoir et de clans dont nous pouvions tirer avantage. Cette politique nous permit de jouir d'une relative tranquillité à Louisbourg et d'obtenir de la main-d'œuvre indigène pour la construction de nos ouvrages. Ainsi, je fis dévier le cours d'un bras de rivière pour assécher les marais qui rendaient le site insalubre. Nous pûmes également remblayer des quais pour permettre l'accostage des chaloupes plus commode. Plusieurs navires français vinrent d'ailleurs mouiller dans la baie à cette première époque de notre installation. Leur présence renforça chez les indigènes l'impression de puissance que dégageait notre expédition. Ce trafic était pourtant loin de signifier que nous bénéficiions d'un appui ferme des autorités françaises. L'un des vaisseaux qui nous rendirent visite par hasard était celui que commandait ce même Kerguelen qui m'avait tant déplu lors de notre précédente rencontre à Macao. Il nous demanda des rafraîchissements, fit cuire son pain sur la terre ferme et remplit ses réserves d'eau. Mais il ne nous donna en échange que des encouragements hypocrites et des regards méprisants. Quant aux administrateurs de l'île de France, ils poursuivirent à distance leur œuvre de sabotage.

À l'arrivée, nous avions découvert qu'ils ne nous avaient pas accordé les matériels nécessaires. Plus grave encore, sur leur ordre, les capitaines de leurs vaisseaux nous refusaient l'emploi des artisans qui étaient à leur bord et dont nous avions un besoin cruel pour construire notre établissement.

Leur mauvaise propagande se déployait également en direction des indigènes par l'intermédiaire des marchands particuliers qui continuaient de fréquenter la côte.

Je dus ainsi envoyer un détachement à Foul Point pour mettre un terme à ces campagnes. Mes hommes signifièrent à ces marchands que tout commerce était désormais interdit avec l'île s'il ne passait pas par notre établissement. Profitant de la présence de mes troupes à Foul Point, j'établis un contact avec le roi de la région qui se nommait Hyavi. Avec la même méthode qu'au sud, je m'employai à diviser les tribus de la côte ouest puis jusqu'au nord de l'île. En entretenant les rivalités entre elles, je m'assurais qu'elles ne puissent s'unir pour nous combattre et je m'attachais celles auxquelles je fournissais des munitions. En vérité, j'en faisais parvenir de plusieurs côtés, ne cessant d'alimenter par là des guerres auxquelles je prétendais vouloir mettre un terme.

À mesure que nous nous installions pour mener ces combats sur tous les fronts, il nous apparut que le climat de Louisbourg était peu propice à un séjour prolongé. La proximité de la forêt, l'haleine tiède de la rade et de la rivière, et même la terre fraîchement asséchée des marécages, tout était propice au développement de miasmes délétères. Nombre de mes hommes tombèrent malades et je ne résistai pas longtemps moi-même. Je fus gagné par une fièvre ondulante qui m'épuisait. Malgré tous mes efforts, je ne parvenais pas à me rétablir. Le moindre mouvement me demandait une énergie sans proportion avec ce que requérait une vie normale. À un moment où il me fallait plus que jamais faire preuve de fermeté, je me sentais languide et somnolent, d'esprit confus et de corps exténué. Je m'inquiétai vraiment quand je vis Aphanasie, alors au sixième mois de sa grossesse, manifester les premiers signes du même mal. Dès lors, une décision fut arrêtée. Nous prîmes le chemin des hauts plateaux.

Je savais qu'en se dirigeant vers le nord-ouest de cette île spacieuse, nous atteindrions de belles vallées et des hautes terres où l'air était favorable à la guérison. Nous nous y rendîmes par de mauvais chemins, titubants de fatigue, craignant les embuscades dans les denses forêts que nous traversions et où les Noirs régnaient en maîtres.

J'ignore quelle divinité de ces lieux nous protégea. Je confesse que, dans de telles extrémités, la superstition que je réservais volontiers pour les autres devenait aussi un recours pour moi-même. Le dieu-architecte de Voltaire auquel je n'ai cessé de croire a tracé un plan qui dispose de nos vies depuis les origines et que nos prières ne sauraient modifier. Il m'arriva cependant plus d'une fois pendant ces heures décisives, en déchirant mes bras sur les épineux qui bordaient le chemin et en épongeant le front d'Aphanasie baigné de fièvre et de sueur, de m'adresser familièrement à cette Providence qui selon Bachelet n'existait pas mais qui apparaît néanmoins dans nos vies chaque fois qu'un danger les menace, qu'une incertitude les ébranle, qu'un malheur les frappe. Je priai, mais sans le secours d'un vrai dieu. M'aurait-on demandé de déposer au pied d'une idole toute ma philosophie et toute ma raison que je l'aurais fait sans hésiter, pourvu qu'on me garantît que mes vœux seraient exaucés.

Ils le furent. La forêt s'ouvrit. Nous atteignîmes des pâturages frais, où coulaient des torrents limpides et où le ciel n'était plus encombré de nuages menaçants. Dans ces hauteurs, nous sentions la santé nous revenir, l'appétit reprendre, la vie renaître en nous. Je décidai de bâtir là un deuxième poste, qui serait fortifié, et je nommai cet ouvrage Fort-Auguste.

Qui n'a pas connu l'exaltation de telles fondations, comme Bernard de Clairvaux l'éprouva en créant Cîteaux, comme Alexandre donnant à ses camps une pérennité millénaire, ne peut comprendre l'enthousiasme qui nous saisit sur cette plaine. Il n'y avait rien là que des prairies et de l'eau mais, par le miracle de ce baptême, nous voyions déjà tous s'élever des murs et des places, des avenues et des monuments. Nous foulions un forum qui n'était encore qu'un tapis de verdure semé de crottes de mouton. Nous n'avions pour nous loger que des huttes construites à la manière des indigènes. Et pourtant nos rêves étaient pleins des beautés et des luxes d'une capitale à venir.

Sitôt rétabli, je dus déjouer de nombreuses intrigues. Des indigènes se coalisèrent pour m'assassiner et je commandai préventivement des actions violentes pour couper les têtes de la conjuration. Les administrateurs de l'île de France continuèrent à agiter les marchands pour qu'ils poursuivent leur commerce particulier. Cela rompait le monopole que je voulais assurer à l'établissement pour ce qui concernait les productions de l'île. Il me fallut sévir contre plusieurs de ces marchands. J'obtins qu'ils me versent au moins une redevance s'ils ne renonçaient pas à leurs affaires privées. En somme, moyennant finances, je leur confiais délégation de mon autorité sur le commerce de l'île.

Le principal changement qu'induisit pour nous l'installation dans cette *Plaine de la Santé* fut que nous commençâmes à nous intéresser à Madagascar autrement que pour ses côtes. En nous élevant vers les hautes terres, nous pouvions mesurer à quel point cette île, convenablement mise en valeur, pouvait devenir un joyau de la couronne de France. Vaste et fertile, propice à la culture comme à l'élevage, prometteur en son sous-sol, ce territoire s'offrait à qui saurait y tracer des routes, y sélectionner des variétés végétales, y construire des magasins.

Cela supposait de poursuivre l'exploration vers l'intérieur de l'île et de nouer des contacts avec les tribus qui y vivaient. La principale était celle des Seclaves. Ce peuple, en nous voyant arriver dans la vallée, avait expédié vers nous des émissaires qui proposaient un accord. Ils y mettaient une condition : que nous ne bâtissions jamais de forteresse. Je m'y refusai. Et j'envoyai à la découverte une mission menée par l'interprète Christian. À son retour, il me rendit compte de ses constatations. Il confirmait d'abord l'extrême richesse de cette île en bœufs, coton, ébène, gomme-gutte, etc. Les habitants qu'il avait rencontrés en se dirigeant vers l'ouest avaient montré à notre égard des dispositions plutôt amicales. La principale difficulté résidait dans la connaissance qu'ils avaient de notre petit nombre et de nos moyens réduits. La côte occidentale du pays était soumise à l'influence des marchands arabes comme l'orientale l'était à ceux venus de l'île de France. Les Arabes avaient acquis sur les peuples de cette côte une grande autorité tant à cause des marchandises qu'ils leur vendaient que par la force qu'ils leur opposaient. Tout bien considéré, il nous fallait procéder pour ces tribus comme je l'avais entrepris au sud et à l'ouest : les soutenir contre leurs ennemis et attiser les rivalités avec les autres. Leurs ennemis, cette fois, étaient les Arabes, autrement plus puissants que les indigènes. Les combattre supposait des moyens que nous étions loin d'avoir. En conséquence, je me bornai à hâter la construction du fort au-dessus de la Plaine de la Santé. J'étais certain que tôt ou tard nous aurions à subir de rudes attaques des Seclaves venus de l'ouest. Nous avions juste le temps de nous y préparer.

III

Nous n'avons pas l'intention de vous faire pleurer, cher monsieur Franklin, et nous ne vous avons que trop animé avec nos aventures. Qu'il me soit tout de même permis de vous dire qu'à Madagascar nous avons souffert comme jamais je n'avais pensé souffrir un jour. Encore, pour ce qui me concernait, je restais maître de décider de mes actes et j'étais sans cesse occupé. Le mouvement protège contre toute forme d'abandon et de renoncement. Mais Aphanasie ! Pouvez-vous imaginer ce qu'a enduré mon cher amour pendant ces jours dramatiques ? Elle était enceinte de près de six mois. L'inconfort de nos huttes, la touffeur du rivage, la médiocre qualité de l'eau se mêlaient aux incommodités liées à l'état de parturiente pour lui faire subir un calvaire. À cela s'ajoutait la permanente menace de mort qui pesait sur nous.

Jetés sur le flanc de cette île hostile, nous avions d'abord dû nous battre contre un ennemi multiple et invisible sans savoir jamais quand viendraient les coups ni d'où ils seraient frappés. Les trahisons des maîtres de l'île de France étaient quotidiennes : nous découvrions sans cesse de nouvelles promesses de secours non tenues, de nouvelles rumeurs propagées pour exciter les Noirs contre nous, de nouveaux personnages qui apparaissaient dans notre camp et se révélaient des agents malintentionnés, mis en marche pour nous abattre par ceux-là mêmes qui étaient censés nous protéger.

Un jour, par exemple, nous avons vu mouiller dans la rade un vaisseau en provenance de l'île de France. Nous l'avons accueilli avec des cris de joie. Hélas, son capitaine, sitôt à terre, demanda de mes nouvelles et, apprenant que j'étais vivant, décida de remettre immédiatement à la voile. Il n'était venu dans l'île que sur la foi de rumeurs malveillantes qui faisaient état de ma disparition et avec pour seule intention de s'emparer de ce qu'il aurait pu subsister de l'établissement. Voilà le genre de cadeaux que nous offraient nos supposés soutiens. Qu'on imagine l'effet sur notre moral... Aphanasie n'avait pas, comme moi, l'habitude de subir l'hypocrisie. La trahison lui causait un mal que seules les âmes innocentes et pures peuvent éprouver.

Pendant que je me multipliais pour préparer nos défenses et superviser les travaux de notre établissement, Aphanasie, contrainte à une quasi-immobilité, subissait comme une punition la torpeur tropicale. Sa plus grande souffrance, disait-elle, davantage que toutes les autres plus visibles, était de ne pouvoir agir. Elle se levait quelques heures par jour, quittant le hamac où elle passait les moments les plus chauds, et se rendait dans les villages indigènes alentour. À la faveur de la politique perverse que j'avais menée pour diviser les Malgaches, nous nous étions attaché certaines tribus. Elles restaient à nos côtés pour bénéficier de notre protection.

Aphanasie trouvait auprès d'elles une compagnie qu'elle appréciait beaucoup. Elle y avait noué des amitiés fortes avec des femmes indigènes. Elle passait de longues heures dans leurs cases à les entendre rire et conter des histoires qu'elle ne comprenait pas.

J'en étais presque jaloux. Car, parmi les hommes, il était plus difficile d'atteindre une semblable intimité. Quand je rencontrais les chefs indigènes, c'était à l'occasion d'assemblées assez solennelles pendant lesquelles se discutaient nos accords. Il était toujours question de la paix et de la guerre. La sincérité, qui est le combustible indispensable de l'amitié, était la dernière qualité que nous sollicitions en nous. C'était bien plutôt la ruse, le mensonge, l'intuition maligne qui nous équipaient pendant ces entretiens. Les indigènes appelaient « cabarres » ces sortes d'assemblées qui se terminaient immanquablement par des libations d'alcool en grandes quantités. Si, pris en groupe, les chefs indigènes se montraient méfiants et souvent hostiles, en tout cas insaisissables, ils étaient souvent plus traitables quand je les rencontrais en privé.

Peu à peu je me liai d'une véritable amitié personnelle avec certains d'entre eux. Ce fut le cas par exemple du chef Raoul, qui appartenait au groupe des Saphirobay, nos principaux ennemis à ce moment. Son attitude fut toujours plus conciliante. C'était un grand guerrier d'une impressionnante noblesse. On lui donnait le titre de rohandrian. Il avait un regard droit et son large sourire, quand il me parlait, témoignait d'une sincérité et d'une douceur que je n'ai jamais prises en défaut.

Je parvins à nouer des relations personnelles dans d'autres tribus ; les mulâtres notamment, qui étaient des métis de Blancs. J'eus aussi la chance de pouvoir m'entendre avec le chef Sancé, qui descendait d'un pirate nommé Zan et qui se montrait assez indépendant des autres tribus dans ses jugements.

Surtout, mes relations avec la nation sambarive s'approfondirent, grâce au lien que je réussis à établir avec leur prince, nommé Raffangour.

À mesure que nous étendions nos opérations d'exploration puis de conquête à l'ensemble de l'île, les affaires indigènes devenaient de plus en plus complexes. Nous menions de front guerres et cabarres, offensives et accords de paix. Peu à peu la situation, d'abord confuse, tendit à se clarifier. Notre point d'ancrage au sud-ouest était maintenant solide grâce à l'alliance ferme des Sambarives. La défaite puis la division des Saphirobay nous délivraient de la menace la plus directe. À l'ouest, vers Foul Point, l'alliance avec le roi Hyavi nous demandait beaucoup d'efforts car il entretenait des rapports difficiles avec son voisinage. Nous dûmes à plusieurs reprises le modérer pour qu'il n'utilise pas notre appui pour exterminer ses voisins. À l'extrême nord, nous avions un accord solide avec le chef Lambouin, qui n'hésitait pas à nous fournir des ouvriers pour nos chantiers et des troupes pour combattre à nos côtés.

En résumé, le danger principal se concentrait au cœur du haut pays et vers l'ouest, jusqu'à la côte qui subissait l'influence des marchands arabes. Ces régions, je vous l'ai dit, étaient dominées par la puissante tribu des Seclaves. Il était inéluctable que, tôt ou tard, on en vînt à une grande guerre qui nous opposerait à eux. En attendant, tous nos efforts se concentraient sur les peuples qui nous étaient désormais alliés, en sorte de nous les attacher et d'être certains que, l'heure venue, ils ne se retourneraient pas contre nous.

C'est ainsi que j'étais passé sans m'en rendre compte d'une politique de division et de destruction à une attitude plus positive qui prônait l'union.

Aphanasie me le fit remarquer un jour. Elle suivait les opérations militaires de très loin. Je savais qu'elle souffrait de nous voir porter en cette terre la corruption et la guerre. En même temps, elle avait vu d'où nous étions partis et à quoi nous avaient réduits les manigances des administrateurs de l'île de France. Elle avait dû, comme moi, dormir les premières nuits à même le sol de cailloux, sans un toit pour nous abriter du vent et de la pluie. Elle avait partagé nos alarmes quand nous avions subi sans aucune défense les premières attaques indigènes. Elle avait été consumée par les mêmes fièvres qui nous avaient poussés à pénétrer dans l'intérieur du pays. Elle savait donc que nous nous battions dos au mur. Quelles que fussent les critiques qu'elle émettait sur nos méthodes, elle comprenait qu'elles étaient dictées par une absolue nécessité et que, faute d'y recourir, nous serions morts. C'est pourquoi elle ne disait rien.

Cela ne l'empêcha pas de se réjouir lorsque, l'étau se desserrant, nous pûmes nous montrer moins destructeurs.

Opérer le rassemblement des indigènes s'avérait néanmoins une entreprise difficile. L'île avait connu des périodes d'unité mais depuis l'assassinat du dernier grand roi, que l'on appelait l'ampanscabé, les tribus ne cessaient de s'affronter.

Un événement survenu peu après notre arrivée dans l'île et que j'avais passé sous silence devant Aphanasie pouvait m'aider à réunir les Malgaches.

Tout avait commencé fortuitement. Nous avions avec nous une vieille femme qui avait été faite prisonnière jadis et vendue à des étrangers. J'avais décidé de la ramener de l'île de France avec d'autres esclaves sur sa terre d'origine et de l'y libérer.

J'appris par la suite d'un de mes officiers que

la pauvre Susanne, c'était son nom, racontait qu'elle avait été déportée avec la fille de Ramini, le dernier ampanscabé. Elle affirmait que cette femme lui avait assuré que j'étais son fils. Cela faisait donc de moi l'héritier de l'empereur. Susanne témoignait d'ailleurs de ma ressemblance avec Ramini. Cette étrange lubie n'aurait mérité que des railleries mais je compris tout de suite quel profit je pouvais en tirer. Je révélai à la vieille femme que j'avais des raisons personnelles de tenir secrète mon identité. Cela revenait à confirmer son hypothèse. Et pour être certain qu'elle le raconterait à toute l'île, je l'autorisai à n'informer autour d'elle qu'un petit nombre d'amies de confiance.

Les chefs des Sambarives entendirent cette rumeur et se réunirent peu après en cabarre. Ils organisèrent une cérémonie secrète pour prêter allégeance à l'empereur qu'ils reconnaissaient dorénavant en moi. Pour donner encore plus de poids à ma renaissance comme ampanscabé, il advint qu'un vieillard dans la province de Mananhar divulgua une prophétie qui eut un grand écho parmi les tribus. Selon lui, un changement général dans le gouvernement de l'île allait se produire et le descendant de Ramini allait rebâtir l'ancienne capitale.

À l'heure où il me fallait unifier toute l'île contre les Seclaves, j'avais plus que jamais besoin de recourir à cette supercherie. Me retenait toutefois la véritable haine qu'Aphanasie vouait à la superstition.

À ce moment précis, elle était justement en train de mener un combat contre une coutume locale atroce qui était inspirée par des croyances magiques.

Nous avions rapidement découvert que les enfants qui naissaient avec certains défauts dans leur conformation, ou qui avaient seulement le malheur d'être mis au monde en certains jours considérés comme funestes, étaient immédiatement mis à mort, en général par noyade. Aphanasie, en grande intimité désormais avec les femmes indigènes, mit toute son énergie à les convaincre de l'horreur de cette coutume. Elle le fit à la manière philosophique, en invoquant le respect dû à la vie humaine, l'égalité de tous les hommes, la force de l'amour. Elle parvint à les persuader et, dans notre voisinage tout au moins, ces pratiques disparurent.

Nous en avions beaucoup parlé car Aphanasie pensait jour et nuit au sort de ces malheureux bébés et cela avec d'autant plus de détermination que le nôtre ne devait plus tarder à apparaître. Nous avions reconnu dans ces actes barbares l'effet de la superstition. Je lui avais lu un passage de Voltaire qui prenait pour cible la religion en ce qu'elle avait d'irrationnel et parfois d'inhumain.

Or, voilà que j'étais sur le point de me prêter avec complaisance à une imposture née de cette même superstition que nous avions communément en horreur. Je ne savais comment l'annoncer à Aphanasie.

La situation était pourtant critique. Tous les renseignements que nous possédions sur les Seclaves attestaient qu'ils avaient réuni contre nous plusieurs milliers de combattants bien armés. Ils étaient informés sur l'état de nos forces, ce qui ne pouvait que leur donner le meilleur espoir.

Car notre troupe d'Européens était épuisée. Nous n'avions pas changé de vêtements depuis notre arrivée et nous étions en haillons. Les fièvres nous attaquaient en permanence et avaient délabré la santé de tous, entraînant même la mort de quelques-uns.

Aux saisons pluvieuses, les difficultés de la vie redoublaient. La boue, les vents en tempête, l'assaut des insectes rendaient l'existence difficilement supportable. Le peu de secours que nous avait fait parvenir l'île de France avait été utilisé en cadeaux pour les tribus. Nous ne survivions que grâce au produit de nos échanges avec les marchands particuliers. Mais le plus tragique était le progressif changement qui s'était opéré dans les mentalités. Nos anciens compagnons du Kamtchatka comme les Français qui nous avaient rejoints au départ de Lorient, tous étaient partis dans l'idée d'accomplir une mission confiée par le roi. La mauvaise volonté des administrateurs de l'île de France n'avait pas paru trop préoccupante dans les débuts. J'avais mis cela sur le compte d'une jalousie qui démontrait à quel point notre entreprise était prestigieuse et suscitait des convoitises. Mais chaque fois que j'avais envoyé un bateau aux îles de France ou de Bourbon pour demander de l'armement, des troupes ou des artisans qualifiés, mes émissaires étaient revenus presque bredouilles après avoir rencontré un accueil marqué par la plus mauvaise volonté. Il fallait se rendre à l'évidence : après une année de présence dans cette île, nous étions abandonnés. En un mot, mes hommes n'y croyaient plus.

J'avais pourtant essayé d'améliorer leur quotidien. Grâce à des détachements de Noirs fournis par les tribus amies, nous avions construit des cabanes plus confortables, aménagé des hôpitaux, tracé des routes, élevé des forts convenablement défendus. Cependant, au moment de livrer une bataille décisive d'où dépendait notre avenir sur cette île, il ne s'agissait plus seulement de survivre mais de rassembler toutes nos forces pour affronter un ennemi redoutable. Le seul élément susceptible de motiver à nouveau mes troupes aurait été de sentir autour de nous un soutien complet des indigènes qui peuplaient cette moitié orientale de l'île. S'il fallait, en plus, s'en méfier, et craindre à tout moment leur défection, voire leur trahison, il était inutile de livrer le combat : nous étions d'ores et déjà perdus.

Ce furent des jours d'une extraordinaire dureté. Nous étions au mois de décembre ; les pluies battaient leur plein. À Louisbourg, en bordure de mer, tout n'était qu'eau : celles de la mer se mêlaient à celles de la rivière en crue et aux cataractes qui tombaient du ciel. En montant vers la Plaine de la Santé, on avait le sentiment de s'approcher des nuages. Les pâturages fumaient et des brumes froides rampaient le long des pentes.

Aphanasie approchait du terme. Deux femmes indigènes se relayaient auprès d'elle pour lui apporter sa nourriture et l'assister dans les gestes de la vie quotidienne. L'humidité, qui rendait les plantes turgides, étendait son influence jusque dans le corps d'Aphanasie : en ces dernières semaines, elle avait vu son ventre croître au point de ne plus pouvoir se soutenir longtemps debout et ses jambes étaient gonflées d'eau.

Tout était encore calme au-dehors mais je savais par mes espions que les Seclaves, aidés par les Arabes, n'attendaient que la fin des pluies pour lancer leur offensive. Ils envoyaient des émissaires à toutes les tribus pour leur proposer de se joindre à eux quand ils nous attaqueraient. Je sentais nos amis indigènes indécis, partagés, hésitants. Des hommes de ma troupe commençaient à murmurer. Une mutinerie n'était pas à exclure. J'appris que certains de mes soldats avaient reçu des propositions des indigènes : ils leur offraient la vie sauve et un rembarquement pour l'île de France sur un bateau marchand à la condition qu'ils refusent de combattre pour moi.

J'hésitais encore à parler à Aphanasie. Ce fut elle qui prit les devants.

Une de ses femmes qui appartenait aux Sambarives avait eu vent des prophéties qui me concernaient. Elle s'en ouvrit à Aphanasie et celle-ci, un soir que j'étais à son chevet, me saisit la main et me dit :

— Mon ami, nous détestons l'un et l'autre la superstition et je sais à quel point vous êtes attaché à ne nous guider qu'en suivant les lumières de la raison. Cependant, il est des cas où il faut mettre ses principes de côté, sauf à ne plus pouvoir être en condition de les appliquer un jour.

Son front perlait de sueur. Elle était très pâle. Je craignais que les fièvres ne lui ôtent la force de mettre notre enfant au monde. Des larmes me venaient tant je me sentais coupable de l'avoir condamnée à une telle existence. L'eau dégouttait du toit de palme avec un bruit sinistre. La nuit était tombée et la pièce n'était éclairée que par le pâle éclat d'une lampe à huile.

Aphanasie, malgré l'hydropisie qui l'alourdissait, avait un visage amaigri où les joues creusées laissaient paraître le relief des pommettes et des mâchoires. Ses lèvres étaient desséchées par la fièvre. Elle parlait avec difficulté et je dus me pencher sur elle pour entendre les mots qu'elle prononçait.

— Je sais qu'ils vous prennent pour leur roi, me dit-elle en formant un pâle sourire. Ils ont bien raison. S'ils me demandaient mon avis, je leur dirais… que vous le méritez.

Je pressai sa main et portai ses doigts glacés à mes lèvres.

— Dites-leur que c'est la vérité, poursuivit-elle

dans un sursaut. Je sais qu'il ne faudrait pas. Mais nous n'avons pas le choix.

Elle posa la main sur son ventre et regarda dans le vague, comme si l'être qui devait en sortir était déjà là, devant elle.

— Il faut penser à notre enfant, à nous. Et puis…

Elle marqua un temps, comme si elle écoutait une voix intérieure.

— Et puis, qui sait si de cette imposture ne naîtra pas un bien.

Même si elle prétend le contraire aujourd'hui avec modestie, je pense qu'elle avait vu longtemps avant moi, et dès ce soir funeste, tout ce qui allait advenir et nous conduire ici aujourd'hui.

Notre conversation s'arrêta là. Le soir même, elle entrait en travail.

Cependant qu'elle plongeait dans la terrible solitude de l'enfantement, j'assemblai les chefs de l'île qui étaient installés dans le voisinage et je fis quérir les autres. Au matin, je tins une cabarre et priai le chef des Sambarives de révéler mon identité. Celui-ci se leva et me reconnut formellement comme le descendant de Ramini. Je confirmai ses dires, en expliquant que je n'avais pas voulu jusque-là me faire reconnaître afin de juger de l'attitude de chaque tribu en toute justice. Aujourd'hui, devant la déclaration de guerre des Seclaves, c'était en tant qu'ampanscabé que je leur demandais de m'appuyer. Prévenant l'objection de certains chefs, je pardonnais à ceux dont les tribus avaient naguère participé au massacre de Ramini.

Il y eut un long silence puis tous se levèrent et déclarèrent solennellement m'apporter leur soutien. Ils combattraient avec moi dans la bataille qui s'engageait et faisaient le serment qu'ils refuseraient toute alliance avec les Seclaves.

À midi, j'étais acclamé comme le roi de Madagascar. Moins d'une heure plus tard, je fus appelé au chevet d'Aphanasie. Délivrée de ses souffrances, elle tenait contre elle notre fils, Charles.

IV

Peu avant le déclenchement des hostilités, j'appris dans un courrier apporté par un vaisseau en escale la mort du roi et l'avènement de Louis XVI. Il semblait que des changements étaient en cours aussi dans les ministères.

Cette incertitude supplémentaire n'était pas de nature à me rassurer. Je n'avais pas reçu d'ordre de Versailles depuis des mois et je savais désormais que les administrateurs de l'île de France n'étaient occupés que de notre perte.

Nous avions pu jusqu'ici surmonter les conséquences de cet abandon. Les conflits avec les naturels s'étaient réglés par des moyens essentiellement politiques et n'avaient donné lieu qu'à des escarmouches. Avec les Seclaves, il en allait autrement : c'est une véritable guerre qui se préparait. J'avais la responsabilité des troupes que m'avait confiées le ministre. Leur nombre se montait à moins de trois cents volontaires à cause des pertes dues à la maladie et à quelques attaques armées. C'était un miracle que leur confiance ne fût pas ébranlée car ces hommes voyaient bien que les secours attendus n'arrivaient pas et que le ministère ne répondait pas à mes suppliques.

Le ralliement massif des chefs indigènes les rassura et je divisai l'armée en trois ailes dans lesquelles je mêlai Européens et Malgaches. J'enseignai même le service de l'artillerie à des esclaves mozambiques qui firent merveille. À cette armée commandée par mes soins et ceux de mes lieutenants français s'ajoutaient les troupes indigènes venues nous soutenir sous les ordres de leurs chefs. En tout, nous pouvions aligner quinze mille hommes.

Les Seclaves peuplaient un territoire très riche et très salubre. Il descendait en pentes douces jusqu'à la côte occidentale où se tenaient les Arabes venus des Comores et d'autres îles. Les Seclaves auraient pu disposer d'une armée bien supérieure si la brutalité de leur roi, nommé Cimanour, n'avait détourné de lui de nombreux chefs.

Nous avions pu tirer parti de ces dissidences pendant les semaines précédentes. Des tribus qui vivaient sur les marches du territoire seclave nous avaient rejoints, ainsi qu'un prince nommé Rozaï, qui avait été détrôné et dépouillé par le roi actuel et qui demandait vengeance.

L'heure du combat était proche. Les indigènes, qui n'avaient plus connu une telle unité depuis longtemps, organisèrent des veillées d'armes bruyantes et joyeuses. La nuit malgache était pleine de feux. On entendait résonner les tambours et les cris des danseurs montaient de toutes parts, avec des rires et des chants guerriers.

Au matin du jour convenu, nous embarquâmes les troupes et l'artillerie dans nos chaloupes et dans des bateaux indigènes qui s'étaient assemblés dans la rade de Louisbourg par centaines. Par la mer d'abord puis en franchissant à pied les pistes de la montagne, nous parvînmes jusqu'aux premiers camps des Seclaves.

On les distinguait en contrebas, inconscients du danger qui les surplombait. Les premiers engagements se firent à l'artillerie et semèrent la terreur chez nos ennemis. Les guerriers, peu accoutumés à de telles armes, répandirent dans leur fuite l'idée que des démons les avaient attaqués. La campagne fut aisée et nous mîmes en déroute tous les camps qui se dressaient sur notre route. Des Seclaves par milliers se rendaient à nos avant-gardes.

Comme j'allais donner l'ordre d'avancer encore, je reçus la visite du chef d'Antonguin nommé Tihenbato qui avait jugé bon de nous résister et de s'allier aux Seclaves. Il était porteur d'un message de leur roi qui nous proposait la paix et un traité d'amitié. Je lui fis connaître mes conditions. La négociation s'engagea mais l'essentiel était acquis : la guerre nous avait apporté la victoire.

Je rentrai à Louisbourg après avoir disposé des postes dans le territoire seclave pour éviter toute reprise des hostilités.

Sitôt arrivé, je trouvai Aphanasie sur pied, presque guérie et heureuse de tenir Charles contre son sein. À l'angoisse de ces dernières semaines succédait un grand bonheur. Le ciel lui-même semblait en témoigner qui était redevenu bleu et limpide. Une douce tiédeur séchait la terre et il était agréable de se tenir dans l'ombre fraîche.

Nous étions maîtres de toute l'île mais ce n'était pas au prix d'une domination violente. Des liens d'amitié profonde étaient solidement tissés avec les chefs de tout le territoire et je ne doutais pas que les Seclaves en feraient bientôt partie. Jamais je n'avais cherché à réduire les indigènes en servitude et depuis que je m'étais mis à œuvrer pour leur unité et non leurs divisions, j'avais construit avec eux une relation confiante dont ils me témoignaient chaque jour.

Les fêtes qu'ils donnèrent pour célébrer notre victoire commune furent l'occasion de les entendre me manifester non seulement leur reconnaissance mais leur affection. Raoul, Raffangour, Hyavi, tant d'autres, étaient autour de moi comme des amis, des frères. Je voyais d'ailleurs que mes troupes qui avaient servi côte à côte avec les indigènes éprouvaient pour eux le même attachement.

Cette harmonie était remarquable. Ma seule crainte était que cette entente, ce respect, cette fraternité fût à jamais impossible à faire comprendre aux maîtres des îles de France ou de Bourbon.

Les administrateurs de ces colonies avaient toujours considéré Madagascar comme une vaste réserve d'esclaves, peuplée de primitifs hostiles. C'était la raison pour laquelle ils ne souhaitaient pas qu'un établissement y fût créé et encore moins une colonie. J'imaginais mal qu'ils puissent accorder le moindre crédit à mes propos si je devais leur raconter ce que nous étions en train de vivre. Peut-être aurions-nous plus de chances d'y parvenir à Versailles, où les esprits étaient moins étroits et les préjugés moins enracinés ?

Les jours qui suivirent furent étranges. En toute logique, ils auraient dû être marqués par une joie durable. L'île connaissait la paix. Nous y étions environnés d'amis. Aphanasie s'était remise de ses couches. Notre petit Charles était entouré d'affection. Les femmes indigènes se disputaient le privilège de le tenir dans leurs bras, de le protéger des insectes en éventant son berceau avec une feuille de bananier.

Malgré tout, il régnait à Louisbourg et dans les environs une entêtante atmosphère d'angoisse et presque de peur. Les chefs qui étaient venus pour certains de fort loin dans le dessein de combattre à mes côtés ne repartaient pas. Ils renvoyaient le gros de leurs troupes mais eux-mêmes demeuraient dans mon voisinage. Nul ne parlait. Tous semblaient redouter quelque nouvelle menace.

Il n'y avait pourtant plus rien à craindre du côté des insulaires. Tous les messages en provenance des Seclaves indiquaient qu'ils étaient attachés à la paix et à l'amitié qu'ils proclamaient. Ma victoire semblait les avoir convaincus de ma parenté avec Ramini. Cette identité presque légendaire rendait moins honteuse la défaite et tendait même à la justifier.

D'où pouvait donc provenir le danger ? De France, bien entendu, et de ses représentants dans les îles voisines.

Aucun bateau n'apparaissait, qui aurait pu porter des nouvelles. Je passais ces journées auprès d'Aphanasie et de notre fils mais j'en profitais aussi pour aller explorer certaines régions de l'intérieur proche qui m'étaient inconnues. Je découvrais à chaque instant des beautés et des richesses nouvelles dans cette île. Je jetais sur elle désormais un nouveau regard, plein de tendresse et de fierté, comme si ces splendeurs étaient miennes mais surtout comme si j'étais devenu l'un de ces insulaires. J'avais lié mon destin à cette terre. Je désirais d'y vivre et un jour d'y mourir. Et ma récompense suprême était d'avoir déposé ce trésor dans la corbeille du nouveau roi de France. Je ne doutais pas qu'il m'en reconnaîtrait le mérite et me laisserait gouverner ce pays pour son plus grand profit et dans la liberté de ses habitants.

Que l'on juge de ma stupeur quand nous parvint la nouvelle.

Elle provenait de Hyavi qui avait dû rentrer à Foul Point et il nous l'avait fait connaître par des coureurs. Ils arrivèrent les pieds en sang, à bout de souffle, en sueur. Hyavi avait tenu à ce que nous soyons prévenus pendant qu'il était encore temps.

Par des marchands particuliers qui avaient fait escale chez lui, il avait appris qu'une frégate française nommée la *Consolante* avait jeté l'ancre à l'île de France. Elle amenait de Versailles deux commissaires envoyés par le nouveau ministre. Leur intention était de se saisir de ma personne pour me faire passer en jugement et de reprendre en main l'établissement, en s'assurant des indigènes par la force.

Je communiquai cette nouvelle aux chefs qui m'entouraient. Ils se montrèrent accablés mais beaucoup moins étonnés que moi. Ils n'avaient jamais douté, au fond, des intentions de la France à leur égard. Des années de résistance à la pénétration française sur leur côte les avaient persuadés que la seule intention de ces étrangers était de les réduire en servitude et de s'emparer de leurs richesses.

Ma crainte était que cette nouvelle ne les fît brutalement changer d'opinion à mon endroit. Après tout, je n'avais jamais accompli depuis mon arrivée que des actes au nom du roi de France. J'avais scellé pour son compte tous les traités d'amitié. Les indigènes pouvaient considérer que j'étais le fourrier des colons et des esclavagistes qui s'avançaient maintenant et entendaient prendre ma place.

Après avoir pris connaissance de cette nouvelle, ils se retirèrent sans dire un mot et disparurent dans leurs campements.

Je dois avouer que j'ai été un moment saisi par la panique. Je considérai le seul vaisseau qui était alors disponible et je calculai le temps qu'il me faudrait pour monter à bord et embarquer ma famille ainsi que quelques hommes de confiance. Ceux qui ne pourraient s'échapper devraient rester dans le fort en attendant la *Consolante*. Avec le recul, j'ai honte d'avoir ainsi perdu mon sang-froid. Eussé-je été seul que je n'aurais peut-être pas réagi de la même manière mais je pensais à Aphanasie et à cet enfant innocent qui risquait de se voir ôter la vie.

Heureusement, je n'eus pas le temps de donner à ce plan un début d'exécution. Les chefs indigènes m'envoyèrent des émissaires pour me demander de tenir une grande cabarre.

Sitôt prévenus qu'elle était installée, les chefs revinrent me trouver. Je les entendis venir de loin car ils marchaient entourés d'une garde de deux mille hommes armés de sagaies et de boucliers. Chaque chef s'avançait derrière un porte-étendard qui brandissait les couleurs de sa tribu. Des tambours rythmaient le pas. Les troupes indigènes s'arrêtèrent sur le seuil de la salle où devait se tenir la cabarre et où j'avais fait installer un parquet. Les chefs prirent place tout autour. Il y avait là tous mes amis, Raffangour, Raoul, Sancé et bien d'autres. Ils tenaient le visage fermé. Quand le silence se fit, Raffangour se leva et prit solennellement la parole.

Son discours était orné de toutes les formules

de politesse traditionnelles. Il aborda ensuite le cœur du sujet.

« En tant qu'héritier de la tribu de Ramini, je déclare, devant tous les chefs ici réunis, que je reconnais officiellement ta parenté directe avec lui et que je t'abandonne tous les titres à lui succéder.

« Nous, rois, princes, rohandrians et chefs de tribu de Madagascar, te présentons nos respects et te déclarons notre ampanscabé. Tu es notre roi à tous, Auguste. Nous remercions Dieu de t'avoir envoyé sur cette île pour assurer son unité. Tes victoires montrent assez que ton combat était soutenu par les puissances les plus hautes de la terre et du ciel. »

Aphanasie m'avait accompagné cette fois à la cabarre. J'échangeai un regard inquiet avec elle. La fable dont je m'étais rendu complice et qui faisait de moi un prétendu roi ne se justifiait qu'au moment où nous étions à la dernière extrémité. Que devait-on en faire maintenant que l'île était unifiée et en paix ? Fallait-il perpétuer l'imposture ? Je guettais un signe sur le visage d'Aphanasie qui pût me faire connaître son sentiment. Nous étions accoutumés désormais à décider ensemble de ce qui importait pour nos vies et celle de notre enfant. Je ne voulais pas lui imposer un choix auquel elle n'aurait pas souscrit sincèrement. Elle parut réfléchir, les yeux baissés. Puis elle les releva, considéra d'un regard circulaire tous les chefs silencieux qui attendaient notre réponse et elle sourit. Quand son regard se posa sur moi, il était illuminé par une flamme joyeuse. Elle serra mon poignet dans ses doigts fins et me fit un petit signe d'approbation. Je lui retournai son sourire et me levai à mon tour.

Je répondis avec émotion à la harangue de Raffangour. C'était avec une joie profonde que j'acceptais la charge qui m'était conférée. Je m'engageais solennellement à défendre la nation malgache de toutes mes forces, à combattre pour sa liberté, à œuvrer pour sa prospérité, à faire régner la concorde et l'amour entre ses peuples grâce à l'institution d'un juste gouvernement.

Les indigènes marquèrent par des cris qu'ils appréciaient ma réponse. Sur ce, le chef Raoul prit la parole. « Nous savons, dit-il, que les Français se préparent à venir en cette île pour en prendre le contrôle et pour vous abattre. Sachez que nous ne l'accepterons pas. Vous vous êtes engagé à ne jamais attenter à notre liberté. Nous vous jurons, pour notre part, que nul ne touchera à votre personne sans trouver tous les guerriers de nos tribus dressés pour vous défendre. »

À ces mots, j'embrassai Raoul comme un frère. J'avais du mal à retenir mes larmes.

Par bonheur, pour me faire revenir à moi, les chefs proposèrent de prononcer le serment solennel d'ampanscabé. Je le fis en répétant les paroles rituelles. Puis un des guerriers ouvrit une petite veine sur mon bras, en y passant le tranchant effilé d'un poignard. Chaque chef, à tour de rôle, vint poser sa bouche sur la plaie d'où coulait un filet de sang. Ils prononcèrent l'un après l'autre des vœux et des malédictions contre tous ceux qui attenteraient à la vie de leur ampanscabé. Puis nous nous rassîmes.

Un chef de la tribu des Bétalimènes prit alors la parole. Il m'engagea, puisque les Français par leur attitude se déclaraient autant mes ennemis que les leurs, à renoncer à les servir. J'étais hésitant sur ce point car, malgré tout ce que nous avions subi, ma loyauté à l'égard du roi de France demeurait intacte. Il me semblait que je pouvais toujours espérer faire triompher mes vues et servir à la fois les intérêts de la nation malgache qui m'avait accueilli et ceux de la France au nom de laquelle j'avais entrepris cette mission.

En même temps, je voyais bien que rester sous l'autorité des envoyés du roi revenait à accepter leur condamnation, à ne pas résister à leurs ordres, même s'ils me démettaient de mes fonctions. En d'autres termes, pour défendre mes idées auprès des Français, j'avais tout intérêt à me déclarer libre de mes devoirs envers eux. J'acceptai donc la proposition des indigènes et leur répondis qu'à compter de cet instant je n'étais plus français.

Un autre chef se leva alors et, en me félicitant, me dit qu'en tant qu'ampanscabé et malgache, il convenait que je choisisse un nom de roi, différent de celui que j'avais reçu à ma naissance. Cette demande me prit de court. Un silence attentif montrait que les chefs attendaient ma proposition avec curiosité. Je ne trouvais pas d'idée. Des images confuses se pressaient dans ma tête parmi lesquelles la plupart se référaient à la Sibérie. Dans la tiédeur tropicale, il me revenait bizarrement en mémoire des paysages de glace et des sensations presque agréables de froid intense et de lacs gelés. Des animaux couraient sur ces immensités hostiles, des bêtes à fourrure qui survivaient à tout, comme j'avais survécu moi-même, parce qu'elles conservaient en elle la chaleur de la vie. Et je revoyais les doigts si fins d'Aphanasie plonger dans l'épaisse toison de sa zibeline blanche.

— Zibeline ! m'écriai-je sans y penser.

Les chefs répétèrent ce mot qui leur était étranger mais qu'il leur plaisait de prononcer comme s'ils avaient fait fondre dans leur bouche la chair goûteuse d'un fruit inconnu.

— Le roi Zibeline !

Ils aimaient ces mots tombés du ciel comme la sentence d'un magicien et qui semblaient porter en eux les signes indéchiffrables du destin. Le calme revenu, il se fit un brouhaha dans l'assistance. Les regards se dirigeaient maintenant vers Aphanasie. Un chef saphirobay osa enfin prendre la parole. Il avait la voix moins assurée.

— Et quel nom choisira la reine ? dit-il, provoquant des rires gênés dans l'assemblée.

Je regardai Aphanasie qui avait rougi. Elle m'a confié depuis qu'elle s'était préparée à cette question sans savoir qu'on la lui poserait.

En me voyant chercher un nouveau patronyme, elle s'était demandé ce qu'elle répondrait elle-même en pareil cas. Si bien que lorsqu'elle fut interpellée, elle avait déjà arrêté une réponse.

— Magnolia, prononça-t-elle à ma grande surprise.

Je savais qu'à Paris, dans les salons qu'elle fréquentait avec son amie Julie, elle avait fait la connaissance du naturaliste Buffon, qui la tenait en grande affection. Quand il sut que nous allions nous embarquer, le vieillard avait fait don à Aphanasie de quelques graines d'une fleur récemment acclimatée au Jardin des Plantes en provenance du Japon. Madagascar s'était révélée propice à la croissance de ce végétal. Un bouquet de magnolias fleurissait désormais à l'entrée de notre maison à Louisbourg.

Ainsi nommés, nous eûmes encore à répondre à d'autres questions. Les chefs me demandèrent où je comptais fixer ma capitale et j'indiquai une position centrale sur les hauts plateaux qui me semblait convenir.

Puis nous allâmes annoncer ces décisions au-dehors. Les premiers qui m'accueillirent furent les hommes de ma troupe. Je craignais qu'ils ne voient mon choix comme un abandon. À ma grande surprise, ils l'acclamèrent. Je découvris qu'un grand nombre des Européens qui m'avaient accompagné s'étaient accoutumés à vivre dans les tribus et affirmaient vouloir eux aussi demeurer dans l'île pour le reste de leur vie.

La foule des indigènes fut ensuite haranguée par les chefs et poussa des cris d'enthousiasme. Aussitôt, je fis sacrifier deux bœufs pour nourrir la foule et les réjouissances commencèrent.

C'est peu avant la tombée de la nuit que le poste de vigie annonça l'arrivée d'un trois-mâts. La *Consolante* entra dans la rade peu après. Un nouveau combat s'engageait.

V

Vous avez assez vécu pour savoir que, dans l'existence, les moments les plus dramatiques peuvent aussi être les plus heureux. Nos sentiments ne marchent pas à la même allure que le monde autour de nous. Ainsi, au plus fort de ces alarmes et tandis que nous attendions d'une heure à l'autre l'arrivée d'oiseaux de mauvais augure, nous vivions, Aphanasie et moi, des instants d'une indicible félicité. À la vérité, je ne me croyais pas capable d'aimer à ce point, ni d'accueillir le bonheur en lui opposant si peu de résistance. Rien, dans mon enfance, ne m'y avait prédisposé. Et si mon professeur Bachelet m'avait exhorté à chercher le bonheur, c'était avec la passion mélancolique et désespérée de quelqu'un qui ne l'avait jamais rencontré.

Aphanasie vous a raconté par quelles ruses elle m'avait ouvert les yeux. Sur l'instant, je vécus cette alerte sans rien savoir de sa minutieuse préparation. Depuis, nous avons eu longuement l'occasion d'en parler et d'en rire. C'est peu de dire que je n'en veux pas à Aphanasie de ces manœuvres : je lui en suis profondément reconnaissant.

À Madagascar, je pouvais, grâce à cela, mettre un nom sur mes sentiments. J'étais simplement fou d'amour. La naissance de Charles, loin de diviser cet amour, le multipliait. Et j'avais appris à l'exprimer, à m'y abandonner. Dans la paix de l'île, je trouvais le temps pour tout. Je travaillais avec les chefs indigènes à construire des institutions qui établiraient dans le pays un juste gouvernement et qui, tout en reconnaissant le pouvoir d'un souverain, lui fixeraient des limites. Je m'inspirai des idées de John Locke et de Montesquieu que je m'efforçai d'exposer aux Malgaches avec l'aide de nos interprètes.

À ma grande satisfaction, ils accueillaient ces conceptions avec un esprit critique d'une grande clairvoyance. L'hypothèse selon laquelle ils acceptaient de remettre l'autorité entre les mains d'un monarque à la condition que celui-ci garantisse leur liberté et préserve les droits qui étaient les leurs à l'état de nature les passionnait. Ils étaient parfaitement conscients que, s'ils m'avaient reconnu comme leur ampanscabé, c'était parce que je m'étais engagé à ne pas les subjuguer, à ne pas leur imposer de religion et à protéger leur liberté.

Plus complexe était la question de l'équilibre des pouvoirs. Jusque-là, dans l'île, à un abus d'autorité répondait la fuite vers un autre territoire. Je leur expliquai que tel était à peu près le cas de l'Italie avec sa mosaïque de principautés. Au fond, ils s'en accommodaient et je dus chercher loin dans les textes de Montesquieu les arguments pour les convaincre que fuir la tyrannie était bien, la combattre mieux encore mais qu'à tout prendre l'idéal était qu'elle ne pût jamais naître.

Curieusement, dans ces discussions, ma grande faiblesse venait de ce que la nation qui m'avait envoyé dans l'île montrait bien peu l'exemple en matière de sagesse politique. Les naturels pouvaient m'entendre disserter sur la justice et le bon gouvernement ; ce qu'ils avaient observé dans mes relations avec l'île de France, c'était le mensonge, l'arbitraire et la violence dont je prétendais vouloir les délivrer.

Je répondis à ces objections en représentant aux Malgaches que, n'étant pas encombrés d'une monarchie ancienne et d'une Église puissante, ils étaient libres d'imaginer une forme de gouvernement qui leur fût propre, en avance même sur celle de l'Europe. Ces débats conduisirent à arrêter des décisions importantes quant à l'organisation de l'île. Nous convînmes d'établir une « assemblée générale de la nation », un conseil suprême élu et un présidium permanent. Nous instituâmes une division de l'île en six gouvernements, comportant chacun son conseil provincial composé du gouverneur et de représentants nommés par les diverses classes sociales. Par ailleurs, nous avions lancé de grands travaux dont je surveillais l'exécution.

Ces tâches accomplies, et elles ne m'occupaient pas si longuement, je revenais auprès d'Aphanasie. Nous avions arrangé une case si bien construite qu'on pouvait sans exagérer lui donner le nom de maison. Elle était composée de plusieurs pièces tapissées de planches et pourvues d'un parquet de bois rouge. Nous avions acheté à des marchands particuliers des pièces d'étoffe fine pour confectionner des rideaux et des draps. Un menuisier, qui figurait parmi les rares artisans autorisés à venir de l'île de France, nous avait construit de beaux meubles faits de branches assemblées et qui sentaient encore la forêt.

Après avoir vu Aphanasie si conformée aux usages parisiens, fréquentant les salons les plus élégants, choisissant avec goût ses vêtements comme ses bijoux, je craignais qu'après la tourmente de la grossesse et de l'accouchement elle ne revînt à elle et ne se mît à éprouver douloureusement l'absence de ces raffinements. Elle n'en fit rien et, lorsque je lui en parlai, elle me répondit qu'elle s'étonnait elle-même d'y penser si peu. À vrai dire, elle se sentait très heureuse dans cette île. Elle avança une explication qui me parut originale : selon elle, les maisons de Paris ou d'autres villes d'Europe manquaient si cruellement de soleil et de nature qu'on devait peindre les lambris de couleurs claires, tapisser les sièges de soieries lumineuses et accrocher aux murs, comme autant de fenêtres imaginaires, des tableaux qui figuraient des ciels d'azur et des forêts luxuriantes. À Madagascar, elle avait tout cela sous les yeux en permanence et ne ressentait pas le besoin d'en reproduire l'image.

Au fond, nous étions parfaitement accordés en ceci qu'elle comme moi n'avions qu'un désir : pouvoir demeurer dans cette île et y vivre heureux. Ses amitiés avec les Malgaches ne faisaient que s'approfondir de jour en jour. Elle qui avait connu une enfance solitaire et douloureuse découvrait auprès des indigènes une légèreté, une envie de rire et de fête, un plaisir d'être en compagnie qui étaient source de grands bonheurs. Elle se passionnait pour leur langue, leur culture, leurs croyances, et s'amusait à retrouver sous la différence des comportements et des mœurs les mêmes passions humaines. Et, inversement, elle avait plaisir à voir que ses propres sentiments étaient compris, au point que la mise à mort des enfants, qui l'avait tant révoltée, avait cessé chez les tribus dans le voisinage desquelles nous vivions.

Je lui avais demandé à propos de superstition pourquoi elle avait finalement accepté que j'accrédite l'idée de ma filiation royale. Elle me répondit qu'après y avoir bien réfléchi elle avait pris conscience que ce mensonge, qui nous avait sauvé la vie, n'était en lui-même ni bon ni mauvais et que tout dépendait de l'usage que j'en ferais. Si, en devenant le roi des Malgaches, j'utilisais mon pouvoir pour les livrer aux Français qui voulaient les asservir, je commettrais un crime impardonnable. Mais si, grâce à l'unité

353

que j'avais contribué à restaurer entre eux, j'aidais les chefs à résister et à faire reconnaître leur dignité, alors du mensonge aurait procédé un grand bien.

L'arrivée de la *Consolante* allait bientôt nous placer devant cette alternative et nous contraindre à prendre un parti, quel qu'en fût le prix.

*

M. de Bellecombe, maréchal de camp, et M. Chevreau, commissaire général des vivres, étaient les deux émissaires du nouveau ministre, amenés jusqu'à moi par la *Consolante.*

Sitôt que leur navire eut jeté l'ancre dans la baie, ils m'envoyèrent une lettre pour se présenter et m'enjoindre au nom du roi de me rendre à leur bord. Le piège était grossier. Je répondis que mon plus cher désir était d'obéir mais que, cependant, tant que je n'avais pas démissionné de ma charge, je ne pouvais pas m'éloigner de la côte. La nuit se passa en conciliabules à bord du vaisseau de Sa Majesté.

J'imagine que ces messieurs n'étaient pas pressés de débarquer. S'ils étaient parvenus à se saisir de moi, il est bien probable qu'ils seraient repartis aussitôt. Mon refus les obligeait à revoir leurs plans.

On ne s'imagine pas à quel point la lâcheté et la flagornerie peuvent conduire certains personnages à se mettre en danger. Faute d'avoir le courage de contester les ordres reçus et parce qu'ils craignent de déplaire à ceux qu'ils servent, certains courtisans, par un excès de cette prudence, finissent par se résoudre à prendre de grands risques. C'est ainsi que MM. de Bellecombe et Chevreau se décidèrent à monter dans leur chaloupe et à se faire conduire à terre.

Je les reçus en grande tenue : j'avais fait ravauder mon uniforme et j'avais demandé qu'on y brodât des insignes hongrois, polonais et un nouvel emblème que j'avais dessiné moi-même et qui signerait désormais les armes de Madagascar. Mes officiers portaient, pour ceux qui m'avaient suivi depuis le Kamtchatka, les uniformes rouges que je leur avais fait confectionner à Macao. Les chefs indigènes étaient disposés autour de moi selon un protocole respectant fidèlement leur naissance et l'importance de leur tribu.

M. de Bellecombe était un petit homme fluet, de constitution fragile. Il avait une haute idée de ses fonctions et de son rang, et entendait se comporter avec une majesté qui empruntait, si peu que ce fût, à celle du roi. Il tint à débarquer le premier de la chaloupe. Hélas, il s'élança avant que l'amarre ne fût tout à fait tendue et il tomba à cheval sur le plat-bord, ce qui lui navra l'entrejambe d'une manière violente. Il n'était pas un homme sur le rivage qui n'eût pu compatir à un tel coup porté sur une région ô combien sensible. Secouru par M. Chevreau et par les marins, Bellecombe fut allongé sur le quai. Il reprit contenance avec difficulté, finit par se relever et marcha sur moi l'air furieux.

— Je vous rappelle que c'était à vous, Benjowski, de vous présenter à nous, cracha-t-il.

Il avait un visage aigu, des yeux chassieux, le teint blafard. Je suppose que de tels hommes ont dû de toute éternité pousser dans l'ombre humide des puissants, protégés des coups par ce voisinage et préposés à l'expression du mépris et à l'annonce des châtiments.

Chevreau, lui, était un brave bougre de militaire, qui avait tiré sa barque au sec en décrochant cette charge d'intendance qui le mettait à l'abri des combats. Il était clair cependant que, des deux, celui-ci ne comptait pas.

Bellecombe, sitôt remis, dédaigna la main que je lui tendis, regarda notre compagnie d'Européens et d'indigènes avec un air épouvanté et saisit dans sa poche un mouchoir dont il se couvrit la bouche.

— Monsieur le maréchal de camp, si vous voulez bien me suivre, lui dis-je.

Je l'emmenai vers le bâtiment où se tenaient les grandes cabarres et où nous projetions d'installer le conseil suprême. Bellecombe m'emboîta le pas, rentrant la tête dans les épaules quand il dut passer devant les grands guerriers malgaches alignés sur la plage. Avec ses chaussures à boucles faites pour les parquets de Versailles, il se tordait les pieds dans le sable.

Parvenu sur la place carrée autour de laquelle s'ouvraient les principaux bâtiments de Louisbourg et où flottait un drapeau bleu et blanc sur un mât de pavillon, Bellecombe s'arrêta et jeta un regard circulaire sur les façades puis sur notre cortège. Ce regard était si apitoyé, si méprisant qu'en un instant notre propre vision de l'établissement changea du tout au tout. Pour nous, ces grandes cases aménagées tant bien que mal pour avoir une allure officielle étaient chargées de l'énorme poids des souffrances que leur construction nous avait coûtées. Nous nous souvenions de nos premières nuits sur ce rivage, au lieu même qui allait devenir cette place d'apparat. L'humidité, la peur, la faim, nous avions tout subi là et, pour établir la paix, pour parvenir à élever ces bâtiments, pour leur donner vie, il avait fallu une incroyable quantité d'efforts et de privations.

Et voilà qu'en un regard ce petit homme terrifié, qui tentait de faire barrage aux fièvres qu'il redoutait en se fourrant un bouchon de batiste dans la bouche, venait de nous ouvrir les yeux. La grande place que certains appelaient déjà la place du Conseil et d'autres encore la place d'Armes n'était qu'un carré d'herbes et de cailloux entouré par des baraques de guingois. Les pluies de la saison froide avaient lessivé le bas des murs, révélant que les pauvres enduits qu'on y avait étalés n'étaient qu'un brouet sans noblesse de paille, de terre et de bouse de vache.

Bellecombe avança jusqu'au centre de la place et leva la tête vers le drapeau.

— Quelles sont ces couleurs ? demanda-t-il.

— Les miennes.

J'eus tort de répondre ainsi, bien sûr. Mais comment lui expliquer que c'était l'étendard que j'avais choisi en tant qu'ampanscabé quand la cabarre m'avait confié ce titre et cet honneur ?

— Amenez-les, jeta Bellecombe à son acolyte.

Chevreau se dépêcha de faire disparaître cet outrage. Mes couleurs descendirent dans un complet silence.

— Ne restons pas ici, dit le maréchal de camp.

Je l'entraînai vers la salle du conseil et les indigènes nous accompagnèrent.

— Pourquoi ces sauvages nous suivent-ils ?

— Ce sont les chefs de l'île et j'imagine que vous voulez leur parler.

Bellecombe haussa les épaules.

— Menez-nous à votre cabinet. Je suppose que vous en avez un, tout de même. Sinon, allons simplement chez vous et parlons entre civilisés.

Je conduisis les émissaires à la maison. Aphanasie était assise devant la porte, avec deux femmes noires qui s'occupaient du bébé.

— Mon épouse.

Bellecombe fit une révérence de cour sans ôter son mouchoir de sa bouche ni prendre le risque de tendre la main. Aphanasie le salua avec un sourire aimable où je lisais cependant une petite flamme inquiète.

— Eh bien, entrons, si vous le voulez.

Nous prîmes place autour de la table, les deux émissaires et moi-même.

— Fermez cette porte, je vous prie.

— C'est que la chaleur…

— Je préfère être étouffé qu'entendu, grommela Bellecombe.

Ainsi commença un interrogatoire qui nous conduisit jusqu'à la fin de l'après-midi. Les émissaires avaient préparé une longue série de questions. Elles portaient sur l'emploi des fonds qui m'avaient été confiés, l'état des volontaires qui constituaient une troupe, les rapports avec les indigènes et les marchands particuliers. Ces interrogations étaient légitimes, quoique formulées de façon malveillante.

Se profilaient en arrière-plan d'autres préoccupations dont on comprenait qu'elles étaient essentielles pour ceux qui avaient mandaté ces émissaires.

— Les chefs dont vous semblez avoir fait vos obligés vous paient-ils un tribut et à combien se monte-t-il ?

— Ils ne paient rien. Ils m'ont donné leur amitié et c'est assez.

Bellecombe regarda Chevreau. Celui-ci ne semblait pas tout comprendre mais quand son compagnon de voyage lui adressait la parole, il répondait en lâchant : « Oh ! Oh ! » d'un air entendu.

— Combien sont selon vous les indigènes sur cette île ?

— Je l'ignore. Mais au regard de sa très vaste surface, elle est fort peu peuplée.

— Combien d'esclaves par an pourrait-elle fournir à notre traite ? Mille ? Deux mille ?

— Si nous en traitons deux mille, je ne donne pas dix ans pour que cette île soit déserte.

Un coup d'œil de Bellecombe, et Chevreau fit « Oh ! Oh ! » avec un sourire finaud.

— Je me permets de formuler un avis, ajoutai-je. Je ne crois pas de bonne politique de chercher des esclaves ici.

— Tiens donc ! coupa Bellecombe, en haussant les épaules.

— En tout cas, la mise en valeur de Madagascar peut apporter des bénéfices bien plus grands à la Couronne. Il y a ici des pâturages excellents, des rizières fertiles, toutes sortes de minerais.

— Parlons-en ! Depuis votre arrivée, on ne peut pas dire que le commerce se soit beaucoup développé. Vous n'avez livré que des quantités ridicules de ces produits à l'île de France qui vous donnait les moyens d'en acquérir beaucoup plus.

— Si vous me le permettez, je contesterai ce point. Je n'ai reçu que d'infimes fractions de ce qui m'était promis.

— Vous m'avez déjà fait cette plainte, passons.

— Je la réitère pourtant. J'ajoute aussi que si l'on veut que cette île rende autant que la nature la dispose à le faire, il faut laisser les indigènes y prospérer et il est nécessaire de leur faire profiter des lumières de nos paysans, de nos artisans, de nos ingénieurs.

— Oh ! Oh ! lança Chevreau.

Mais comme ce coup-là était parti tout seul et hors de propos, il regarda Bellecombe et rougit.

— À ce que j'ai cru comprendre, dit celui-ci, ces indigènes sont surtout des guerriers.

— Hélas, il y a eu beaucoup de conflits entre les tribus. J'ai heureusement de bonnes raisons d'espérer que l'île va retrouver son unité.

— S'ils sont de bons combattants, renchérit Bellecombe qui suivait son idée, nous pouvons peut-être en enrôler pour nos guerres ?

— J'ai tout fait pour qu'ils ne combattent plus dans les leurs et vous voulez leur faire prendre part aux nôtres !

Ce dialogue de sourds continua sur ce registre pendant plusieurs heures. Les intentions que reflétaient ces questions n'étaient que trop claires. Il s'agissait de soumettre l'île et d'en faire, à une échelle plus grande encore que par le passé, une immense réserve de captifs et de chair à canon.

Ma conversation avec Aphanasie me revint d'un coup en mémoire. « La meilleure et la pire des choses. » Mon élévation royale me donnait la clef pour remettre l'île entre les mains des Français, c'est-à-dire de Bellecombe et de la clique des îles voisines. Ou bien, elle faisait de moi un rempart contre ces manœuvres.

— Permettez-moi de vous informer que j'ai démissionné de la charge qui m'avait été confiée par feu le roi Louis XV.

— Vous avez démissionné ?

— Oui. J'ai remis le corps des volontaires sous le commandement de mon second.

— Et vous ?

— Moi ? Je reste ici.

— À quel titre ?

— Privé.

Bellecombe me regarda par en dessous. Mon annonce était une déclaration de guerre, il le comprenait. Mais il mesurait aussi que j'étais en position de force et qu'il ne pouvait me livrer aucune bataille tant que j'étais sur cette île. Il fit appel, comme toujours en pareil cas, à ses ressources de courtisan et forma un sourire presque aimable.

— Ainsi, vous vous plaisez sur cette terre ?

— Ma foi, elle est bien agréable. Et ma femme l'aime aussi.

— Le climat, sans doute ?

— Peut-être.

— Il est doux comme aujourd'hui toute l'année ?

— Non. Il y a une saison des pluies et même des tornades qui emportent tout.

— Tiens, tiens.

Je vis son visage s'assombrir. J'eus l'intuition de sa question suivante.

— Des maladies ?

— Beaucoup.

— Ah ! Graves ?

— Très.

— Et vous n'en avez pas peur ?

— Nous les avons eues et par chance nous avons survécu. Désormais, nous sommes résistants à leurs attaques. Ce n'est pas le cas des nouveaux venus.

Bellecombe se tamponna le front puis remit son mouchoir sur sa bouche.

— Allons, Chevreau. Ne nous attardons pas ! La nuit va tomber. Il nous faut regagner la *Consolante*.

Je proposai de leur faire visiter les entrepôts et le fort mais ils se contentèrent d'un rapide coup d'œil et rembarquèrent en me faisant force compliments, tous moins sincères les uns que les autres.

Le vaisseau des émissaires appareilla le lendemain et mit le cap sur l'île de France. Nous savions dorénavant ce qui nous attendait et ce que nous avions à faire.

Je réunis une cabarre et annonçai mon départ pour Versailles. Les Malgaches me proposèrent de rester et de commander la résistance quand les Français viendraient s'emparer de l'île. Mais je leur tins un autre discours. Il était encore possible de fléchir la position du roi. Il me fallait arriver avant que Bellecombe ne lui remette son rapport dont je savais qu'il ne me serait pas favorable.

— Ne penses-tu pas que nous sommes capables de battre les Français ? me dit le chef Raoul avec sa douceur habituelle. Qu'ils nous attaquent et nous résisterons comme nous l'avons toujours fait. Cette fois, de plus, grâce à toi nous serons unis.

S'ensuivit une longue discussion. J'essayai de leur persuader qu'il ne suffisait pas d'obtenir le renoncement du roi à ses projets de domination.

Il fallait s'assurer de son aide ou, à défaut, de celle d'une autre puissance. Pour que l'île vive et connaisse la prospérité, nous devions nous assurer du soutien d'un partenaire. Il nous enverrait les artisans, les techniciens, les instruits dont nous avions besoin. Je ne voulais pas seulement que Madagascar soit sauve, je la voulais grande et libre.

Aphanasie qui prenait part aux débats n'était pas favorable à ces plans. Toujours séduite par Diderot, elle défendait l'idée que l'île n'avait besoin de personne. Ce fut cette fois un fort parti d'indigènes qui la contredit et défendit mon initiative. Il y eut vote et la majorité trancha dans ce sens.

Avant notre départ, il fallut donner corps aux institutions que nous avions imaginées pour l'île. Les Européens et les Malgaches se partagèrent les charges dans les conseils et les gouvernements. Des volontaires français constitueraient l'encadrement d'une armée.

Au cours d'une dernière assemblée, je jurai de revenir. Ce n'était pas un vœu de circonstance comme j'avais pu en faire dans les îles du Japon ou de la mer de Chine.

Je savais et Aphanasie aussi que nous reviendrions. Nous le voulions. Les voyages continus, l'errance avaient pris fin. Notre place était sur cette île et nous ne manquerions plus ce rendez-vous.

Dans une étrange ambiance d'espoir, de fête et de chagrin, nous embarquâmes le 14 décembre

sur le brick la *Belle-Arthur* à destination du Cap
puis de la France.

Ainsi commença le voyage qui devait nous
mener jusqu'à vous.

VI

— Ce sera le mot de la fin ! glapit Sally, la fille de Franklin qui était revenue et attendait ce moment pour agir.

— C'est que... Madame... nous avons encore...

— Non, non, non, protesta-t-elle en se plaçant entre Auguste et son père pour que celui-ci ne puisse entendre la conversation.

— Voilà bientôt une semaine, gronda-t-elle à voix basse en roulant des yeux mauvais, que vous venez ici chaque jour accabler ce pauvre vieillard avec vos histoires. Cela suffit.

Auguste se leva, protesta qu'ils en arrivaient justement à l'essentiel et qu'ils avaient encore des choses importantes à dire.

Franklin, qui ne voyait plus ses interlocuteurs et ne pouvait entendre leurs paroles, criait en tapant de ses avant-bras sur les accoudoirs du fauteuil. Les bagnards crurent qu'il voulait retourner dans sa chambre ; ils saisirent les pieds du siège pour le soulever. Franklin leur distribua des claques sur la tête, en ordonnant qu'ils le reposent.

Pendant cette agitation comme d'ailleurs un peu plus tôt, tandis qu'Auguste achevait son récit, nul n'avait remarqué le bruit d'un équipage qui se garait dans Market Street, en face du petit passage percé entre les façades pour rejoindre la maison de Franklin. Personne n'avait non plus prêté attention aux hommes armés qui s'étaient postés dans le jardin et les couloirs. Et c'est en toute discrétion que Richard avait introduit un homme qui se tenait debout dans la pénombre depuis un long moment.

Sally, qui battait en retraite à son grand regret devant les protestations de son père, aperçut à cet instant le personnage vêtu de noir qui se fondait dans la teinte sombre des boiseries.

— Dieu soit loué ! Vous êtes arrivé. Voilà qui va nous aider.

Sur ces mots, elle repartit à l'assaut en s'adressant à Franklin.

— De toute façon, père, vous allez devoir vous interrompre. Il y a ici un visiteur de marque qui ne souffrira pas d'attendre plus longtemps. Approchez, Thomas, je vous prie.

L'homme fit deux pas et parut dans la lumière. Il était grand et mince, sanglé dans une redingote élégante qu'il tenait ouverte sur un gilet damassé. Son visage long et étroit était glabre et sans ride. On lui donnait tout au plus trente ans, quoiqu'il eût récemment dépassé la quarantaine.

Franklin se retourna difficilement sans quitter son fauteuil.

— Jefferson ! s'écria-t-il. Que venez-vous faire ici ?

Il avait pris le ton bourru d'un vieil aîné mais son visage était éclairé par un grand sourire. Ils avaient travaillé étroitement ensemble à la rédaction de la Déclaration d'Indépendance. Franklin n'avait guère apprécié que son cadet s'en attribuât tout le mérite mais il lui avait pardonné. C'étaient des heures si exaltantes. Il y pensait souvent quand il se promenait dans les environs et passait devant Independance Hall où ils avaient signé ce texte historique, dans la chaleur de ce début juillet…

— Je m'embarque pour Paris, répondit le visiteur. Vous savez que je vais marcher sur vos traces.

— Ambassadeur ?

— J'essaierai de m'en montrer digne, prononça Jefferson en s'inclinant respectueusement.

— Certainement, certainement.

Franklin montrait malgré lui de la contrariété. Cette nomination officielle lui rappelait toutes celles qu'on lui avait refusées.

— En rejoignant mon vaisseau, je tenais à vous saluer. Sally m'a envoyé un message hier pour me prier de venir au plus vite.

— Elle a eu raison, pour une fois, dit Franklin.

Puis, illuminé par une idée soudaine, il continua.

— Depuis combien de temps êtes-vous ici ?

— Hier soir, pourquoi ?

— Non, je veux dire dans cette pièce. Quand êtes-vous entré ?

— Il y a une demi-heure peut-être. Je n'ai pas voulu interrompre monsieur.

Jefferson désignait Auguste avec un salut courtois.

— Alors, vous avez entendu cela ? Que pensez-vous de cette histoire ? C'est la plus extraordinaire que l'on m'ait jamais racontée. Je croyais avoir voyagé dans ma vie mais ces jeunes gens m'ont convaincu que, comparé à eux, je n'ai presque pas bougé.

— Vous exagérez, père, objecta Sally sur un ton pointu car, si, en privé, elle traitait son père comme un enfant, elle était la première à défendre sa réputation en public.

Puis, revenant vers Auguste et Aphanasie, elle ajouta :

— Maintenant, madame et monsieur, je vous prie de laisser l'ambassadeur s'entretenir avec mon père. Suivez-moi, je vais vous reconduire.

Il y eut un instant de flottement. Franklin n'osait ni contredire sa fille ni paraître insultant à l'égard de son hôte officiel. En même temps, il ressentait un grand dépit de prendre congé si abruptement de personnes auxquelles il s'était maintenant attaché. Il n'eut pas à intervenir car, d'un coup, Aphanasie se leva et prit la parole d'une voix forte.

— Attendez !

Auguste, qui ne savait quelle contenance adopter, se figea. Franklin ouvrit de grands yeux joyeux et Jefferson, malgré la froideur de ses manières, eut un mouvement de surprise ; il n'avait encore vu Aphanasie que sous les traits d'une jeune femme silencieuse et réservée. Voilà qu'elle apostrophait l'assistance avec une autorité qui venait à l'évidence de très loin.

— Attendez encore un peu, je vous prie, répéta-t-elle. Il y a une semaine, en effet, que nous vous contons notre histoire mais ce n'est pas pour cela que nous sommes venus. Nous avons en effet une requête à présenter et nous n'allons pas nous arrêter au moment d'y parvenir.

Sally regardait son père et comprenait qu'elle avait perdu la partie.

— Bien sûr, répondit aimablement celui-ci à l'adresse d'Aphanasie. Nous vous écoutons.

La jeune femme le remercia d'un sourire mais elle ne se rassit pas.

— La présence de M. Jefferson, commença-t-elle toujours debout, est une excellente coïncidence.

Elle avait appris d'Auguste, en hommage à Bachelet qu'elle n'avait pas connu, à ne jamais invoquer la Providence.

— À travers lui, c'est au gouvernement des États-Unis d'Amérique que nous nous adressons.

De surcroît, nous allons parler de la France où il se rend. Nous sommes arrivés dans ce pays au terme de six mois de voyage. Auguste vous l'a dit : nous voulions plaider notre cause auprès du roi avant que les diffamations des administrateurs de l'île de France ne l'aient prévenu contre nous.

Franklin fit un signe à Richard pour qu'il place un siège à côté de lui et y fit asseoir Jefferson.

— Notre souci, reprit Aphanasie, était bien inutile. Le fait d'être présent avant le rapport des émissaires n'a pas suffi à inverser le cours des événements. Nous avons, voyez-vous, trouvé une France en grand désordre, un roi invisible et qu'il ne sert à rien de voir, paraît-il, tant il est indécis. Paris nous a semblé nerveux et triste. Mon amie Julie que nous avons visitée en arrivant était malade, d'une affection contractée dans ses plaisirs, et il me parut que son cas était emblématique de ce que devenait tout le pays. Je crains d'ailleurs qu'à cette heure-ci Julie ne soit morte. C'était étrange : tout nous semblait différent par comparaison avec notre premier séjour. Nous avions l'impression en retrouvant la France de visiter une personne chère que l'âge aurait entraînée sur le déclin et rendue presque méconnaissable. Il est vrai qu'en ce moment l'amertume là-bas est générale. Nul ne sait ce qu'il peut advenir tant le mécontentement paraît profond.

Mais la principale différence par rapport à notre précédent séjour, c'est que nous n'étions plus des exilés. Nous avions lié notre sort désormais à une terre et à un peuple. Il ne se passait pas de jour sans qu'en regardant le ciel gris sur

371

les toits de zinc, nous ne songions avec tendresse à notre maison de Louisbourg couverte d'un toit de palmes, à la nature puissante de cette île qui donne une vigueur au soleil et une violence aux pluies que les climats fades de l'Europe ne connaissent guère. Nous avons certes retrouvé en France la même passion que naguère pour les expéditions maritimes mais dans un esprit bien différent. Il ne s'agit plus maintenant d'explorations mais de conquêtes. Dans les contrées du Pacifique Nord, de l'Alaska au Japon où nous avons navigué il y a dix ans, les nations d'Europe se livrent désormais une guerre à outrance. Cook est allé planter le drapeau britannique partout où il le pouvait. Les Espagnols ont multiplié les missions et les Russes poursuivent leur occupation des côtes américaines. Pour y répondre, le roi de France et son ministre viennent d'envoyer un brigadier des armées navales nommé La Pérouse...

Or c'est ce même officier qui commandait l'escadre à l'île de France et il n'a pas été le dernier à nous dénigrer auprès du roi.

Dans ces conditions, notre projet de soutenir à Madagascar la construction d'une nation souveraine et indépendante ne pouvait que faire sourire.

Nous sommes repartis tant que l'on nous prenait pour des rêveurs et avant que l'on nous accuse d'être des criminels. Nous sommes passés en Angleterre. Si l'accueil fut meilleur, nous comprîmes vite que les Anglais nous faisaient parler pour mieux s'informer des intentions françaises et les contrarier. Ils ne se préoccupaient pas plus des Malgaches que les autres.

Nous avons ensuite correspondu avec plusieurs personnages influents en Hollande et au Portugal. La réponse était toujours la même : passez à notre service, aidez-nous à conquérir cette île et vous serez couverts d'honneurs et de titres.

Auguste était désespéré. Il commençait à se ranger à mes avis. Vous savez que je n'étais pas favorable à ces grandes entreprises de civilisation ou qui se prétendent telles. J'en suis restée à ce petit livre que Diderot m'a fait lire et dont j'ai appris avec regret qu'il ne l'avait pas encore publié. Il l'a intitulé *Supplément au Voyage de Bougainville* et j'aimerais bien qu'il paraisse un jour. C'est le seul auteur qui ait parlé des sauvages avec un peu de clairvoyance, ce me semble. Il ne disserte pas pour savoir s'ils sont naturellement bons ou méchants. Ils sont eux-mêmes, et nos désirs de les élever n'aboutissent qu'à les corrompre et à les soumettre.

Je ne reviens pas sur ce débat. Vous êtes en droit de contester mon point de vue. De toute façon, la question ne se pose plus ainsi. Nous sommes venus, et ils ont changé à notre contact, pour le meilleur ou le pire, c'est ce que l'avenir dira. Le problème aujourd'hui est de savoir si, à l'issue de cette rencontre des peuples de civilisations différentes, il y a encore place pour le respect et la liberté ou si tout doit nécessairement se terminer, comme le veulent les Français et les autres nations d'Europe, par la conquête et la domination. Voilà la seule question qui mérite d'être débattue.

Eh bien, la réponse, cher monsieur Franklin, c'est vous. C'est à quoi nous avons abouti pendant notre séjour à Londres. Bien des gens nous ont parlé de votre propre expérience en Angleterre. Vous êtes arrivé comme le représentant des colonies mais royaliste, favorable aux Anglais, reconnaissant leur autorité et désireux seulement qu'ils laissent se développer en paix leurs possessions américaines. Vous êtes reparti désespéré de cette opinion et rendu à l'idée d'Indépendance.

En y pensant, nous nous sommes dit que nous avions marché sans le savoir sur vos traces. Nous étions venus en France dans l'idée d'offrir Madagascar à la Couronne et avec l'espoir qu'elle se comporterait avec respect à l'égard de ses nouveaux sujets. Nous en étions partis bien convaincus que seuls le combat et la souveraineté permettraient à cette terre de préserver sa liberté et sa dignité. En somme, votre exemple vaut pour le monde et nous avons pensé que si une nation pouvait apporter à cette île un appui désintéressé, une aide qui ne fût pas le masque d'une volonté de soumission et de conquête, c'était la vôtre.

Voilà. En un mot : nous sommes ici pour mettre sur pied une nouvelle expédition pour Madagascar. Elle amènera dans cette île les artisans, les administrateurs, les paysans qui lui manquent. Ils s'y établiront dans le respect des lois qui ont été instituées. Sitôt accomplie cette œuvre, la royauté d'Auguste ne sera plus nécessaire et l'île se gouvernera par l'effet de sa propre constitution grâce à laquelle les indigènes comme les étrangers prendront part à la décision.

Nous vous demandons solennellement, messieurs, de nous favoriser dans cette entreprise.

Franklin s'était animé à l'écoute de ce récit. Il n'avait pas quitté Aphanasie des yeux et quand il les fermait c'était pour humer les effluves de son parfum qui parvenaient jusqu'à lui quand elle ponctuait son discours de gestes gracieux. Il allait ouvrir la bouche pour répondre quand Jefferson, qui s'était levé, prit la parole le premier.

— Nous vous remercions pour vos propos, madame, et nous sommes fiers que la Déclaration d'Indépendance américaine pût servir de modèle à d'autres peuples de par le monde. Cependant, il vous faut considérer que notre révolution est très jeune et encore fragile. L'Angleterre n'a pas renoncé à faire valoir ses droits sur ces colonies. Une guerre est à redouter et c'est pour la préparer en nouant des alliances que je me rends en France.

L'île où vous avez élu domicile est située dans une zone sur laquelle les Français ont des vues. Toute intervention de notre part pour leur résister serait interprétée comme un acte inamical et nous ne le voulons à aucun prix. Je crains donc que vous n'ayez fait ce long chemin en pure perte.

Franklin avait d'abord écouté le discours de Jefferson avec déférence. Il n'y pensait pas vraiment, tout au bonheur de voir sa maison si plaisamment animée. Mais à mesure que les paroles de Jefferson pénétraient dans son cerveau et y révélaient leur sens, il se rembrunissait.

— Comment ! protesta-t-il soudain, sans laisser le nouvel ambassadeur terminer sa péroraison. Est-ce là une réponse digne de notre patrie ? Nous avons allumé un phare dans le monde, cette jeune femme a raison de le dire. Le phare de la liberté, et on ne peut faire le reproche à personne de le prendre pour repère. Il faut s'attendre à ce que demain bien d'autres nous rejoignent ou fassent appel à nous pour conquérir à leur tour leur indépendance.

Le cas de Madagascar n'était au fond d'aucune importance particulière pour Franklin. Il y voyait seulement le premier acte de l'histoire nouvelle qu'il avait contribué à écrire. Surtout, cet incident faisait monter en lui tout le ressentiment qui l'habitait à propos de ces ingrats qui l'avaient mis au rancart depuis son retour. Quelques jours plus tôt, il avait subi d'eux un ultime affront : lui qui avait créé la poste américaine se voyait retirer l'exemption de timbre dont il avait jusque-là été gratifié et qu'il estimait mériter sa vie durant.

— Je crains de ne pouvoir vous convaincre sur ce point comme sur bien d'autres, ajouta-t-il sans savoir lui-même s'il parlait de Madagascar ou de ses timbres. Mais qu'à cela ne tienne ! Puisque nous sommes aujourd'hui une nation libre, nous n'avons pas à quêter le soutien d'un gouvernement tout-puissant. Dieu merci, ce n'est pas une tyrannie et nous ne sommes plus des sujets. Quand le peuple veut quelque chose, ici, il le prend.

Il fit signe à Auguste et Aphanasie d'avancer jusqu'à lui. Il saisit la main de chacun d'eux et la tint fermement.

— Je vous aiderai, moi. Si mon nom a encore un écho dans ce pays, croyez bien que vous obtiendrez ce que vous voulez. Vous repartirez d'ici avec ce qu'il faut pour rendre libre la nation que vous vous êtes choisie.

La scène était touchante et même Sally s'attendrit en voyant de quelle énergie cette rencontre avait empli le vieillard.

Jefferson usa des talents de diplomate dont il allait devoir faire preuve dans ses nouvelles fonctions : il ignora l'affront et s'efforça de faire bonne figure. Pour lui, Franklin représentait le passé. En l'espèce, il avait tort.

Il quitta la maison du patriarche en dissimulant sur son visage un sourire de mépris.

Auguste et Aphanasie, cette fois, se décidèrent à partir, non sans avoir bu en compagnie du vieil homme un verre de brandy et porté un toast à la liberté.

Resté seul avec Richard, Benjamin Franklin repoussa son dîner. Il se sentait envahi par une douce torpeur, plein d'émotions, de rêves, et il fit un effort pour conserver en lui dans toute sa fraîcheur le parfum de lilas et de jasmin de la reine de Madagascar.

Les deux loustics furent appelés pour le soulever sur son fauteuil et le porter à l'étage. Une heure après, il s'endormait heureux.

ÉPILOGUE

Le 25 octobre 1784, le vaisseau l'*Intrépide*, monté de vingt canons et de douze porte-mousquetons, quitta le port de Baltimore.

Auguste Benjowski était à son bord, avec Aphanasie et leur fils. Le navire avait été affrété par une compagnie commerciale américaine. L'intervention de Franklin avait été déterminante pour obtenir son soutien. Il avait su persuader ces marchands que l'Indépendance allait les priver de leurs privilèges de colonie et désorganiser leurs échanges avec l'ancienne métropole ; ils devaient donc trouver de nouveaux partenaires.

La mission dévolue à l'*Intrépide* était de créer un établissement sur la côte est de Madagascar et de mettre en place un circuit d'échanges avec l'Amérique.

Auguste, à son grand regret, n'avait pas réussi à recruter en Amérique les charpentiers, maçons, forgerons, vignerons sur lesquels il comptait pour enrichir Madagascar et la développer. Il avait dû se contenter de personnes sans aveu, auxquelles il avait de surcroît fait miroiter l'acquisition de grands domaines et une prospérité qu'ils seraient sûrement déçus de ne pas trouver. Il aurait toujours le temps de voir sur place ce qu'il en ferait.

Il avait par ailleurs assemblé une poignée de compagnons très sincères et pleins d'idéal. Certains avaient fui du Kamtchatka avec lui. D'autres étaient des Polonais qui avaient combattu pour l'Indépendance américaine. Tous partageaient son idéal de créer, à l'image des États-Unis, une colonie libre en Afrique.

Ils allaient quitter le climat changeant et souvent rude de la Nouvelle-Angleterre pour la terre ensoleillée et douce de Madagascar.

L'ambiance à bord de l'*Intrépide* était à la nonchalance. Chacun savait que le voyage serait long. Le mouvement lent du navire, sous les immenses toiles gonflées de vent, berçait les esprits et faisait rêver certains à ce qu'ils allaient découvrir, d'autres à ce qu'ils allaient perdre.

Même les marins étaient saisis par le vague à l'âme. Sitôt entrés dans la Caraïbe, la brise douce, l'air tiède, le soleil cuisant amollirent les cœurs et laissèrent chacun dériver au gré de ses fantasmagories intérieures.

Est-ce ce relâchement qui fit commettre au capitaine une erreur d'estime ? Nul ne le sait mais le fait est que le navire, parti pour traverser l'Atlantique, se retrouva au Brésil où il échoua sur l'île de Juan Gonsalvez, près de l'embouchure de la rivière Amargosa. Cette escale forcée à l'équateur dura plusieurs mois.

Le temps passait lentement. Les seules promenades que les naufragés pouvaient faire les menaient le long des mêmes interminables plages sur le sable desquelles la mer jetait des fibres et des cailloux polis. Le petit Charles était en âge d'apprendre et Auguste lui faisait la leçon à bord du bateau. La sueur de l'élève avec celle du maître coulait sur les pages imprimées et troublait la prose de Descartes comme celle de Rousseau. En fin d'après-midi et avant que la nuit équinoxiale ne tombe d'un coup, le père et le fils s'affrontaient sur la plage à l'aide de bambous qu'ils maniaient comme des épées. On avait débarqué les chevaux que le navire transportait dans ses soutes. Charles apprit à monter et il y prit un si vif plaisir qu'il disparaissait des journées entières sur sa jument alezane.

Quand le radoubement fut achevé, le vaisseau remit à la voile et, d'un bond, traversa l'Atlantique, tourna sans y faire escale le cap de Bonne-Espérance et arriva au Mozambique où il ravitailla.

Puis il débarqua à Madagascar. Auguste avait hésité entre la côte occidentale, où il risquait de se heurter aux Arabes, et la côte orientale, que fréquentaient les Français.

Neuf ans s'étaient écoulés depuis leur départ. Neuf années pendant lesquelles tout avait pu arriver. La prudence commandait d'entrer par un point neutre de la côte. L'idéal était le nord, près du cap San Sebastian, en face de l'île de Nosy Be. Sitôt à terre, Auguste rencontra un groupe de naturels qui acceptèrent de le conduire chez le roi Lambouin. Celui-ci le reçut avec des cris de joie et lui donna l'hospitalité. Aphanasie débarqua à son tour et amena Charles avec elle. Lambouin mit une case à leur disposition. Ils furent hébergés pour leur première nuit à terre dans cette cabane spacieuse, la plus vaste que pût offrir le roi, mais humide et sombre.

Le garçon découvrait la nuit malgache, si noire que les étoiles étaient trop brillantes pour qu'on pût les regarder longtemps. L'air sentait la cannelle et le varech. Dans les maisons, les cloisons de raphia tressé laissaient passer les brises. Au-dehors, des femmes chuchotaient en attisant un feu de cuisine.

Auguste et Aphanasie passèrent la nuit enlacés sur une natte à écouter les bruits de la forêt et du rivage. Une solitude les étreignait comme jamais ils n'en avaient ressenti. Jadis, ils ne connaissaient pas le monde, si bien que lorsqu'ils s'échouaient dans les espaces désertiques de l'Extrême-Orient, ils ne les comparaient à rien. Aujourd'hui, ils avaient tout connu et tout quitté. Pour trouver quoi ? Le bonheur ou une chimère ? Ils l'ignoraient mais l'un comme l'autre étaient habités par un sombre pressentiment.

Cependant, la seule mort qu'ils craignaient, c'était celle de l'autre.

La nuit résonnait de cris. Des oiseaux invisibles s'appelaient. Des insectes grimpaient sur les cloisons en faisant autant de bruit que des chats. Et très loin, atténué par la distance et l'entrelacs des plantes, parvenait régulier, comme un inexorable balancier liquide, le bruit du ressac.

Ils avaient tant rêvé à ce moment ! Ce n'était pas seulement la parole donnée qui les avait fait revenir. Madagascar était devenue pour eux un remède à toutes les épreuves, un viatique, un abri mental qui les protégeait des humiliations, des tourments de l'exil, des tristesses quotidiennes.

Et voilà que, maintenant, ils y étaient revenus. Ils étaient désormais sans rêves, c'est-à-dire sans espoir et sans protection.

Heureusement, à l'obscurité oppressante de la nuit africaine succédaient des jours ensoleillés, aveuglants de lumière et mêlant les riches couleurs de la forêt, de la terre rouge et du ciel. Lambouin avait envoyé des coureurs auprès des tribus pour annoncer le retour d'Auguste. Ils avaient tracé leur route dans la nuit et, au matin du deuxième jour, les premiers émissaires étaient de retour. Ils étaient accompagnés d'envoyés des tribus qui venaient présenter leurs hommages à l'ampanscabé et lui dire qu'il était attendu partout.

Lambouin avait brossé pour Auguste et Aphanasie un tableau des événements depuis leur départ. Faute d'un interprète, ils avaient seulement compris que l'anarchie régnait de nouveau. Providentiellement, parmi les hommes que les tribus avaient délégués auprès d'Auguste figurait un jeune Malgache de Foul Point qui avait acquis des connaissances en français. Par ce truchement, ils en surent un peu plus.

Les institutions mises en place dans l'île avant leur départ avaient d'abord bien rempli leur office. Toutefois, les marchands particuliers, qui avaient repris leur commerce en divers points de la côte, s'étaient assuré des complicités en soudoyant certains chefs. Les administrateurs de l'île de France, depuis le départ d'Auguste, s'étaient employés à diviser les tribus par un subtil mélange de rumeurs et de faveurs. Tout cela avait rallumé d'anciennes querelles que le conseil suprême n'avait pu éteindre et qui avaient fini par le faire exploser. Beaucoup avaient péri dans ces affrontements permanents. La culture avait régressé d'autant car les hommes désertaient leurs terres pour la guerre. Les armes apportées par les Français proliféraient dans l'île, si bien que les combats qui se déroulaient jadis à la lance mettaient en jeu des mousquets et même un peu d'artillerie. La traite des esclaves avait repris de plus belle et les prisonniers capturés au cours de ces combats fratricides étaient tous vendus aux marchands qui les exportaient par navires entiers.

Cependant, dans ce noir tableau, subsistait une lueur d'espoir : le souvenir d'Auguste n'avait pas disparu. La nostalgie du bref moment de paix qui avait marqué sa présence était vive.

Nombreux étaient encore ceux qui, malgré le temps passé, continuaient d'attendre son retour.

Pour preuve de cette assertion, Auguste vit arriver à lui de vieilles connaissances. Raffangour, le chef des Sambarives, son ami et plus fidèle allié, se présenta ainsi le troisième jour. Auguste l'embrassa avec effusion et le chef, d'ordinaire si retenu, pleura dans ses bras. Il était presque méconnaissable. D'horribles blessures le défiguraient. Il avait perdu un œil et sa joue était déformée par des brides à la suite d'une grave brûlure. Il expliqua que les Français avaient concentré leurs attaques contre lui car il avait été, de notoriété publique, le plus constant allié d'Auguste.

Lambouin fit sacrifier un bœuf et une longue veillée autour des feux du village permit à chacun de raconter ces années passées. Les palabres se prolongèrent par un renouvellement du serment du sang. Tous les chefs présents s'y prêtèrent. Un incident, cependant, qui ne fut pas pris très au sérieux sur l'instant devait être annonciateur de drames à venir. Deux nobles seclaves, qui avaient prétendu apporter à Auguste l'hommage de leur tribu, se déclarèrent malades au moment du serment et se refusèrent à le prêter.

La fête était trop animée pour que l'on prît garde à ce refus. Lambouin avait fait couler l'eau-de-vie à flots et Auguste, au cours de la nuit, pria un de ses fidèles, un Européen du nom de Paschke, d'aller chercher un tonneau de vodka dans le navire. L'homme embarqua sur une chaloupe et rama vers l'*Intrépide* qui mouillait assez loin du bord. Il n'eut pas le temps de revenir car, avant la fin de la nuit, des coups de feu retentirent aux abords du camp. C'est bien plus tard, quand la situation fut de nouveau sous contrôle, que l'on comprit que les deux Seclaves s'étaient éclipsés et avaient guidé l'attaque menée contre le village par des guerriers de leur tribu.

Cet accrochage n'eut pas de conséquence pour le camp de Lambouin, si ce n'est qu'il fit deux morts parmi ses hommes. Mais il entraîna un événement d'une gravité extrême. Le bateau américain, entendant des bruits de combat, crut Auguste tombé dans une embuscade. La panique s'empara du bord et le capitaine donna l'ordre précipité de lever l'ancre. L'homme dans la chaloupe venu chercher un tonneau eut la surprise de voir dans la nuit sans lune l'énorme trois-mâts s'éloigner vers le large. Il crut à une illusion et rama de plus belle pour le rattraper. Mais le vent portait bien et le vaisseau courait sur son erre, sans que le rameur pût espérer le rejoindre.

Paschke finit par lâcher ses rames. Sa barque ondulait doucement sur l'eau presque étale de la baie. C'était un homme rude qui avait traversé bien des combats. Mais là, en ce lieu inconnu, cerné par la forêt sombre d'où montait le cri des lémuriens et des perroquets, il se sentit à ce point perdu qu'il appuya ses deux bras sur une dame de nage, prit sa tête dans ses mains et pleura.

Cependant, à terre, l'attaque des Seclaves avait fait revenir tout le monde à la conscience. Il fallait s'organiser, se battre, désarmer les tribus dont les Français avaient fait leur jouet.

Auguste proposa à Aphanasie de rester dans le camp de Lambouin avec Charles. Le départ du bateau était une nouvelle terrible. Il indiquait qu'ils allaient combattre le dos à un mur infranchissable qui s'appelait l'océan.

La première étape était de faire jonction avec le gros des tribus du Sud auprès desquelles Raffangour comptait de nombreux alliés toujours favorables à Auguste. Ensuite, ils formeraient avec eux et des Européens qui avaient décidé de rester sur place un corps d'armée organisé. Ils pourraient ainsi attaquer Angontzi, lieu où les Français avaient construit des entrepôts et qui leur servait de place forte pour commercer avec les tribus.

Auguste avait laissé ses effets de guerre sur le bateau, tout comme Aphanasie et Charles leurs vêtements. Il était venu vêtu en gentilhomme et sans armes. Lambouin lui fit don d'un mousquet et d'un poignard. Auguste retira ses souliers de ville et résolut d'aller pieds nus. Il ouvrit sa chemise et retroussa ses manches. Raffangour, avant de se mettre en marche, tint à tracer sur le visage blanc d'Auguste des peintures de guerre qui pourraient le protéger.

Charles vit partir son père dans cette tenue.

Il alla l'embrasser et un peu de couleur rouge s'imprima sur sa joue. Il devait toute sa vie, bien après que la trace eut disparu, sentir comme une brûlure sur la peau à cet endroit.

Auguste embrassa Aphanasie. Ce fut un long baiser, tout habité par l'amour mais que le danger rendait presque douloureux. L'un comme l'autre avait conscience qu'ils étaient arrivés à un moment de leurs voyages où la suite, peut-être, se déroulerait dans un autre monde.

Auguste quitta le camp de Lambouin en compagnie de Raffangour, et d'une centaine de guerriers malgaches.

Le temps était chaud et le ciel clair. Ils marchaient en file indienne dans la forêt. Les pieds d'Auguste se couvrirent d'une boue épaisse qui les protégeait. Chaque soir, ils dormaient dans un village différent où leur arrivée était saluée par des manifestations de joie. Et, chaque matin, ils repartaient en emmenant avec eux de nouveaux guerriers.

Cependant, à mesure qu'ils approchaient de la côte est, où les Français étaient installés, l'accueil, quoique aussi favorable, se faisait plus réservé. Les chefs de tribu, malgré leur loyauté à l'ampanscabé, s'inquiétaient de le voir si faible et à la tête d'une troupe si mal armée. Ils se disaient qu'au cas où les Français repousseraient cette attaque, ils ne manqueraient pas d'exercer des représailles sur ceux qui se seraient rendus complices d'Auguste et de Raffangour. On ne pouvait leur en vouloir de leur prudence.

C'est pour respecter cette neutralité qu'Auguste décida, au voisinage d'Angontzi, de créer son propre camp, en dehors de tout village indigène. Il donna des ordres pour construire une redoute avec une palissade de bois et des levées de terre.

Ce retranchement servirait de base arrière pendant qu'ils mèneraient une observation de l'établissement français et dresseraient des plans pour s'en emparer. Ce délai permettrait aux guerriers d'autres tribus d'affluer en masse et de grossir leur petite armée.

Auguste ignorait malheureusement que les Français ne demeuraient pas inactifs. Le bateau américain qui l'avait amené, après l'avoir abandonné à terre, était allé se ravitailler à Angontzi. Le capitaine, délivré de l'encombrante présence de Benjowski, n'avait aucune raison de se méfier des Français. Ils lui réservèrent d'ailleurs un bon accueil. C'est par lui qu'ils apprirent l'arrivée dans l'île de l'ancien envoyé du roi. Sa réputation était intacte malgré le temps passé car les administrateurs de l'île de France s'étaient chargés de la perpétuer. Ils ne craignaient rien comme son retour. Les chefs du poste d'Angontzi recevaient tous comme instruction de ne le laisser à aucun prix reprendre pied à Madagascar.

C'est pourquoi, apprenant des Américains qu'il était de retour, les Français formèrent immédiatement un détachement avec les troupes disponibles. Ils alertèrent tous les chefs de tribu, qui étaient contraints de leur obéir en raison de leurs intérêts commerciaux et à proportion de la crainte qu'ils savaient leur inspirer. Ils ne tardèrent pas à recevoir des informations sur le chemin suivi par Auguste et Raffangour et sur l'état des forces qu'ils commandaient.

La redoute n'était pas construite depuis trois jours que les Français avaient déjà localisé l'ouvrage. La nuit tiède était éclairée par la faible lueur des feux de camp. La forêt bruissait de feulements et de cris. Auguste se tenait assis devant des braises avec Raffangour et les autres chefs. Les hommes de leur troupe dormaient à même le sol, la tête posée sur leurs mains jointes. Une garde légère veillait sans rien pouvoir distinguer dans l'obscurité.

Sur le sable à côté du foyer, Auguste avait tracé le plan de l'établissement français, tel qu'il avait pu le reconstituer à travers les récits des éclaireurs. Il discuta longtemps avec les Malgaches pour arrêter un plan d'attaque. Finalement, ils s'accordèrent sur celui que proposait Raffangour. Dans un combat qui s'annonçait inégal, où ils ne disposeraient d'aucune artillerie et de peu d'armes à feu légères, la surprise et la mobilité seraient les seuls atouts. Les guerriers malgaches et Raffangour en premier lieu, à cause de sa tragique expérience des combats, faisaient merveille à ce jeu.

Ce plan arrêté, ils décidèrent de prendre un peu de repos, avant de se mettre en mouvement au matin.

Auguste resta longtemps couché sur le dos

à attendre le sommeil. La nuit sans lune était d'une profondeur qu'elle n'atteint que sous les ciels africains. La multitude des étoiles était si grande que, derrière les plus lumineuses qui paraissaient aveuglantes de clarté, s'en découvrait une infinité d'autres vers lesquelles la Terre semblait se précipiter à grande vitesse. C'est dans ce vertige qu'il fit un rêve, qui à vrai dire était plutôt une vision. Elle envahissait sa conscience et lui donnait l'impression de remonter le temps.

C'était pendant leur fuite de Bolcheretsk vers la Chine. Entre le Japon et Formose, ils avaient abordé brièvement une petite île au climat très doux qui avait été évangélisée par un jésuite portugais. Le saint homme était mort et les villageois lui vouaient un véritable culte posthume. Un homme originaire du Tonkin qui s'était fixé, on ne savait pourquoi, dans cette île les y avait accueillis avec bonté. Le village était blotti autour d'une église blanche et descendait en terrasse jusqu'à un petit port où se balançaient des barques de pêche. Les hommes de l'équipage n'avaient guère goûté ce séjour trop calme : la population opposait à leur volonté de débauche une naïveté généreuse qui décourageait toute violence.

Auguste avait insisté pour que l'escale durât trois pleines journées afin de cuire le pain et de faire aiguade. En réalité, il avait été profondément charmé par cette île. Pendant que les hommes s'affairaient dans le port, il avait proposé à Aphanasie de se promener à l'intérieur. C'était une vaste terre et, sitôt quittée la côte, des sentiers de chèvre s'enfonçaient dans la montagne que creusaient de profondes gorges. Ils remontèrent l'une d'elles, en marchant sur le sable gris d'un torrent presque sec. Des trous d'eau claire entre les pierres étaient reliés par un mince filet, verdi par des algues de rivière. Après un défilé où des cataractes d'orage avaient laissé sur la roche d'étranges torsades d'usure, la gorge s'élargissait. Des amphithéâtres de pierre rouge surplombaient le lit du cours d'eau et un large bassin serpentait entre des blocs de rocher polis par le courant. Des murets sur les bords délimitaient de petites terrasses sur lesquelles poussaient des dattiers et des manguiers nains. La gorge était déserte. Personne ne travaillait dans les jardins. Aphanasie grimpa sur un muret et s'amusa à marcher, bras écartés, sur le rebord étroit qui longeait le torrent sec. À un moment, elle découvrit une sorte de collecteur en bois qui déversait l'eau brûlante d'une source, née bien plus haut au flanc de la montagne.

Aphanasie sauta du muret et, sans prévenir, ôta sa chemise et sa culotte déchirée. Elle se plaça nue sous le jet d'eau claire. Auguste était encore tout imprégné de sa responsabilité de capitaine : il s'inquiétait qu'on pût les voir. Mais Aphanasie, ruisselante, alla le chercher par la main et l'aida à se déshabiller à son tour. Bientôt, c'est ensemble qu'ils se placèrent sous l'onde chaude. Aphanasie arracha des mousses sur le muret et confectionna une sorte de bouchon pour frotter leur peau. Ils étaient aveuglés par le soleil, luisants d'eau, les cheveux collés sur la nuque par le jet brûlant. La peau d'Aphanasie, sous les doigts d'Auguste, était tiède et gonflée d'un suc qui semblait être la matière même du bonheur. À cette époque, il ne l'avait pas compris ; il était encore pressé de rejoindre une cour royale et d'y remplir une haute mission.

Pendant cette nuit d'attente à Madagascar, dans le silence des sphères pascaliennes qui le dominaient de leur glaciale menace, Auguste était aveuglé par l'évidence que ce simple moment avait sans doute été le plus heureux de sa vie.

C'est à l'aube que retentit le premier coup de feu. Les guerriers se dressèrent, prirent place autour de la palissade. La forêt ne montrait rien d'autre que son habituel entrelacs obscur.

— Ne résistez pas ! cria en français une voix venue de ce tréfonds végétal. Vous êtes cernés.

Auguste fit signe de ne pas répondre. Au bout d'un long instant, la voix reprit :

— Qui est Benjowski, parmi vous ?

Un des hommes qui dans la redoute tenait un mousquet laissa partir un coup. On entendit le bruit net de la balle qui se fichait dans un tronc.

Dix, vingt, cent coups de feu claquèrent, venus de toutes les directions. Un Malgache, touché à la tête, tomba à la renverse et s'abattit sur le sol de la redoute.

Le silence revint, cependant qu'une fumée bleuâtre se dissipait lentement dans la clairière.

— Je répète : nous voulons Benjowski, c'est tout. Qu'il se lève et qu'il sorte : vous aurez tous la vie sauve.

Une autre voix, aux sonorités indigènes, traduisit la phrase en langue malgache.

Pas un guerrier ne broncha dans la redoute. Auguste échangea un regard avec Raffangour. Celui-ci lui sourit. C'était une expression contrite et sans doute douloureuse car la face meurtrie du guerrier déformait ses mimiques. Mais il y avait dans ce regard une confiance, une fierté, une fraternité qui émurent Auguste au plus profond de lui-même. Et cette loyauté, partagée avec tous ces hommes, provoqua en lui une allégresse inconnue, le vrai bonheur peut-être.

Alors, il se tourna vers la forêt, dans la direction de la voix qui l'avait interpellé.

— Vous cherchez Benjowski ? cria-t-il.

Un temps passa, signe que les assaillants ne s'attendaient pas à ce qu'il réponde.

— Oui, c'est vous ?

— Non.

Un nouveau flottement indiqua que les Français devaient délibérer pour savoir quoi dire.

— Et qui êtes-vous, alors ?

— Le roi.

Là encore, la surprise retarda la relance.

— Quel roi ?

— L'ampanscabé, le roi de Madagascar.

— Le… roi ?

La surprise étranglait la voix de la forêt. Quand elle reprit le mot une seconde fois, elle était secouée par le rire.

— Benjowski se prend pour un roi !

D'autres éclats de rire sortirent d'entre les troncs de la forêt.

— Un roi, oui, cria Auguste. Riez. Vous verrez que le temps viendra où cela ne vous amusera plus.

Et lui aussi, malgré son émotion, en pensant au jour où un autre viendrait qui reprendrait ce combat, il se mit à rire. Les Malgaches, dans la redoute, le regardaient sans comprendre. Puis Raffangour commença à rire lui aussi, les autres chefs l'imitèrent et bientôt tout le détachement.

Au milieu de cette étrange hilarité, Auguste ferma les yeux et sentit revenir à lui la vision de la nuit : le torrent sec, les pierres lisses chauffées par le soleil, la peau si tendre d'Aphanasie sur laquelle roulaient encore des gouttes d'eau. Un bref instant, il s'y mêla d'autres images heureuses : le poignet fin de sa mère tendu vers la chaleur d'un feu de bois, la peau turgide des feuilles et des écorces qui gonflaient d'eau après la pluie de mousson, la rondeur caressante des hautes vagues qui se creusaient en mer de Chine les jours de tempête. Et toutes ces images se fondaient en une gigantesque figure féminine vers laquelle Auguste se sentait délicieusement glisser.

À la grande surprise des guerriers malgaches, il se leva. Dans la forêt aussi, cette soudaine apparition par-dessus le mur de la redoute provoqua surprise et stupeur.

Auguste regardait le ciel mais ceux qui assistèrent à la scène dirent tous que ses yeux semblaient tournés vers l'intérieur, comme s'il avait contemplé quelque image longtemps cachée au-dedans de lui.

— J'aime…, s'écria-t-il.

Soudain un coup de feu retentit. Auguste, debout, abaissa le regard jusqu'au rivage obscur de la végétation.

Un petit trou rouge se voyait sur sa poitrine. Il y porta la main, regarda le sang sur ses doigts et se demanda un instant, comme le faisaient les chasseurs aux Aléoutiennes, si la peau ne serait pas trop abîmée. Car la zibeline blanche n'a de valeur qu'intacte.

Puis il tomba à la renverse et ce fut sa dernière pensée.

Postface

Maurice Auguste Beniowski (ou Benjowski, 1746-1786) fut longtemps l'aventurier et voyageur le plus célèbre du XVIIIᵉ siècle. Ses Mémoires, écrits en français, ont rencontré un succès immense. Ils sont aujourd'hui encore publiés et je ne peux qu'en recommander la lecture (Éditions Phébus en français).

Cependant peu à peu, ce personnage tomba dans l'oubli en Europe occidentale, supplanté sans doute par nombre de nouveaux découvreurs et navigateurs.

Son souvenir demeure néanmoins très vivant dans les trois pays qui revendiquent sa citoyenneté. La Hongrie, la Slovaquie et la Pologne se disputent Benjowski, au point de faire dresser à Madagascar des monuments à sa gloire différents et contradictoires. Il a inspiré dans ces pays de nombreux travaux historiques et archivistiques. Son aventure, quoique connue dans le détail, réserve encore des zones d'ombre.

Il a également suscité des romans, des pièces de

théâtre et des films. Cette fécondité n'est pas seulement due au caractère exceptionnel des aventures de ce personnage. Elle tient aussi au mystère qui entoure son existence. Le paradoxe est qu'il s'est beaucoup raconté. Toutefois, s'il n'a eu de cesse de se justifier et d'expliquer ses actes, il est resté énigmatique dans sa personnalité même.

Au fond, il nous a livré une enveloppe, mais libre à chacun d'y glisser ce qu'il veut. J'ai respecté cette enveloppe : le récit de ses voyages est aussi fidèle que possible à la réalité, même si, pour les besoins de l'exposition, j'ai pris quelques libertés avec les dates. Pour l'essentiel, le personnage est ma création. Je lui ai attribué une fidélité qu'il n'a pas eue en réalité avec Aphanasie, la très historique fille du gouverneur de Bolcheretsk. Je l'ai voulu solaire, ce qu'il était probablement, visionnaire, et en lisant ses écrits, nul ne peut contester qu'il le fut. Les doutes, les angoisses, la vulnérabilité dont je l'ai affublé doivent probablement plus à mon caractère qu'au sien. Mais, après tout, c'est le héros d'un roman et la seule vie, pour lui, est celle que le lecteur acceptera de lui reconnaître.

Nul ne sait avec certitude ce qu'il advint d'Aphanasie et de son fils. Certains pensent qu'ils sont restés dans l'île et que Charles serait même devenu une sorte de guerrier indigène.

D'autres mentionnent la présence dans la ville de Bordeaux au début du XIXᵉ siècle d'une veuve Benjowski qui était arrivée sur un bateau en provenance d'Afrique. C'était, paraît-il, une très belle femme qui parlait le français avec un accent dont nul ne parvint jamais à déceler l'origine. Elle aurait négocié un stock de pierres précieuses dont elle ne précisa jamais la provenance mais qui étaient d'une taille fabuleuse. Avec cet argent, elle aurait acheté une maison dans la campagne et y aurait vécu jusqu'à sa mort, en y donnant des fêtes et en recevant des voyageurs venus de la capitale. Quelqu'un prétendait qu'elle avait choisi cette propriété sans même la visiter, simplement séduite par le nom de la région, l'« Entre-deux-Mers ».

D'autres enfin, mais ceux-là ne sont pas poètes, soutiennent qu'on ne peut rien savoir de Mme Benjowski ni de son fils car ils n'auraient pas existé…

*

Benjowski ne cessa jamais d'être diffamé par les mémorialistes français. Très tôt, ils mirent en doute la réalité de son action à Madagascar et lui taillèrent un costume d'aventurier et d'escroc. Les Malgaches, eux, continuent d'honorer sa mémoire. Ils voient en lui l'apôtre de l'unité de leur île, le chantre de son indépendance et l'un des premiers combattants de la lutte anticoloniale. Un boulevard de la capitale Antananarivo porte toujours son nom. En installant l'idée d'une unité politique des peuples de l'île, il pava la route à sa manière au grand roi **Radama I**er qui régna à partir de 1810. C'est ce monarque éclairé qui unifia le territoire et créa pour le monde extérieur le royaume de Madagascar.

Cette unité permit à l'île de résister pendant près d'un siècle. C'est en 1895 que les Français occupèrent toute l'île et la « pacifièrent », sous la houlette du général Gallieni, au prix d'une campagne militaire qui coûta la vie à plus de cent mille personnes.

*

À Madagascar, l'intérêt pour Benjowski et son aventure ne cesse de progresser. Des recherches sont menées par des universitaires malgaches, dans la lignée de l'étude publiée en 2006 par Paule Vacher (Recherches en anthropologie et histoire de l'Afrique. MMSH Aix-en-Provence). Ce travail a permis de montrer, en les comparant à d'autres notes retrouvées dans l'île, comment s'est élaborée cette première construction « romanesque » qui porte le nom de *Mémoires de Benjowski*. L'image « scientifique » qui s'ébauche peu à peu s'éloigne désormais de la représentation jusque-là dominante des historiens de la période coloniale. C'est en particulier à un certain Prosper Cultru que l'on doit le préjugé d'un Benjowski escroc et affabulateur. Les études actuelles tendent à montrer qu'un fond de réalité existe qui sous-tend les Mémoires et corrobore les dires du comte, même si son récit comporte des exagérations et constitue plus un plaidoyer qu'un témoignage objectif. Mais, au plus près du terrain, ce sont aussi des amateurs qui contribuent depuis des années à améliorer la connaissance que nous avons de cette extraordinaire entreprise précoloniale. L'un d'entre eux est un dentiste allemand installé sur place (à Antalaha, ville de la côte est de Madagascar et proche de la baie d'Antongil). Berndt Zschocke, marié à une Malgache d'origine chinoise, a réuni une collection exceptionnelle de documents et d'objets liés à l'aventure d'Auguste. Les fréquentes missions venues d'Europe de l'Est pour commémorer cet épisode et honorer le grand aventurier passent toutes chez lui. Je dois à l'amitié de Jean-Hervé Fraslin et de son épouse Marie-Paule le bonheur de l'avoir rencontré et d'avoir pu bénéficier de ses lumières sur les lieux mêmes de l'action.

Dans le salon de Berndt et Marie-Hélène, on peut admirer un petit canon utilisé par Benjowski pendant son ultime combat contre les Français. Une deuxième pièce, de plus grandes dimensions (plus de 2 mètres de long) est entreposée dans leur garage. Ces témoignages directs de la présence du comte ont été retrouvés à l'endroit où il avait établi son dernier camp. Le site est très émouvant et il s'en dégage une impression troublante. Comme si la mystérieuse présence des combattants y était toujours perceptible. Le lieu se trouve à cap Est ; c'est une colline qui domine la mer. Elle est toujours couverte de forêt primaire (alors que les terres alentour sont cultivées). Pour entretenir le souvenir, une mission des Slovaques (très actifs actuellement pour « revendiquer » Benjowski) avait édifié un petit monument. Il a actuellement disparu. À la place, on découvre un large trou, d'une quinzaine de mètres de profondeur. Des inconnus viennent toujours y creuser, à la recherche d'un hypothétique trésor…

Certains passionnés ont mené leur recherche de façon heureusement plus méthodique et plus rigoureuse. C'est le cas de deux enseignants, Arnaud Léonard, professeur d'histoire à La Réunion, et Albert Zieba, qui enseigne les arts plastiques à Antananarivo. Ce dernier préside une très active association polono-malgache. Après plusieurs années de recherches et de visites de terrain, ils ont annoncé début 2018 avoir découvert les vestiges de la cité fondée par Benjowski sur les rives du fleuve Antanambalana.

De fréquents cyclones ont modifié au cours du temps le tracé de la côte, ce qui a jusqu'ici rendu malaisée l'interprétation des cartes reproduites par Benjowski, en illustration de ses Mémoires. Cette découverte en annonce certainement bien d'autres. Car le destin du comte aventurier est désormais l'objet d'un intérêt mondial. On sait que les Russes l'ont étudié depuis longtemps, en ce qui concerne la partie sibérienne et pacifique de ses voyages. Sa mémoire est célébrée en Europe centrale où plusieurs pays se disputent le privilège d'être sa patrie. Aux États-Unis, une exposition lui a été consacrée à Washington. Elle a permis de découvrir que son nom est toujours porté par des familles américaines.

Espérons qu'en France, ce roman ait contribué à le tirer de l'oubli et surtout à faire de Benjowski un personnage plus authentique et plus positif que n'ont voulu le faire croire les historiens coloniaux…

NOTE

Les lieux et les peuples mentionnés dans ce livre ont fait l'objet, depuis l'époque de Benjowski, de recherches nombreuses et ils portent aujourd'hui pour la plupart des noms différents. Ceux du XVIIIᵉ siècle étaient souvent des transcriptions phonétiques rudimentaires opérées à partir des langues indigènes par les premiers voyageurs. Ces hommes, ignorant les cultures locales, entendaient mal les sons qui n'existaient pas dans leur propre langue et les remplaçaient par des phonèmes familiers. Aujourd'hui, des systèmes de transcription rigoureux ont été établis, modifiant la graphie de ces mots.

Nous avons cependant choisi d'utiliser dans ce récit les noms propres du XVIIIᵉ siècle. Leur imprécision reflète les connaissances du temps. Ainsi la variété des peuples de l'Extrême-Orient russe est-elle mal connue. Leurs différences sont enfermées dans des vocables globalisants : Sibériens, Kamtchadales (pour les habitants de la péninsule orientale du Kamtchatka), Américains (pour désigner les Inuits vivant en Alaska).

De même, à Madagascar, les noms ont pour

l'essentiel changé. Parfois, on retrouvera dans les noms de l'époque l'orthographe déformée de peuples toujours identifiables. Ainsi, les Seclaves du récit seront facilement reconnus comme les Sakalava. Parfois, les voyageurs de cette expédition prenaient pour des peuples ce qui n'était que de simples tribus, au sein d'ensembles plus vastes, et désignaient la partie pour le tout. On aura de la sorte des difficultés à retrouver dans la distribution actuelle des peuples malgaches ceux qui étaient appelés à l'époque Sambarives ou Saphirobay.

Quoi qu'il en soit, pour ne pas nous rendre coupable d'anachronisme, nous avons utilisé pour tous ces noms la même orthographe que Benjowski lui-même dans ses Mémoires.

L'extraordinaire travail accompli par les historiens d'Europe de l'Est sur ce personnage permet de disposer de commentaires précis et très éclairants dans l'édition moderne de ce récit de voyage. Ceux qui souhaitent en savoir plus pourront se reporter à l'énorme appareil critique (près de mille notes) de cet ouvrage (Éditions Phébus).

CARTES DES VOYAGES
D'AUGUSTE BENJOWSKI

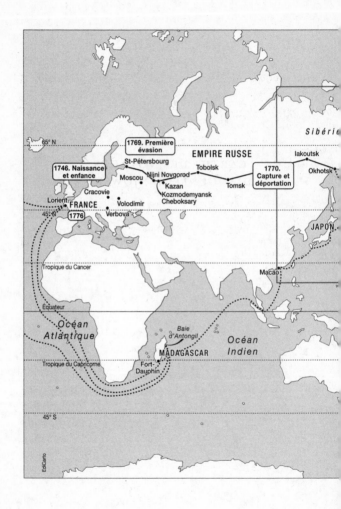

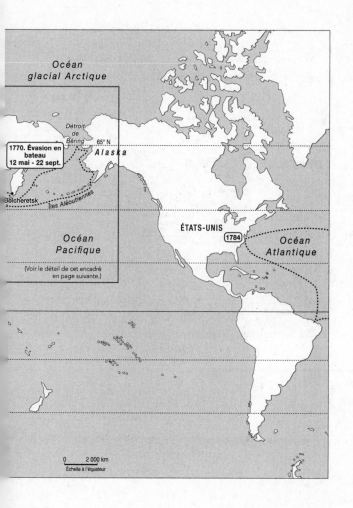

Océan
glacial Arctique

Détroit
de
Béring

65° N.

Alaska

1770. Évasion en
bateau
12 mai - 22 sept.

Bolchéretsk

Îles Aléoutiennes

Océan
Pacifique

(Voir le détail de cet encadré
en page suivante.)

ÉTATS-UNIS

1784

Océan
Atlantique

0   2 000 km

Échelle à l'équateur

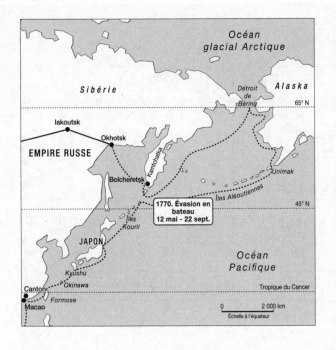

DU MÊME AUTEUR

Romans et récits

Aux Éditions Gallimard

L'ABYSSIN, 1997. Prix Méditerranée et Goncourt du premier roman (Folio n° 3137)

SAUVER ISPAHAN, 1998 (Folio n° 3394)

LES CAUSES PERDUES, 1999. Prix Interallié (Folio n° 3492 *sous le titre* ASMARA ET LES CAUSES PERDUES)

ROUGE BRÉSIL, 2001. Prix Goncourt (Folio n° 3906)

GLOBALIA, 2004 (Folio n° 4230)

LA SALAMANDRE, 2005 (Folio n° 4379)

UN LÉOPARD SUR LE GARROT. Chroniques d'un médecin nomade, 2008 (Folio n° 4905)

SEPT HISTOIRES QUI REVIENNENT DE LOIN, 2011 (Folio n° 5449 et repris sous le titre LES NAUFRAGÉS : ET AUTRES HISTOIRES QUI REVIENNENT DE LOIN, coll. « Étonnants Classiques », Éditions Flammarion, 2016)

LE GRAND CŒUR, 2012. Prix du Roman historique et prix littéraire Jacques-Audiberti (Folio n° 5696)

IMMORTELLE RANDONNÉE : COMPOSTELLE MALGRÉ MOI, édition illustrée, 2013 (première parution : Éditions Guérin). Prix Pierre-Loti (Folio n° 5833)

LE COLLIER ROUGE, 2014. Prix Littré et prix Maurice-Genevoix (Folio n° 5918)

CHECK-POINT, 2015. Prix Grand Témoin de la France Mutualiste 2015 (Folio n° 6195)

LE TOUR DU MONDE DU ROI ZIBELINE, 2017 (Folio n° 6526)